天皇のロザリオ

(上)日本キリスト教国化の策謀

鬼塚英昭

SEIKO SHOBO

著者緒言

この本は一九四九年（昭和二十四年）六月八日、昭和天皇が九州巡幸の折、別府市の小百合愛児園を行啓したときに、小さな事件があったと、筆者が思い、その事件と、その背景を描いたものである。読者がこの本を読んで、私が名づけた「別府事件」が日本の現代史上の重大な事件であったと思っていただければ、この本を書いた私にとってこの上ない喜びである。

また、この本を読んで、「別府事件」なんぞはなかった、仮にあったとしても重大な事件ではなかったと思われるとすれば、それはそれで有意義であると私は思う。

この本で私は、キリスト教について多方面から検討した。キリスト教徒の方には面白からぬことを書いた。私は「愛」に生きる日本のキリスト教徒の皆さんは立派な方だと思っている。だが私はこの本で、権威と権力の面からキリスト教を見つめたのである。私は、一人ひとりの信仰については何ら非難の声を上げることはない。

天皇とロザリオ　目次

第六章　変貌し続ける天皇教

第七章　象徴天皇とキリスト教

『天皇とロザリオ』下巻目次

司馬遼太郎は死の直前に、「太平洋戦争をおこした日本、それに負けて降伏した日本のあの事態よりも、今はもっと深刻な事態なのではないか。日本は滅びるかもしれない。ここまで闇を作ってしまったら次の時代はもうこないだろう」と語った。

〝闇〟はますます深くなった。だから、私はその日本の〝闇〟を少しでも告発しなければならない。

＊引用文献名は引用箇所周辺に記しました。
＊その他の参考文献は巻末に一覧として附しました。
＊引用文中に現在では穏当を欠くとされる表現がありますが、
史料としての重要性を考慮してそのまま当用しました。
＊引用文中の括弧〔　〕内は著者による注記です。

＊装幀＝長谷川理
＊カバー写真＝コービス・ジャパン

天皇のロザリオ

第一章

幻の「別府事件」

私はひとつの事件に気づいた

一九九五年（平成七年）十月のある日のことだった。私は、大分県立図書館でほんの偶然にウィリアム・ウッダードの『天皇と神道』という本を手に取り、パラパラとめくっていた。この本の最終章は「マッカーサーと天皇」であった。私はその中の一文を読んでいるうちに大きな衝撃をうけた。次のような文章であった。

天皇のマッカーサー訪問の際、少なくとも一度は、マッカーサー将軍がキリスト教に触れて発言したと信ずるにたる根拠がある。しかし、マッカーサーが天皇にキリスト教を信仰してほしいと希望したであろうとの疑念にかんしては、状況証拠は否定的である。

私はこの何ら変哲もなさそうな文章を読んだとき、思わず大声を発しそうになった。「状況証拠があるじゃないか！」と叫びそうになる自分をかろうじて抑えた。その証拠が私の故郷、大分県別府市にあるのだと、私は直感したのである。

当時、私は故郷別府の戦後史を書こうと思っていた。数々の別府関係の本、雑誌を集めると同時に数多くの人々に面会し、データを揃えていた。

ノンフィクションにするか、小説にするかは決めかねていた。私は戦後の別府のデータを集める一番よい方法は郷土の新聞「大分合同新聞」の戦後の記事収集であろうと思った。戦後の記事を見る方法はマイクロ・フィルムしかないこと、そのフィルムは県立図書館にあることを知った。私は竹細工職人である。仕事の閑《ひま》を見つけ、一週間に一日、マイクロ・フィルムを回し続け、別府に関するものを中心にコピーした。

一九四九年の別府の新聞記事のコピーをスクラップブックに貼り付けていて、妙なことに気がついたのである。それは、天皇が九州巡幸の折に別府でとった奇妙な行動であった。「はて、どうしてこんなことが起こったのであろうか?」と私は思ったのである。この気持ちは私が一九六〇年代の記事をコピーし続けるまでの間、すなわち、ウィリアム・ウッダードの『天皇と神道』を読むまでの間、約半年間続いたのである。

天皇の九州巡幸は人々を熱狂させた。その人々を巻きこんだ九州巡幸はマッカーサーによって仕組まれたのではないか。それも天皇をキリスト教徒にして、日本をキリスト教の国家にすべく仕組まれたのではなかったか。私はそう思ったのである。

しかし、この事は私の直感であった。「状況証拠があるじゃないか!」と私が心の中で叫んだのも、たんなる直感の域を出るものではなかった。私は自分の直感を信じようと思った。具体的な証拠を捜してみようと思った。私はいろんな本を読み始めた。そして、幻の「別府事件」を確信したのである。

一九四九年(昭和二十四年)五月十七日、天皇は午前九時、宮廷列車で東京駅を出発した。

九州巡幸は二十五日間の日程だった。福岡県、佐賀県、長崎県と回り、再び福岡県に入る。そして熊本県、鹿児島県、宮崎県、大分県、と回った。二十五日間にわたる巡幸の旅は終わり、六月十一日の夜、小倉駅から帰京した。

大分県と宮崎県の県境は宗太郎《そうたろう》トンネルである。六月七日、正午過ぎ、予定どおり宮廷列車はすすみ、雨降るなか、佐伯《さえき》駅に着いた。天皇は佐伯市の奉迎場に向かった。二万数千人が天皇を出迎えて「バンザーイ」を繰り返した。沿道を埋めた人々を加えると、ほぼ佐伯市の全人口に近い人々が天皇を迎えたことになる。津久見《つくみ》の奉迎場は約三万人。幸崎《こうざき》を経由して御召車ベンツは佐賀関《さがのせき》へ向かった。日本鉱業佐賀関精錬所で、天皇は二十キロの金塊を両手で持ち上げ、「重いね」と言い、にっこりした。五時すぎ、御召車は別府に到着し、日名子《ひなご》旅館に入った。数千の人たちが旅館の玄関に押しかけ、大混乱の中で「天皇陛下、バンザーイ」を繰り返した。

『入江相政《いりえすけまさ》日記』の六月八日（水）を見ることにする。入江は侍従として天皇に同行した。

九時御泊所発御。大分県庁、部課長、議員等にお会ひ被遊て後、県議事堂にお移りの時牛馬を御覧になる。議事堂では議員にお会ひの後、県の特産を天覧。あと市役所のあたり迄御徒歩。相当な人出で混雑した。大分県遺族連合会、ここの母子寮の人の顔つきを見ていると、先年の関西あたりの時とはまるで変ったものだ。必ずしも時局安定の為とのみはいへまい。何だか冷やかなものを感じた。

別府・日名子旅館に到着した昭和天皇（荒金啓治『井戸と塀』より）

天皇が大分県庁に入った時、雨が降っていた。それから天皇は小雨の中を、片手に傘、片手に帽子を持って、県下の遺族代表千六百人の人々と会った。その中に、終戦の八月十五日、敗戦の責任をとって自殺した阿南惟幾《あなみこれちか》陸相の未亡人綾子《あやこ》の姿があった。綾子は四人の遺児を連れて、阿南の実兄がいる竹田市に身を寄せて農業に従事していた。天皇が入江侍従に綾子に会いたいとの希望を伝えたうえでの面会であった。天皇は未亡人に言った。「その後、お変わりありませんか。ずいぶん苦しいでしょうね」、「ハイ」と綾子は答えた。

天皇は次に大分球場内の大分市奉迎場に向かった。約六万（当時の大分市の人口は約十二万人）の人々が集まっていた。場内は、雨と大群衆のため、田植えが出来るほどのドロンコ状態であった。その中に天皇が着くと、雨傘は一斉に閉じられ、日の丸の旗がさっと空に向けて振られた。奉迎場はまさに天皇という神を迎えた祭祀の場と化した。天皇がこの奉迎場へ来たことにより、風景は一変した。すなわち、風景が反転したのである。人々は神を感じたのである。六万人の群集が一斉に「君が代」の大合唱をし、それから「天皇陛下、バンザーイ」の嵐となった。天皇はさらに、中島製粉機製作所と富士紡大分工場を訪れた後に別府に戻り、小百合《さゆり》愛児園へと向かった。

もう一度、『入江相政日記』の続きを見る。

別府小百合愛児園、カトリックらしく又御堂の奥深く迄案内申し上げたりする。日名子へお帰りで御弁当、寿司とそばの大変おいしい実に気のきいた食事だった。午後御立の時には雨も止んだのでオープンで別府奉迎場に御出まし、それより麻生農園を借りて県でやっている温泉熱利用の甘藷育苗園、麻生多賀吉にもお会ひになる。ここで黒松、杉の御種蒔。雨になって来たので九大の温泉治療研究所を経て国立亀川病院。五時近く御宿泊所着御。コーヒーを召し上がった後奉上の三人をきこしめす。御入浴。明日のご予定について申し上げる。広瀬淡窓、竹田、三浦梅園の書画を沢山見る。

入江日記の「別府小百合愛児園、カトリックらしく又御堂の奥深く迄御案内申し上げたりする」に注目してほしい。

結論を書いてから説明に入る。この小百合愛児園で、ある幻の事件（私はそれを「別府事件」と呼ぶ）が発生した、と考えるのである。その事件は、後の章で詳述するが、マッカーサー元帥、ピオ十二世、アメリカのスペルマン枢機卿たちが仕組んだ「天皇をカトリックにし、日本をカトリック教国にせん」とするものであった、と私はみるのである。彼らの陰謀劇は、あるちょっとした失敗ゆえに成功しなかったのであると、私は考えるのである。もう一度同じ文句を書くことにしよう。「状況証拠があるじゃないか！」

大分市と別府市は高崎山《たかさきやま》を境に分かれている。高崎山の北側が別府市である。小百合愛児園は高崎山の近くの山麓にある。

一九二九年（昭和四年）、ローマ・カトリックの扶助者聖母の会の修道女が来日し、別府に修道院を設置した。一九三三年、「一人の若い母親が生後僅か十カ月に満たない乳児を抱き養育を依頼しに修道院の門をたたいた。この不遇なる乳児を引き取り養育したのが動機となり、本事業の第一歩となった」と愛児園の園史に書かれている。一九三五年、乳幼児が増えたため、修道院の建物二棟を園舎に当て、「別府小百合愛児園」の名称のもとに開園した。

天皇訪問の約一カ月前の五月二日、鈴木菊男《すずききくお》総務課長と入江相政侍従の二人は大分県を訪れ、大分、別府の両市で天皇巡幸の最終打合わせをした。別府では、脇鉄一《わきてついち》別府市長に鈴木総務課長が「特に小百合愛児園には注意してほしい。御堂（礼拝堂）には近づかない。所要時間は十分ないし十五分以内で、乳児、児童たちと会ってすぐに退場したい」と言った。脇市長も異存なく同意した（大分県立公文書館の資料による）。

同日、鈴木総務課長と入江侍従は知事室を訪れ、細田徳壽《ほそだのりひさ》知事との打合せをした。その後で入江侍従は次のように語った（大分合同新聞による）。

閣下巡幸の目的は敗戦により、精神的、経済的に痛手をこうむった国民に対し、陛下として出来うる限り最大限の慰めを与え、インフレの中で日本再建のため窮乏に耐えて努力する国民を激励されるためである。したがってとくに行幸のため、国民の負担を増すような結果になるようなことがないよう諸事一層簡素とするよう御希望されている。宮内府としてもお供は非常に少なく、今回は長官、侍従長以下二十五名である。奉迎については陛下としては、しみじみとしたお気持ちでなるべく多くの国民に接せられたいので、お迎えする側もその気持ちで混乱しないように御協力願いたい。

『天皇陛下大分県行幸録』（以下、『行幸録』）を見ることにする。

既に到着三十分前、愛児園に通じる坂道は人で一杯である。踏切周辺はもとより坂道に沿ってぎっしり市民が並び、高台付近は旗を手に手に人垣を作っての奉迎ぶりである。〝鐘の鳴る丘〟では、児童福祉施設の代表者、民生委員をはじめ、各関係者、点々と外人の顔も見え、カメラを手にしたGIさんらも手すりにより眼下の人波をみとれている。

ほどなくして、〝カンカン〟と鐘の音が小雨のかすむ高台の十字架の下から鳴り響いた。天皇陛下お成りの鐘につれて御召自動車はガードにさしかかった。と一斉に市民の目は御召自動車に集まり万歳の歓呼が、そして旗の波がガード一面に蔽った。

午後零時四十分。御召自動車は歓呼と旗波にせきとめられたかのように坂道の登り口にピタリと停止し、天皇は脇市長の御案内で坂道を上られた。土下座の老婆がハンカチを顔にあて感激の顔を浮べてお迎えする。石だたみの舗道はまるで日の丸のアーチの様である。その間を天皇陛下は右手にソフト帽を振りつつ万歳に応えられ、登りつめた園庭に並ぶ民生委員に「益々気の毒なものを助けてやって下さい」と励まされ、玄関先でお迎え申し上げていたソラリ・カルメラ女史の御案内で玄関右側の応接室で同園の沿革について御説明を聞かれた。

こうしたなかで、白いワンピースの女の子、白いズボンの男の子、白一色の百十六名の園児と、百九十六名の分園児たちが天皇を迎えたのである。

「天皇いらっしゃいませ」という声とともに、可愛いい手拍子が一斉に起こった。天皇は二歳

小百合愛児園での昭和天皇。左が脇鉄一市長（藤田洋一氏提供）

から四歳くらいの子供たちの輪の中に入り、ニコニコしながらも、どうしたものかと迷っている様子にみえた。と、天皇は帽子をさげていた右手の甲をそのまま左手で叩いて子どもたちの拍手にかえた。それはなんとも不自然な光景であった。それから「光の中につつまれて」という天皇奉迎の可愛い歌がピアノに合わせて合唱された。
問題となるのは、この後の出来事である。入江侍従の『日記』に書かれていたとおり、天皇は「カトリックらしく又御堂の奥深く迄」入っていくのである。そこで何かが起こるのである。では、『行幸録』を続けよう。

天皇陛下は始終ニコニコしながら、リズムにあわせてお顔を上下にふりふり御足で調子をとられていた。歌がすむと万歳万歳と小旗をふって寄りすがる園児たちのいぢらしさに天皇陛下は御目を細められて腰を落されて何か言いたげなご様子であったが、侍従にうながされ右手をふりふり講堂を出られた。二階の御堂に入られた天皇陛下は赤色のカーテンに深く閉じこめられた御堂に立たれ、堂の片隅から唱うシスター達の妙なる讃美歌に暫し感慨深げなご様子であった。讃美歌は天皇陛下が十字架の五歩前に進まれたとき、「君が代」に代わっていった。静かな御堂に荘厳な気がみなぎり平和の光が窓から射し込んでいた。

御堂で何かが起こったのである。私はまったく気がつかなかった。他の人々と同じように。
次に、天皇を案内した当時の別府市長の脇鉄一の回顧録『ある市長のノート』を見ることにする。私はこの本を最初に読んだとき、べつに特別なものが書かれているとは思わなかった。私自身もいいかげんに本を読んでいたのである。あのウィリアム・ウッダードの『天皇と神道』を読んで「ハッと」するまでは。

この脇鉄一の『ある市長のノート』には、次のように書かれていたのであった。

ところがこの愛児園で実はハラハラさせられた一幕があった。ここはカトリックの経営であるので、この礼拝堂の中へは御案内せず、入口から御覧になるだけという予定にしてあったのである。それは正面に聖像と十字架が置かれているので、皇室での慣行上宗教的な御動作を避けられるようにとの考慮からであるが、園長のソラリ・カルメラ女史は、その篤信と善意とから、陛下を中迄御先導してしまって、あわや礼拝をおすすめ申し上げそうなのである。僕はあわてた。そして、お付きの宮内省〔一九四九年六月一日から宮内庁・引用者注〕の鈴木総務課長〔行幸主務官が正式役名・引用者注〕に急を告げると、鈴木総務課長も驚いて人垣をかき分けて近づき、比較的大きな声で「陛下どうぞこちらへ」と申上げると、陛下はそれを聞かれていとも静かにきびすを返して来られた。僕は全くホッとしたのである。この時の陛下の御様子は実に自然で、少しも驚かれた気配も見受けられず、とっさな態度にも見えなかったのは幸であった。

若し女史が陛下に礼拝をお願したとしたら、陛下は一体どうされたであろうか。陛下は案内者がお願することは何でもそのまま受け容れられるようである。このことはこの行幸中に僕の経験した範囲内では例外がない。それがここで危ないところで引返されたので、僕は全く救われた思いであった。小百合愛児園では廊下で外人の宣教師にも声をかけられたが、それは英語であって「ハウ　ドウー　ユー　ドウー」といって握手をされた。英語を用いられたのは一寸異様に感じられたが、少しも気取ったところもなく、友人にでも話しかけるような様子で、それでいて気品を失わないのはさすがであると感じたものである。傍でこれを見ていた米人二名は、陛下が通り過ぎると「グッド　インプレッション」と叫んでいた。

一九四九年六月から約十五年後、脇鉄一は別府市長を退いてから、別府市内で弁護士をしていた。一九六四年八月にこの本を出版した。最初私はこの脇市長の本を読んだときは、べつになんらの疑問も発見できなかった。しかし、私はこの文章の中に、日本の現代史を大きく変えた事件の秘密が隠れているように思えてきたのである。

私は信仰に無関心な男である。まして、キリスト教についてはほとんど無視してきたというか、ほとんど無知だったのである。それゆえ、他の日本人と同様に、大きな事件が発生していたとは、思ってもいなかったのである。

では、私はどうして天皇の別府での行動に「はてな」と思うようになったかを説明し、もう一度、脇市長の小百合愛児園での出来事に戻ることにしよう。

大分合同新聞の六月十二日付の記事「象徴天皇を語る」を読んでいて私は、「おや、何か変だぞ」と思ったのである。

例によって私は、県立図書館で見たマイクロ・フィルムからのコピーを整理していた。一九四九年六月七日、天皇は大分県に入った。そして、別府の日名子旅館に二泊した。天皇が大分県内を巡幸した後の六月十一日、大分県知事室で大分合同新聞社主催の座談会が行なわれた。細田徳壽知事をはじめ五名からなる座談会であった。天皇が宿泊した日名子旅館の経営者の岡本忠夫が次のように語っている言葉をスクラップブックの中に発見し、「おや」と思ったのが事の始まりであった。

二日目の晩の堤燈行列ですが、入江侍従ははなれているからレンコン食って、万歳とか、君が代が陛下を呼び出すとみていたらしい。ところが陛下はそうは考えにならない。また市民も陛下を呼び出すためにやっておるのじゃないが、入江侍従は各御支所でのことだから、「また、お呼び出しです」という意味で、「しばらくお待ち下さい」と止めておる。ところが陛下が先に立たれて御自身で戸をお開けになった。侍従は間に合わない。私が大急ぎで堤燈を差し上げた。陛下はいつまでも堤燈を振ってやめられない。きりがないから入江侍従が「もう結構でございます」といって堤燈をお下げ渡しをたてまつった。われわれの言葉でいえば、取り上げたのです。するとまた外で「万歳」。陛下は堤燈をお取りになって振られる。

私がこの文章を読んで「何かがある」と直感したのは、一つの資料として『入江日記』を先に読んでいたからである。六月十日（金）には次のように書かれている。

八時二十分頃筏流しが通るといふことであったが、まだお目覚前に食事をしていたら、七時二十分に筏が来た。きっと御出ましになるだろうといふ考へだと思ふが、御泊所の下にゐた民衆が三唱した。これには少し癪にさはった。折角お休みになってゐるのにと思って。そしてやはりこの声でお目覚めて了った。景行天皇以来の事とて已むを得ないといへばそれ迄だが、同じ景行天皇以来でも天草の人に比べれば、少し思いやりが足りないと思ふ。八時半頃又筏が通る。この時には御出ましになって御覧になった。

九日、天皇は中津《なかつ》から日田《ひた》に入り、その夜は日田の竹内八三郎《たけうちやさぶろう》邸に宿った。入江の『日記』にある御泊所は、竹内八三郎邸である。天皇は日田地方の巡幸の後、翌々日、小倉駅から帰ることになる。いわば巡幸最後の前日の出来事である。別府では、提灯を侍従から取り上げられても取り返して、自ら戸を開けて夜遅くまで提灯を振り続けた天皇の姿も、それを止めようとした侍従の姿もない。ここにあるのは何か寒々しい風景である。

私は別府での天皇と日田での天皇に「何かあったのであろうか」と思ったのである。べつに何もなかったのかもしれない。しかし、私は小さな疑問を持ち続け、新聞や行幸録を気をつけて読んでみた。そして、またしても「おや、何か変だぞ」と思ったのである。この一点から、延々八年間にわたる私の〝謎解きの旅〟が始まったのであった。それは、いたって単純な疑問であった。

二日目の夜、天皇は別府の日名子旅館での食事の後、県の青年団長、国立病院長、温泉熱研究所長らの御進講を受けた。そしてあの提灯を振ることしばしの後に、夜遅く、時間はたしかではないが、入江侍従に「あの歌の作詞作曲は誰だろう」と聞いている。そして、天皇は小百合愛児園の子供たちが歌った歌詞と曲譜をわざわざ所望した。作詞者は修道尼の西田ミチ子。作曲者は前別府カトリック教会主任司祭のジャン・コラード・マルテリ（イタリア人）であった。その歌詞は次のようなものであった。

光の中につつまれて、にっこり笑って立っている、あの子もこの子も誰もかも、天皇陛下のお出ましを、足ふみながら待っている、新しい国日本の子供はみんな朗らかだ、桜花ちる木の下で、手に手を取って輪になって、僕らは誓うよ、よい子供、声わき上がる、万歳万歳、おやさしい姿あおぎみて、空にひろがる喜びの、もう一度みんなで叫ぼうよ、天皇陛下万歳　天皇陛下万歳　天皇陛下万歳　天皇陛下万歳　天皇陛下万歳。

天皇から依頼された入江侍従は小百合愛児園に電話して、この歌の作詞者と作曲家の名を聞き、歌の文句をメモし、天皇に渡した。天皇は夜遅くまで、その歌詞を読み続けたのであった。翌朝、天皇は、正確な歌詞と曲譜を取り寄せるよう入江侍従にさらに言いつけた。朝、出発のときに、出迎えに来た細田知事は、旅館の玄関先で、ひげが半分剃られ、半分が残っている天皇の顔を見た。細田知事は側近を通して入江侍従にこのことを伝えた。天皇も侍従もこのことに気がついていなかった。

私が「おや」と思ったのは、夜遅くなって、どうして天皇があの歌を所望したのであろうかという一点であった。この疑問はそれから数カ月、私の頭から離れなかった。そして私はウィリアム・ウッダードの『天皇と神道』に巡り合うのである。

では、どうして天皇は夜遅くになって、「光の中につつまれて……」という歌が気になったのであろうか。「光の中」という言葉はどちらかと言えば、キリスト教的ではある。しかし、私はこの歌がそんなに大きな意味を持つとは思えないのである。天皇は、「私はどうして御堂の奥深くまで入り、危険な目に遭ったのだろう。ひょっとすると、子供たちが歌ったあの詩の中に、私を御堂の奥深くにまで誘い込むような何かが隠れているのかもしれない」と思ったのではなかったか。これはあくまでも私の推測の域を出ない。

園児たちの歌う輪の中に天皇はいた。『行幸録』には「天皇陛下は御眼を細められ腰を落とされて何か言いたげな御様子であったが、侍従にうながされて右手をふりふり講堂を出られた」と書かれている。講堂の前に御堂がある。天皇はカルメラ女史に誘導されるがままに御堂に入っていく。侍従に「何か言いたげな様子」を残しながらである。この文章は一見すると、天皇が子供たちに何か声を掛けようとしたが、侍従にうながされて講堂を出たように解釈できる。しかし、もう一つの考えも可能である。

天皇は講堂を出ることになった。カルメラ女史は天皇をうながして御堂のほうへと一歩進み出た。入江侍従はカルメラ女史にうながされて、天皇を御堂のほうへと誘おうとした。天皇は、それはよくないことだと思った。それで、「何か言いたげな御様子であったが」、御堂のほうへと進んでいったのかもしれない。私は多少の危機感を天皇は持っていたと思う。しかし、入江侍従はその危機感に気づかなかった。そして、天皇は御堂奥深くに進んだのである。

大分合同新聞の「記事」を見ることにする。


別府市小百合愛児園にお成りの天皇は玄関右側の応接室で園長ソラリ・カルメラ女史から同園の沿革をおききになったのち、約八十名の園児がせんたくしたてのドレスで手に手に日の丸の小旗をかざしながら待ちわびる遊戯室に歩を運ばれ、シスターたちが苦心の作「天皇をお迎えする歌」を斉唱する子供たちの声を和やかな御表情でおききになり、頭を振って調子をとられたが「新しい国日本の子供はみんなみんな朗らかだ」と一きは強く歌えば「そうだ、そうだ」とうなずくように大きく頭を振られた。

歌がすみ「万歳、万歳」と小旗を打ち振って寄りすがる園児たちのいじらしい姿に陛下は目をしばたきながら何かいいたげな御様子であったが、侍従にうながされて、右手を振りつつ、立ち去られた。……


この大分合同新聞の記事中にも、『行幸録』と同じように「侍従に何かいいたげな御様子であったが……」と書かれている。天皇は、礼拝堂へとカルメラ女史から誘導されていく自分の姿に多少の不安を感じていたものと思われる。

大分合同新聞の続きを見よう。天皇が小百合愛児園を去る場面である。

バルコニーには四、五歳の男女児童約三十名が手をつないで遊戯をお目にかけると、天皇はその真中におたちになり、子供の世界に心からとけこまれたように、ごきげんよく御覧になりカルメラ女史に「よくやってくれてありがとう」と握手されて同園を出られた。

この新聞記事の中には、「御堂深く……」については一行も書かれていない。記者が配慮して書かなかったと思われる。

そして、脇市長が「あわや礼拝をおすすめ申し上げそうなのである。僕はあわてた。そして、お付の宮内府の鈴木総務課長に急を告げると……」、鈴木総務課長は事の重大さに気がつくのである。そして、鈴木は比較的大きな声で、「陛下どうぞこちらへ」と天皇に申し上げたのである。天皇はそれを聞いて、いとも静かにきびすを返したのであった。

さて、「別府事件」と私が名づけた事件はこれだけの事件なのである。結果はどうなったのであろうか。脇市長は続けて書いている。「僕は全くホッとしたのである。この時の陛下の御様子は実に自然で、少しも驚かれた気配も見受けられず、とっさな態度にも見えなかったのは幸であった」

では、もし、脇市長が鈴木総務課長に「急を告げ」ずに、そのままの状態であったらどんな結果が待っていたのであろうか。脇市長は書いている。私は彼の推理の中に、彼の英知を発見し、驚いた。

「若し女史が陛下に礼拝をお願したとしたら、陛下は一体どうされたであろうか。陛下は案内者がお願することは何でもそのまま受け容れられるようである。このことはこの行幸中の僕の経験した範囲内で例外がない。それがここで危いところで引き返されたので、僕は全く救われた思いであった」

脇市長の機転がなく、鈴木総務課長の果敢な行動がなかったら、天皇は「正面に聖像と十字架が置かれた場所」で跪いていたはずである。では、その時、何が起きるのであろうか。私はその架空の世界に思いを巡らし始めた。

この御堂の中には、天皇が御堂に入る前から、すべてが用意されていたのではなかったのか。『行幸録』によれば、堂の片隅で唱うシスターたちが多数いたのである。そして、他に、これは重要なことであるが（脇市長も指摘している）、ふだんは愛児園にいない「外人宣教師」たちがいたのである。彼らの一部は、天皇の巡幸とほぼ同時期に日本にやって来た宣教師たちである。後の章で詳述するが、一九四九年は「ザヴィエル渡来四百年記念祭」が催されたのである。世界中からこの記念祭にカトリックのトップクラスの司祭たちがやってきた。その一部の司祭たちが、小百合愛児園の園児たちやシスターに〝演技指導〟をしたのである。

この御堂へと天皇を誘導したのはカルメラ女史、そして天皇の両脇に立っていたのは、大分カトリック教会のマリオ・マレガ師と、別府市カトリック教会のカステリオーネ師であった。この二人は脇市長の知り合いであった。カルメラ女史が天皇を見事に誘導し、十字架の五歩前に進まれたとき、讃美歌は「君が代」に代わった。そうしたなかで天皇がキリストの像の前に跪けば、天皇のそばにいたカステリオーネ師かマレガ師のどちらかが、天皇の背後からロザリオを天皇の首にかけていたことであろう。

天皇は御堂を去るときに、ロザリオが入った小箱をカステリオーネ師から渡されている。世界に天皇の歴史的事実を流すべく、各通信社の記者とカメラマンもこの御堂の中にいた。「天皇がカトリック教徒になられた」というニュースが世界中に流れても、天皇は異議を唱えることはできなかったであろう。この別府事件の後に、東京ではザヴィエル渡来四百年記念の一大ミサが用意されていたのである。

私は偶然ではないと思う。すべてが必然の糸で結ばれていたと思うのである。後の章で詳述することにし、先へ進もう。

御堂の中の背景は見事に演出されていた。御堂は赤色のカーテンで深く閉じられていた。そして、「静かな御堂に荘厳な気がみなぎり、平和の光が窓からさし込んでいた」(『行幸録』)のである。脇鉄一の文章を再録する。「若し女史が陛下に礼拝をお願したとしたら、陛下は一体どうされたであろうか。陛下は案内者がお願することは何でもそのまま受け容れられるようである」

『天皇御巡幸』(世界日報社・一九八五年)には三十五年前の出来事が書かれている。

当時小百合愛児園で、陛下をお迎えしたシスター、マリア・ピュトロ・ベティさん(七二)は、懐かしそうに当時を語る。

「非常にお優しい方で、恵まれない仕事をやっている私たちに対して優しいおまなざしで見守ってくださいました。また優しいお父さまのように子供一人ひとり顔をごらんになられました。聖堂では、敬虔深く立っておられたお姿が印象的でした。なにか宗教的な雰囲気をもっていらっしゃって……」

「聖堂では、敬虔深く立っておられたお姿が……」とベティ女史が過去を回想するように、天皇はキリストの像の前に立っていたのである。「なにか宗教的な雰囲気をもって」天皇は立っていたのである。その姿を見て、脇鉄一が「危ない！」と気づき、叫んだのである。まさか、御堂の中で、この叫び声が上がるとは、カルメラ女史もマリオ・マレガ師も、カステリオーネ師も考えなかったのであろう。そして、ザヴィエル四百年祭でやってきた「カトリックの司祭たち」にとっても思いもよらない出来事であったろう。天皇は奇跡的に難を免れたのであった。

小百合愛児園について『ある市長のノート』からの引用を続けよう。

小百合愛児園は丘の上なので、途中で自動車を下りられて徒歩で坂道を御先導申し上げねばならず、道路の勾配も急な上に道幅も狭いし、それに沿道市民の人垣が更に御通路をふさいで、ひどく心配になった。

小百合愛児園への坂道を昭和天皇が歩いていく様子は、戦後史のドキュメントを描くＮＨＫの番組の中でたびたび登場する。先導する脇市長の後から天皇は帽子を振って元気よく坂道を登っていく姿に、人々は戦後のありし日の天皇の姿を見出すのであろう。天皇が愛児園に向かった急な勾配の道の左側は崖であり、右側の道の側面には、愛児園の下にある蓮田小学校（現在は南小学校）の生徒たちが日の丸の旗を振り、天皇を大歓迎したのであった。

なんという運命であろう、と私は思うのである。私は小百合愛児園の門のすぐ下に立って、日の丸を振っていた蓮田小学校の生徒（当時私は小学校五年生であった）の一人であった。

『ある市長のノート』を続けよう。


愛児園を辞してだらだら坂を下っていかれる陛下に、お見送りの園児たちが陛下の頭上から、花を投げて花びらの雨を降らし、陛下が帽子を振ってそれに応えておられる様子は、全くお伽の国の王様と子供といった情景で、見ていた私はうっとりとなった。


市長が「うっとりとなった」と書いているように、これもまたカトリックの映像的演出であったろうと私は思うのである。私はその花吹雪の下にいて、この光景を目撃している。

このとき、天皇は「生身・現身・隠身」の真の姿を隠し、「清浄・純身・無垢」の人として巡幸していたのである。それは自己の意志を一時的に隠し、清浄を意味する慈悲の心を持って、純身を意味する「実にあふれる笑みをたたえて」、無垢を意味する「何でも受け容れられる」姿をとって、民衆の中に入っていったのである。したがって、自らを白いスクリーン化したがゆえに、カルメラ女史に誘導されるがままに動いたのではと思われるのだ。

では、天皇が小百合愛児園を去る場面を今度は『行幸録』から見てみよう。


天皇陛下は玄関先で中津市ドン・ボスコ学園長のカールデン・ライトネル神父に目をと

められ、固く握手され、カルメラ女史に「大変立派に出来ています」「よくやってくれて有難う」と御激励の言葉をかけられた。光栄に紅潮したカルメラ女史の顔が一しほ美しく感じられた。シスターたちのうるんだ顔が窓からのぞいている。天皇陛下は二階から屋上から舞い落ちるつつじの花びらを肩にうけ、しきりとふりそそぐ花吹雪の中を帰途につかれた。天皇陛下が石段を一段一段と降りられる度に、「鐘の鳴る丘」の名誉を讃え、今日の御巡幸を祝福して上からも下からも旗の波が益々ゆれ、花びらがはげしく舞い、熱狂のルツボと化した。天皇陛下はその熱狂した御見送りに対し、ふりかえり、ふりかえり、帽子をふられ、午後一時四分、御昼所日名子旅館へ向われた。

これはまさしく感動的な映画の一シーンである。それゆえに、ここには大掛かりな演出が見出せるのである。後述するが、このシーンを演出したのは、ザヴィエル渡来四百年記念祭のために来ていたカトリックの司祭たちである。私は天皇をカトリックの聖堂で、キリストの前に跪かせた後の演出まで見事に計算していたと思うのである。

この巡幸に同行したアメリカの記者たちが数名いた。天皇がカトリック教徒になった瞬間が、彼らにより世界中に報道されることになっていたはずである。では、「ニューヨーク・ヘラルド・トリビューン」特派員の記事を見ることにする。

陛下は九州巡幸で外国特派員に「ハウ・ドウー・ユー・ドウー」と言われて握手された。私はこれで二回目で、中国巡幸のときにも握手した。陛下は中国巡幸のときよりも、背広姿がよくいたにつき、御動作も非常にスムーズに、話し振りもなかなかお上手に見え、全てが自然になった。それだけに民主的になられたという感じを強く受けた。

この天皇巡幸後、小百合愛児園長のソラリ・カルメラ女史（当時五十九歳）の談話が『行幸録』に載っている。

陛下は質素で、飾り気なくお気軽に話しかけられた。子供たちが大変すきな様で、赤ちゃんに対しては口のなかで、〝コロコロ〟と赤ちゃんをあやされるなど、なんとお優しい人間性の溢れた御立派な陛下だろうと思ひました。この日の感激を、私は永久に忘れることなく、子供たちの為に尽くしたいと思ひます。

これらの記事の内容は平凡である。しかし、天皇がキリスト像の前に跪いていたら、特派員の記事は全く変わっていたであろう。もちろん、カルメラ・ソラリー女史の談話も。彼らの談話を見て、何もなかったと判断するのは間違っていよう。

天皇は六月十日、大分県下二豊路一帯の巡幸を終える。その日、県境の耶馬渓《やばけい》山国屋旅館で新聞記者団の質問に答える形で鈴木総務課長（行幸主務官）を通じて御感想をもらされた。小百合愛児園についても語っている。

問　戦争未亡人、孤児などに対しての御感想
御答　未亡人といい、孤児といい、今次戦争の最大犠牲者と言ふべきであるが、本県の施設としては、大分県の遺族連合会といい、別府市の小百合愛児園といい、何れもまことによくやっているし、印象も深かった。何れも、まことに気の毒な人たちであるから、この上とも一層努力して十分に面倒を見てやってもらひたい。

天皇が小百合愛児園について語ったのは、この一文だけである。この一文から、事件を連想させるものは何一つない。

「別府事件」へのアプローチ

脇鉄一の『ある市長のノート』を再び見ることにしよう。ここに注目すべきことが書かれている。

僕はこの度の三日間にわたる供奉の間に、陛下の一挙手一投足をも見逃さなかったが、その間に受けた陛下の印象については、東京御還幸後御礼言上に宮内省に出頭して、鈴木総務課長と一時間以上も話をしたのであるが、決して僕の誤りでないことを確め得たのである。陛下には我々の一代や二代での修業ということでは到底得られない御自身の特質というものがあると信じられる。傷痍者のことの途でであるが、僕の縁者の中にも戦傷者〔脇鉄一夫人の弟：引用者注〕がいる。上海の上陸作戦での数少い生存者の一人であるが、脚を負傷して、治療の結果一方の脚が五六センチも短くなった。元皇宮警察官であった縁故で、終戦後再び宮内省に勤めさせていただいたのであるが、陛下行幸のお礼言上の途次に、この従弟《ママ》に案内されて宮内省内を一巡見て廻った。陛下はこの日は上野博物館での学士院会にお出でになって、宮内省での陛下の御部屋はドアが開いたままで、廊下から拝観することができた。十畳敷程と思える狭い御部屋には、装飾としては殆んどなく、お机が一つポツンと置かれた、実に質素というより粗末なものであることに驚いたのであるが、僕は同時に、この不具者ともいえる従弟《ママ》を、お部屋近くの勤務に還らせて下さっている陛下のお気持が有難いと思ったのである。これも陛下御自身のお心に出られたものと信じている。

地方の一市長が「東京後還幸後御礼言上に宮内省に出頭して、鈴木課長と一時間以上も話をしたのであるが、決して僕の誤りでないことを確め得たのである」とは尋常のことではない。鈴木総務課長と脇市長は一時間以上も話をした。間違いなく、小百合愛児園での出来事についてであろう。

次に文中の「宮内省に出頭して」という表現に注目したい（一九四九年六月一日より宮内庁）。〝出頭〟とは、「出てこい」ということである。脇市長は、自分が命令されて宮内府に出向いたのだと、言おうとしている。鈴木総務課長は、彼の役職名では市長に「出頭せよ」との命令を出せないであろう。すなわち、天皇の命令があればこそ、脇市長は宮内府に〝出頭〟したのである。彼の文章の中に、そのような気持ちが書かれていると私は思う。脇が懸念していたことが真実であったと書いている。「決して僕の誤りでないことを確かめ得たのである」に注目したい。

鈴木総務課長はその春に一度、九州巡幸のスケジュールを確認するために九州各県を入江侍従と回っている。前述したように、予定では小百合愛児園での天皇の行動時間は五分となっていた。しかし、最終的な計画表（五月六日作成）では十五分間と、三倍の所要時間に変更された。予定場所や所要時間等は、GHQ（連合国軍総司令部）の承認を受けることになっていたのである。それでも小百合愛児園での天皇は、子供たちを講堂内で慰めるだけの予定だったのである。

脇市長と鈴木総務課長の一時間におよぶ会見は、御堂の中でのカトリック側の策略に関するものであったにちがいあるまい、と私は思う。

天皇は小百合愛児園で子供たちを慰めた日の夜、日名子旅館の窓を自ら開けて堤燈を手にして、万歳の群集に幾度も幾度も応えていた。そして、天皇は一人になり、ふとその日の出来事に思いを馳せたのであろう。それから「ハッと」気づいたのであろう。それで、入江侍従を呼び、小百合愛児園に電話を入れさせた。これからは私の推測である。天皇はただちに鈴木総務課長を呼び入れ、御堂での出来事について尋ねたであろう。自分が子供たちとあまりにも深く交わったために、つい、カルメラ女史の言うままに行動し、御堂深くすすんで、キリスト像のほんの数歩の前にいたことの危険を認識したことであろう。

脇市長の義弟が宮内府（六月一日から宮内庁）に勤めているからといっても、宮内府内を一巡見して回ることは普通は許されることではない。それだけではない。鈴木課長と一時間以上話した後に、天皇の執務室までも行っている。そのとき、天皇は学士院会に出席していた。

脇は大きなヒントを残してくれた。一つの大きな謎が解明されるときがきた。

天皇は六月十一日（土）の朝、小倉駅を御召列車で出発。夜九時二十分、京都の大宮御所に到着。十二日、夜七時二十五分に皇居御文庫に帰る。

十二日夜に東京に帰った天皇は、翌日の十三日（月）に、脇市長に「出頭命令」を出したものと思われる。一九七〇年当時でさえ、別府から東京に行くのには直行便が一本しかなく、それも二十四時間以上かかったのである。たぶん、当時は少なくとも二日間はかかったであろう。とすれば、十三日に別府を出発しても、十五日にしか東京に到着しないという計算になる。学士院会に天皇が出席したのは十六日である。この日、脇は皇居を訪れている。天皇は急いで脇市長を迎えたかったのであろう。当時の鉄道事情が入江相政の『宮中侍従物語』の中に描かれている。

昭和二十四年（一九四九年）、二十三年いっぱい中断していた地方巡幸がまた始められた。五月～六月に、九州七県を一気におまわりになった。新幹線はもとよりなし。飛行機も駄目。だから九州の往復に、陛下は京都でご一泊にならねばならなかった。

当時の侍従長で天皇の九州巡幸に同行した三谷隆信《みたにたかのぶ》は、九州巡幸を終えて東京に帰る様子を『回顧録』の中で書いている。

此の九州行幸は私にとって最初の経験であったので特に印象が深い。無事な御巡幸を終え帰路につかれたが、往路と同じく途中京都に一泊された。京都には東京から皇宮警察部長が来て我々の到着を待っていた。それは東京の周辺にいろいろの鉄道事故があり、線路に石を並べる等のいたずらも連発していることを我々も新聞でみていたが、これは偶発的な児戯とのみ見ることはできず、背後に不穏な計画が無いと保証し得ないから、東京への御帰還を予定よりおくらしてはという警察側の意見を伝えるためであった。そこでいろいろ審議したが、御予定変更により世間に大きな疑惑を投げると、不安をおこすことになり、もし背後に何かの計画ありとすれば却ってその手にのることになる。むしろ警戒を厳重にして予定通り御還幸を願うがよいと判断されたので、翌日御料車で御帰還となった。幸い何の事故もなかった。

六月十日、東京では国労が三鷹電車区、中野電車区などでストライキに突入していた。六月十二日には運行は正常に戻った。ＧＨＱの介入によって正常ダイヤとなったのである。

この一文の中に「もし、背後に何かの計画ありとすれば却ってその手にのることになる」と書かれている。この文書を読んで私は、天皇の側近たちが「背後に何かの計画」を発見し、審議を重ねたことと想像する。

天皇がこの京都御所に一泊した翌日に、明治神宮競技場では「ザヴィエル渡来四百年記念祭」の大ミサが行なわれる。このことが審議されないはずがない。鉄道の上でのイヤガラセは別にして、別府での事件と大ミサの関係が審議されたと考えられよう。天皇は京都を発ち、東京に帰る決心をする。

それでは、私の推理をここに書いておく。

天皇は十二日、皇居に帰った。そして大ミサの結果を一応の不安を持ちつつ関係者から聞いた。外相の資格で式に参加し祝辞を述べる吉田首相が突如、出席をとりやめたことを知った。

彼はマッカーサーの代理として、この祝辞の中で、何か大変なことを発表する予定になっていたにちがいないと思った。高松宮夫妻が出席していたことも不安材料であった。しかしこの大ミサでは何も起こらなかった。もし、あのとき、別府の小百合愛児園でキリストの像の前で跪いて礼拝の写真を撮られていたら、「天皇はキリスト教に帰依されました。日本はカトリック教を国教とする国家になりました」と吉田外相が宣言したとしても、文句の一つも言えないのだ。天皇は、カトリックの信者となり天皇の地位を降ろされ、摂政に高松宮がなる計画があったかもしれないのだ。運がよかった。そうだ、すぐに脇鉄一をこの皇居に出頭させよう。そして礼を言い、このことを他言せぬように彼の口を封印せねばならない。事件の全容を知るのは天皇と鈴木と入江、そして脇の四人なのだ。

十六日、天皇は学士院の授賞式に出席し、受賞者たちと会見、御陪食となり、午後には研究所の視察をする。脇は鈴木総務課長と一時間にわたり、「別府事件」を中心に話し合ったのではないか。普通のケースでは、このようなことは全く考えられないであろう。

「宮内府での陛下の御部屋はドアが開いたままで、廊下から拝観することができた……」

私はこの部屋で、あるいは別の場所で、鈴木総務課長とともに、脇鉄一は天皇の謁見を受けたと信じるのである。それが「出頭」の本当の意味であろう。

天皇は礼を言ったにちがいない。そして、当分の間にしろ、この事件については秘密にしてほしい、と言ったにちがいない。

かくて、日本の災いが避けられた。そして天皇は、自らが日本の祭司王であることを深々と認識するにいたったのであろう。この事件はかくて世の中から消えたかにみえたのだが……。

鈴木菊男は内務省出身。一九四六年一月十三日、宮中人事の件を話し合う会合で、侍従次官、侍従職の人たちが鈴木を侍従職に迎えることにした。鈴木は当時、島根県警察部長であった。総選挙（一九四六年四月十日）後の宮中入りを彼は希望した。この話は天皇に伝えられた。一九四六年一月十七日、天皇に拝謁後の三土内務長官に木下道雄侍従次官が、鈴木の侍従への転任方・配慮を依頼する形で話が進んだ。一九四八年九月には侍従官房総務課長に栄転した。

鈴木は世襲的に侍従になった入江相政とはちがい、鋭い危機対応感覚を持っていたのである。しかし、あの場面における天皇の危機にとっさには気づかなかったのである。それでも鈴木は一瞬にして日本の危機に気づき、迅速に正確に行動した。脇鉄一と鈴木菊男、私はこの優秀なる二人の日本人が、日本の危機を救ったと思うのである

なお、鈴木総務課長は一九五七年から七七年までの二十年間、皇太子（今上天皇）のもとで東宮大夫《だいぶ》の役を勤めた。私はここに、昭和天皇の強い意志を発見する。後の章で書くが、天皇は、皇太子をキリスト教から遠ざけたいと思い、キリスト教の恐ろしさを知る鈴木総務課長を東宮大夫にしたと思うのである。

六月十六日（木）の『入江日記』を見る。

九時に出勤。入浴。学士院受賞者の御陪食。久留さんの隣になる。午後この人達の御研

究所拝観。お上も御研究所へ成らせられる。予御供。五時過長官官邸に行く。長官の慰労会。今日は御供の全員なので非常に愉快であった。湯の町エレジーを何遍も皆と一緒に哥う。いい気持ちに酒がまはって愉快で愉快で家へ帰ってからも色々な歌を歌ひ続けて寝る。

私は、入江侍従は「幻の別府事件」の全貌を知っていたと思う。あの御堂の中に、鈴木総務課長とともに入っていったのであるから。

六月二十三日の日記に「九州の人がそれからそれへと御礼に来てやはり相当多忙である」と書いている。また六月二十四日には「十時過に福岡と大分の知事参内、拝謁。その後御苑内を案内する。両県の秘書課長も一緒である。午食には認をいただかれたが、予はそれには出なかった」と書いている。別府市長が六月十六日に皇居に入っている。福岡と大分の知事が皇居に入ったのは六月二十四日である。天皇がいかに急いで脇鉄一を迎えたかが、この日付の差で理解できよう。

敗戦後、マッカーサーは数多くの司祭たちを天皇のもとへ送ってきた。天皇は彼らの多くから、キリスト教への帰依を迫られた。そして迷いに迷った。もうすこしでキリスト教徒になるところまでいった。このことは後の章で詳しく書く。そして、一九四九年となり、そのような説得も少なくなった。五月には九州巡幸となり、あと三日すれば東京への帰還というところまできた。キリスト教の関連施設を少しは回ったけれども、別段なにもなかった。天皇ははじめて、キリスト教からの圧迫を逃れた旅であった。そして旅の終わりで、カトリックの機略にまんまとはまるところであった。

あの暗い御堂の中には、鈴木総務課長が「人垣をかき分けて近づき」とあるように、数多くの宣教師たちがいた。もし、脇市長が「あわてた。そしてお付きの宮内府の鈴木総務課長に急を告げ」なかったら、自分は間違いなく、何者かに操られるようにキリストの像の前に跪いていたであろうと、天皇は思ったにちがいない。

そのとき、何が生じてくるのか。キリストに自らの罪と同時に日本国家の罪を告白するという筋書きが生まれてくるのではないのか。天皇は、かつて日本を支配しながら追放された神話世界の国造神のごとくに、西洋の神イエス・キリストの前に平伏するのである。一度はキリスト教徒になってもいいと思ったのではあったが、このような陰謀の中で結論が下されようとは、まさか天皇は想像しなかったことであろう。日本の国の象徴として天皇を祭り上げたマッカーサーは、天皇をしてキリスト教にかくなる手段で帰依させようとしたのであろうか。天皇は危いところから去りえた、と私は思う。

脇鉄一には二人の息子さんがいる。長兄は東京にいる。弟は元九州大学教授で福岡市に住んでいる。私は弟の脇博彦氏に電話した。「小百合愛児園での出来事をお父さんから聞いたことがありますか」との私の質問に、「全くない」との答えが返ってきた。私は『ある市長のノート』の重要な部分を電話を通して読んで、聞いてもらった。それから簡単な説明を付け加えた。そしてもう一度、彼に尋ねてみた。「どう思われますか」。彼は答えた。「あなたの言われることは確かに一理ありますね。でも不思議なことですね。父は兄と私に、一度たりともそのことを話してはくれませんでした」。「兄さんと話されることがありましたら、一度聞いてみて下さ

御文庫「御政務室」での昭和天皇（エリザベス・グレイ・ヴァイニング『皇太子の窓』より）

い」とお願いして私は電話を切った。以降、連絡はない。

鈴木総務課長のことについても書かねばならない。鈴木菊男はのちに皇太子の東宮大夫を勤めた。私が取材したいと思っていた彼は一九九七年（平成九年）に死去していた。いつかは手紙を出してみようと思っていたのではあったが。そして、私は彼のご子息に『ある市長のノート』と手紙を送った。「脇市長とのことを、生前何か語っていませんでしたか」という内容であったが、返事を戴けなかった。すでに五十年が過ぎているのである。これは仕方のないことである。

なお、ソラリ・カルメラ女史は、一九五五年（昭和三十年）三月一日、天皇より勲五等瑞宝章を授与されている。

当時の侍従入江相政は『天皇さまの還暦』の中でも九州巡幸について触れている。

戦後、昭和二十四年に、九州へおいでになることになった。打ち合わせをしながら九州七県をすっかり回って、別府に行った。そこで七県の知事会議のあとの会食があり、その席にわれわれも招かれた。そこには九州駐在のアメリカ軍司令官たちも来ていた。その時、一軍司令官がわれわれに聞いた。「これこれの問題について宮内官はどういう意見を持っているか。皇太子の御教育はどのような方針で行なうが正しいと思うか」と。なんとしても外に適当な話題が無かったので、こんなことを持ち出したのかもしれないが、われわれとしてはあまり愉快でなかった。そんなことはわれわれにまかせておけばいいので、なにもアメリカの軍人の出て来る幕ではない。このように考えたのである。

この入江の文章からも分かるように、天皇巡幸のスケジュールはＧＨＱ指導のもとで決定されていたのである。九州巡幸のための宮内府作成の『行幸事務必携』の中に「渉外係」なる項目がある。その中で列記されているＧＨＱ関係を見る。

＊御巡幸日程、個所その他全般について軍政部、連隊ＣＩＣ、ＭＰ、その他の占領軍関係に連絡

＊御日程表及び御視察個所の説明英訳
＊御警衛ＭＰの派遣、懇請
＊外人記者団の宿舎・食事の準備
＊外人記者団の接遇についての計画
＊外人記者団の通訳について予め計画
＊外人記者団の自動車について予め計画

この一覧表を見てもわかる通り、天皇の九州巡幸は完全にマッカーサーの思惑どおりに進行したことが理解できよう。九州軍政部からは毎日のように、マッカーサーのもとに天皇の巡幸の一部始終が報告されていたのであろう。九州の知事会議が別府でなされたこと、その折に、九州駐在のアメリカ軍政部の高官たちが出席していたことにも注目したい。彼らの一部は小百合愛児園で何が起きるのかを多少は知っていたであろう。「皇太子の御教育はどのような方針で行なうが正しいと思うか」と入江侍従に問うた一軍司令官の発言の中に、その真相の一部が見えてくる。まさに、別府は九州巡幸の最重要なスポットであったのだ。

一九九七年十月に思いもかけない人物に私は会った。彼の名は藤岡善雄《ふじおかよしお》（実名の公表を認めてくれた）。彼は一時、竹細工の勉強をしていた。十数年来の知己である。当時、彼はタクシーの運転手をしていた。私は何げなく、小百合愛児園の話を彼にした。別に他意はなかった。いろんな知り合いにこの話をしていたからである。彼は眼を輝かせた。そして、彼は私に次のように語ったのである。ただただ私は驚き、彼の許しを得てメモを取った。

私は「善雄」という札を首からさげられて朝見神社に捨てられた。それから小百合愛児園に来た。私はデンユウと呼ばれ、それからデンイチと呼ばれるようになった。やがて、妹も園にやって来た。

天皇が園に来たとき、私は四歳で、妹は二歳だった。妹はよだれかけ（エプロン）を持って、天皇の前によちよちとはい出して、天皇の靴を磨きだした。すると天皇は妹を抱き上げた。妹は天皇の口ひげを引っぱった。私は妹の行為を止めさせようと思い前に出ようとしたとき、シスターの一人が後ろにいて、私の背中を抱きすくめて邪魔をした。それで私は自分の足で天皇の足を蹴った形となった。そのときは、天皇をただの〝おっさん〟と思っていた。その日を境に、私は〝乱暴者〟と呼ばれるようになった。カルメラ院長が十年近く前に病気になった。私は山田カズコ・シスターと一緒に病院に見舞いに行った。カルメラ院長は私をじっと見つめて、それからぽつりと言った。「あの時の邪魔をした子だね……」と。四十年前の天皇の足を蹴ったことを今なお憶えていた。

もう一つ不思議なことがある。カルメラ院長が死んだ時のことだ。棺についた窓を開けて、私はカルメラ院長を見つめていると、カルメラ院長の眼がパッチリ開いたので、山田カズコ・シスターがその眼を閉じた。本当に生きているようだった。「あの時の邪魔をした子だねえ……」と言っているようだった。

藤岡善雄の妹はしばらくして父が迎えに来た。彼は一人残され、小学校を明星学園で、中学を中津市のドン・ボスコ学園で過ごした。中学三年のとき、熊本に住む叔父が彼を迎えに来てくれたので熊本で中学と高校を卒業した。当時の日本は貧しかった。別府の町は孤児となった子供で溢れていた。藤岡善雄はその過去を語り、本名を公表してもよいと言った。

カルメラ院長は天皇工作の失敗の原因の一つを、藤岡の行動においていることは間違いないと私は思うのである。私の説明を聞いていた彼は、「それで長い間、心に思いつめていた謎が解けた」と言った。そして藤岡は四十数年前のあの「空白」部分について思いを巡らせた。彼は「深層の現実」を語りだした。語られることのない現実が確実にあったのである。私は彼の話を聞きつつノートをペンで埋めていった。そして驚き、恐怖の念を禁じえなかった。たしかに、謀《はかりごと》がなされ、そして失敗していったのである。

一九九五年十月二三日、私は、大分市大在にある小百合愛児園を訪ねた。別府小百合愛児園は閉鎖され、一部は保育園に、またその他の施設は別府大学の女子寮になっている。大分に行き、かつてのシスター（すでに老シスターと呼ぶべきか）、山田シズコ女史に会うことができた。当時のシスターで山田女史だけが残っているとのことであった。一目見るなり、私は小学生の頃を思い出した。背中を少し曲げられた老シスターの顔を、私はしみじみと眺めた。

「シスター、私はあなたをよく憶えていますよ。当時私は蓮田小学校の生徒でした。私たちのクラスの中にも、小百合愛児園から通学していた仲間がいました」と私は言った。

老シスターは昔のことをたくさん話してくれた。「苦しいことがたくさんありました。石鹸がなくて、愛児園の近くの、あの急な傾斜の河内川まで石炭袋におむつを入れて降りていき、石の上で足で踏み、洗ってから持ち帰ったりしました。冬の日は寒くて体もどんどん冷えて、凍ってしまいそうでした」

私はシスターの話を聞くうちに涙ぐんでしまった。やがて用件に入った。シスターは天皇が巡幸で見えた日には、東京に向かう汽車の中にいたと言った。「東京でカトリックの人々が集まりましてね、それはもう荘厳なミサが行なわれたのです」と語りつつ、当時の資料を見せてくれた。その中に天皇が園を去るとき、別府教会の神父より天皇へ小箱を渡した、との一行の記事があった。

「シスター、あの小箱の中にはロザリオが入っていたのではありませんか」と私は問うてみた。シスターはさも当たり前と言わんばかりに、にっこり笑いつつ、「もちろんそうですとも。天皇さまにカステリオーネ師がロザリオを差し上げたのですよ」と答えた。カステリオーネ師は別府カトリック教会の司祭であった。

あの時からでも、ずいぶんと年月が流れていった。私は天皇が小百合愛児園を去るときに渡された小箱はどのような意味があるのだろうと考え続けてきた。私の想像は広がり、ずっと先まで延びてしまった。そして、こう想像したのである。天皇が跪いたとき、天皇の横にいた別府教会のカステリオーネ師からロザリオを首にかけられるところであったろうと思ったのである。私は、この私の想像する場面は、限りなく真実に近いと思うのである。

「静かな御堂に荘厳な気がみなぎり、平和の光が窓から射し込んでいた」(『行幸録』)

赤色のカーテンの一部が開かれ、天皇のロザリオの姿を誰かが映写機で撮影していたのではなかったか……と、私は想像し続けたのである。

私は老シスターのもとを去るとき、一つの質問をした。「ザヴィエル渡来四百年記念祭があり、ザヴィエルの『聖なる右腕』が六月のはじめに大分と別府にやってきました。その折に、カトリックの司祭の人々がこの小百合愛児園に見えませんでしたか」

またも老シスターは笑いながら答えてくれた。その日は老シスターが小百合愛児園にいたのである。「もちろんですとも。いろんなことについてカルメラ女史と打合わせをしていたのです。それは、とても大変でした。子供たちの遊戯についても指導なされました」

私はカトリックが「愛の事業」を経営しているのを知っている。戦後の荒廃しきった別府の町で小百合愛児園が示した「愛」を知っている。カトリックが慈善的な愛の行為をなし、貧しい人々を救済してきた事実を知っている。これを否定することはしない。否、むしろ至高の心をそこに見出す。しかし、私が問題とするのは、カトリックの持つ別の面である。「愛の宗教」のカトリックではなく、「最後の審判」を持つ宗教としてのカトリックである。

キリストは、この世の終わりを告げるために神から遣わせられた、とするのがキリスト教である。作家バーナード・ショーが「十字教」(クロスティアニティ)と呼んだ、あの十字架のキリストに最後の審判を見るキリスト教である。

キリスト教は「最後の審判」を創造するにいたり、確かにより高い文明を形成し、多くの人々に精神革命をもたらし、生きることの意味を与えた。しかし、キリスト教を信じない人々を非文明人とし、そのために十字軍は無制限に彼らを殺戮《さつりく》しつくした。殺戮により病める心は、「救済者キリスト」に救いを求めた。

これからは、私はマッカーサーについて書くことになる。マッカーサーは誇大な罪悪感と、さいなまれた良心を持った人間でなかったか。彼は自己陶冶《とうや》による自己救済をキリストに求めた。彼が説く「精神大革命」が戦後の日本を揺るがした。彼は他のキリスト者と同じ視点から日本人を見る。「キリスト教を信じない日本人は、野蛮人で、非文明人である」

私はキリスト教に恐怖を感じて生きてきた。この本で、天皇とマッカーサーの神学的葛藤《かっとう》を描く。この本はまた、私のキリスト教に対する精神的葛藤の本である。

十代後半から二十代後半にかけて、私は、プラトン、デカルト、カント、ショーペンハウエル、ニーチェ、ドストエフスキー、サルトル、ハイデッカー、ヤスペルスなどを読みふけり、苦しみ続けていたことを告白しておこう。今、私は、古神道的世界に心の安らぎを見出している。端的に言えば、私は多神教の信者である。

老シスターと会ってから九年近くの年月が流れ、私はこの本を出版するために原稿用紙を埋めている。老シスターは帰り際に、「これらの資料が必要でしたらコピーしてあげましょうか」と語ってくれた。私は本を書くならば、否、物書きのはしくれならば、喜んで、老シスターの申し入れを受けたはずである。だが私は「けっこうです」と単純に答えてしまった。取材ノートに、老シスターとの会話を記したのみであった。しかし、もう、あの老シスターのいる、あの大分小百合愛児園には行けないと思うようになった。それは本を書く以前の、人間としての資格を問うことだと思うようになったからである。この本はカトリックにとってよからぬ本になるだろう。だから、ドロボウのような真似をして取材してはいけないのだ、と思うようになったからである。

私がこの『天皇のロザリオ』を書こうと思うようになったのは、シスターに会ってから、二、三年後のことである。すなわち、「別府事件」を確信した後である。

一つだけ残念な資料がある。それは老シスターが私に見せてくれた一枚の写真である。天皇がカルメラ院長と大分の牧師のマリオ・マレガ、そして別府の牧師のカステリオーネと一緒に礼拝堂の中で立っている写真である。四人のすぐ前に、キリスト像が見える。脇鉄一が「危ない！」と叫ぶ直前の写真である。間違いなくあの小百合愛児園のファイルの中に納まっている。読者にこの写真を提供しえない私を恥じることにする。

あの御堂の中にいた司祭たちの大部分は「ザヴィエル渡来四百年記念祭」で外国から集まってきた人々であったのだ。そして彼らがすべてのショーを演出したのである。小百合愛児園児のみならず、園が経営する明星学園の子供まで集め、きれいな服を着せ、踊らせたのである。あの藤岡善雄の妹に天皇の靴を磨かせたのも、全部彼らの演出であったのだ。天皇をかこむ輪をつくり、自然と御堂の中へと誘い込んでいくのも、やはりすべて演出されたものであったのだ。天皇がイエス・キリストの像の前に跪き、ロザリオを首にかけられた時、外国人司祭たちは、天皇に祝福の手を差しのべることになっていたのであろう……。

老シスターとの会見後、八年以上の歳月を経て、私はどうしてこの本を出すことにしたのであろうか。私は「天皇とは何か」を考えて、自己流であるが勉強を始めたのである。そして、キリスト教についても学び始めた。この事件の背景をさぐるために、アメリカやヨーロッパの政治・経済、そして宗教にいたるまで興味を持ったのである。

昼間は生活のために竹籠を編む毎日であった。夜、私は数年の間、たくさんの文献に埋まって謎解きに熱中した。それゆえ、「別府事件」は私に、世界の諸々の事件の真相に迫らせたのである。第二次世界大戦に熱中し、二年ないし三年ばかりをすごしたし、朝鮮戦争もそうであった（この本の中では少ししか書かなかったが）。私は「別府事件」を、世界史を通して見ようとしたのである。無駄な本もたくさん読んだ。しかし、その中にも「別府事件」に通じるものがあった。私は多角的に、この「別府事件」を見ることにしよう。

天皇の劇的な「回心」はなし

ザヴィエルの「奇跡の右腕」が六月十二日、東京に着いた。六月一日に大分と別府、二日に山口、三日広島、四日京都、五日大阪、九日日光……。十二日午前九時半から明治神宮競技場で、ローマ法王使節、大司教らによる野外ミサが行なわれた。それは二週間にわたった「ザヴィエル渡来四百年記念祭」の最後を締めくくる荘厳なるミサであった（この記念祭については、第十章と第十一章で詳述する。ここでは、天皇の巡幸とともに開始されたカトリックの策謀であったとのみ書いておく）。

ローマ法王特別使節のノーマン・ギルロイ枢機卿の司会のもとにミサは開始となった。大きなアーチが二つ、競技場に設置された。純白の祭壇には、あのザヴィエルの「奇跡の右腕」が飾られた。ヴァチカン盛礼さながら、古式にのっとった大野外ミサには、数万人の信徒、参観者が集まった。式典は十一時から第二部に移り、日本のカトリック教会の土井大司教の歓迎の辞がなされた。その後に吉田茂首相が外相の資格で祝辞を述べる予定であったが、代理の者の祝辞となった。ギルロイ枢機卿の挨拶の後、同競技場で大茶会が開かれた。高松宮と妃殿下が出席していた。また、スペイン、フランス、ポルトガル、オランダの各国使節団が列席した。この大ミサの後、スペイン使節団は、同夜十一時羽田発のパン・アメリカン航空機でマニラへ向かった。翌十三日、午後六時、両国メモリアル・ホール（旧国技館）で巡礼団歓迎の平和祭が行なわれた。

六月十二日の大ミサの日の朝、天皇は京都にいた。九時五分、大宮御所を出発し、御召列車は九時二十五分、京都駅を発った。そしてその夜の七時十五分、東京駅に御召列車は着いた。私は、天皇が京都を発つ朝に、ザヴィエル渡来四百年記念祭の大ミサが開始されたのは偶然ではないと思う。九州巡幸の全スケジュールはGHQにより、完全チェックがなされていた。それゆえ、GHQとカトリック側は、天皇の巡幸スケジュールと、「奇跡の右腕」を運ぶ記念祭のスケジュールをセットすることができた。もし、「別府事件」が成功して、天皇が東京に向かう御召列車の中にいるときに重大発表がなされていたら、天皇はそれを否定することができなかったであろう。当時は情報網が未発達であったゆえ、神宮競技場で何が、どのように行なわれているのかを天皇さえも知ることができなかったであろう。例えばこうだ。

ギルロイ枢機卿がこう語り出したのかもしれないのである。

「天皇は六月八日、別府市の小百合愛児園の御堂でキリストの像の前に跪き、別府教会のカステリオーネ師からロザリオを授けられました。各国の使節の方々がカトリックの洗礼を受けた天皇を祝福しました。このことは、ローマ法王ピオ十二世にただちに報告されました。法王はただちに喜びの電報をよこしました。カトリックへの劇的なる回心をなされた天皇を祝福してのローマ法王ピオ十二世のメッセージを今から皆さま方にご報告いたします……」

吉田茂首相兼外相は熱烈なるカトリック信者である。このことも後述する。彼は外相の資格で出席する予定であったが当日になって急遽、代理の者を出席させた。あるいは、天皇の劇的なる回心を祝福するメッセージを発表する役割を、マッカーサーから与えられていたかもしれないのである。

カトリックの陰謀は戦後の初期から始まっていた。私は後の章でこのことを追究する。その陰謀はこのミサをもって終わりとなるのである。

しかし、吉田首相は後に、日本でのカトリック布教に協力したということで、ローマ法王庁から最高の勲章「サングレナリオ騎士団長勲章」を授与されるのである。当時、吉田首相は間違いなく一カトリック教徒として、ローマ法王ピオ十二世に日本をカトリック教国にして提供しようとしていたと私は思うのである。吉田茂ほど不思議な人物は現代史において登場しない。しかし、彼の謎は、彼が天皇教徒でありながらカトリック教徒として、政治の世界に宗教を持ち込んだという視点から見るとき、その謎の半分以上は解けてくるのである。

マーク・ゲインは『ニッポン日記』の中で面白いことを書いている。

今から五十年後の、いやおそらくもっと近い将来の国家主義日本は、吉田を、もう一人の「穏健派」幣原〔喜重郎〕とともに、異国の征服者の意志をたばかり、旧日本の体制を根本的に変革するをサボタージュし、封建的体系の保持に巧妙かつ有効にたたかった人として感謝の念をもって追懐するであろう。そして同じころのアメリカの歴史家たちは、なぜまたいかにして、この封建日本の代表選手、が新しい民主主義の造型者として米軍司令官によって選び出されたのだろうといぶかって不審の眉をひそめることであろう。けだし吉田が日本政府とマッカーサー元帥の連絡係をつとめてきたことや、総司令部の中に彼の心酔者がいることなどは、かくれもない事実なのである。

この日記は「一九四六年五月十六日付」である。ゲインの謎は、もうほぼ完全に解けたのである。吉田茂なる人物は、カトリック教徒としての立場を巧妙に使い、マッカーサーや総司令部内の高官たちと交わるのである。そこから彼は出世の糸口をつかむのである。

私は「別府事件」を追究していく過程で一つのことに気づいた。それは、現代史家の人々が、宗教の面から現代史を考察していないという点である。後の章で、マッカーサーと吉田の関係を追究する。そのとき、「別府事件」の真の意味が見えてくるはずである。

さて、盛儀ミサの後で、ローマ法王特使ギルロイ枢機卿をはじめとする主たる関係者たちは、マッカーサーからディナー・パーティに招待されていたのでアメリカ大使館へと向かった。このディナー・パーティこそは、劇的な天皇の回心によりカトリック教国となった日本を祝福するマッカーサーの独演場となるはずであったろう。しかし、劇的な天皇の回心がなくなったので、このパーティは全く白けたものであった。

七月四日は米国の独立記念日であった。マッカーサーは声明を出した。

すべての人類は、自由社会においてのみ発展することのできる高邁な資質、即ち個人の尊厳と開かれた機会を一様に希求するという点において根本的に同じである。

マッカーサーはその一カ月ほど前に出した「ザヴィエル渡来四百年記念祭」へのメッセージ（後の章で詳述する）では、キリスト讃美のうたを高らかに謳い上げた。それから一カ月しかたたないのに、キリスト教について語ることさえなくなっていくのである。ことに「別府事件」の後は……。マッカーサーはキリスト教から反共主義へとシフトするのである。声明の続きを見ることにしよう。

米国主義の諸概念は東洋の文化または、習慣と同化する際、なんら障害とならず、その結果としての東洋の最善なものと、西洋の最善なものとの調合は、共産主義の最も積極的な攻撃に対して難攻不落の戦線となっている。

現代宗教史の阿部美哉《あべよしや》は『キリスト教うたえども』（『共同研究・日本占領軍その光と影』所収）の中で、七月三日のマッカーサーの新聞発表について、「確かにマッカーサーは、キリスト教についての発言があまり好評でないことを気にしていた」と書いている。マッカーサーの心に変化が起こったことは事実なのだ。そのことを阿部は指摘した。それは、間違いなく六月のいつかなのである。

しかし、阿部は間違っていると私は思う。「あまり好評でないことを気にしていた」という彼の表現に賛成しかねるのである。マッカーサーは、熱烈に日本をキリスト教国化しようとしていた。その夢が六月のある日に破れたからこそ、彼はキリスト教について語らなくなったのである。彼は周囲を気にして語るほどのナイーブな精神の持ち主ではない。

それでは、私は読者に問うことにしよう。『『別府事件』以外に、マッカーサーが変心するような何らかの事件が六月中にありましたか」と。

七月八日、天皇は田島宮内庁長官、三谷侍従長を伴い、マッカーサーを訪問した。会談は約一時間半におよんだ。このときの訪問は八回目であった。内容は例によって公表されていない。天皇は九州巡幸でのGHQの協力を感謝したのであろう。労働争議、反共政策が話し合われたものと思われる。

八月十四日、日本キリスト教平和協会は関東地区キリスト教五十余団体の参加の下に、「キリスト教平和促進大会」を行なった。平和の祈りの会の後、皇居前広場では講演会が開かれ、午後五時より日比谷公会堂で「平和への祈り」のミサが行なわれた。そして、これを期にしてキリスト教の日本国内での運動は下降の一途をたどっていくのである。

マッカーサーは九月二日の対日戦勝記念日に長文の声明を出した。その中で、日本の安全保障を長々と説いた。その長文の最後を次のように締めくくった。が、このとき以降、マッカーサーは「キリスト教」という言葉さえ使用しなくなるのである。

日本の占領が文明の進歩に寄与した最大の貢献は、個人の自由と尊厳という偉大な概念を日本に導入するとともに、キリスト教の理想がアジアに進出する機会をあたえたことにある、ということを歴史は永く記録するだろう。

この文章は、マッカーサーの敗北宣言のようにも読みとれる。「歴史は永く記録するだろう」とは、現実では確かに失敗したが、自分の努力は何らかの形で人々の心の中に残るであろう、ということにちがいない。

このマッカーサーの声明が出た夜、吉田首相はラジオ放送を行なった。

……日本は精神的更生と物質的復興とによって、人類の自由の砦にならねばならない。そのためには、真の幸福と繁栄をかちとるまでは、忍苦と耐乏の生活をつづけなければなりません。……

精神的更生とは、日本人がキリスト教に改宗することを意味する、マッカーサーの決まり文句である。この一文を見ても、吉田首相がマッカーサーの「精神的更生」のために尽力してきたことが分かるのである（吉田首相については後の章で詳述する）。マッカーサーの声明について、ニューヨーク・タイムズは社説の中で次のように書いた。

われわれは、もはや日本人が残忍な非人間的な国民だとは考えていない。このわれわれの日本人にたいする態度の変化は、マッカーサー元帥の声明に明確にあらわれている。もし、日本占領軍が、フィリピンにおけると同様の政治的効果をあげるならば、米国が注ぎこんだ占領費はすばらしい投資だといえよう。

「フィリピンにおけると同様の政治的効果」とは、アメリカがフィリピンを完全にキリスト教国化したことを意味する。ニューヨーク・タイムズは、この時点で「天皇の劇的な回心」による日本キリスト教国化が進行中であると信じていたのであろう。マッカーサーは「日本カトリック教国化」の失敗について沈黙を守り続けていたからである。

毎日新聞はこの声明について、「偉大な改革」と題する社説を出した。

……無意味な戦いとあの敗戦は日本の空前の悲劇であった。降伏四周年の日にふたたび悲しみを新にする。しかし、その後の占領政策による日本の変革は、世界史的意味においても、またわれわれの直接の生活から見ても、この悲劇をつぐないつつある。日本の民主主義的変革の途が開けたことは、世界のために必要であり幸福であった。われわれは日本というせまいワクからはなれて世界史的に考えて見るとき、元帥のいう「日本の占領が文明の進歩に寄与した最大の貢献は、個人の自由と尊厳という偉大な概念を日本に導入するとともに、キリスト教の理想がアジアに進出する機会を与えたことにある、ということを歴史は長く記録するだろう」という言葉を認めざるを得ない。

毎日新聞はマッカーサーのキリスト教国化政策を支持し続けていた。朝日新聞も読売新聞も同様であった。マッカーサーのキリスト教国化政策を少しでも批評することは禁じられていた。もし、「別府事件」が起こらなかったら、新聞はこぞって「日本カトリック教国化」に全面的に協力していったことは間違いのない事実であった。マッカーサーの夢は破れたが、毎日新聞は提灯記事を書いてマッカーサーを称えた。続けよう。

日本が自由な世界の一員となりうるための偉大な変革は、制度的にも精神的にも成就されつつある、とわれわれは信ずる。この変革をもたらすような占領政策がとられ、マ元帥がその理想の線をまげずに力をつくしたことに、われわれは感謝する。そして日本国民の進歩を、マ元帥が認め、賛辞を与えてくれたことをわれわれは喜ぶ。

阿部美哉の『政教分離』を見ることにする。この本の中に、CIE（民間情報教育局）の宗教課長であったウイリアム・K・バンズの一九四九年十一月十八日付メモが登場する。「別府事件」から半年たらずで、マッカーサーが、キリスト教布教の夢が完全に破れて、失意の淵に沈んでいる姿を見ることができる。

一九四九年六月二十三日から十月三日まで、最高司令官代理として、小官が出席した第四回ユネスコ総会にかんして、十月二十四日十八時三十分から十九時三十分まで、マッカーサー将軍に報告していた折、会見の終り近くになって、将軍は突然話題を世界情勢から日本の宗教の問題に転換した。マッカーサー将軍は、日本人の大多数は、プライドが邪魔になってキリスト教に回心できないだろうから、少なくとも近々のうちに日本がキリスト教国になることはなかろうとの見解を述べた。将軍は、小官に仏教徒や神道の信奉者が、同将軍がつねづねキリスト教に由来すると言っている道徳的行為と正しい基本原則を受け入れているかどうかと尋ねた。将軍の感覚は、もし、この基本原則を受け入れているならば、日本に仏教や神道を存続させておいてもよいというものであった。さらに将軍は、キリスト教徒にできる最大の貢献は、その他の諸宗教の指導者を覚醒させて、もっと積極的、進歩的な役割を果すようにさせることであると言った。

この「メモ」には恐ろしい日本の未来が予言されていたのである。「日本に仏教や神道を存続させておいてもよい」に注目してほしい。マッカーサーは、もし、日本キリスト教国化に成功していたら、仏教や神道――この二つこそが日本の宗教であるが――この両方の宗教を禁止する方針であったのである。マッカーサーは天皇の「劇的な回心」を通して日本をキリスト教国にできると計算していた。従って、もし小百合愛児園での失敗がなかったら、日本の姿は今日において大きく変貌していたはずである。阿部美哉はこの「バンズ・メモ」について、その後の経過を描いている。

マッカーサーはこうしてキリスト教支持の立場を拡大して諸宗教にたいする支持の立場をとるようになった。このことを感じとっていたCIE宗教課長のバンズは、マッカーサーに「占領軍はキリスト教だけを特別に厚遇する政策をとるのではなく、諸宗教を公平に保護するものである」旨の声明を出させようと努力した。この声明案は民間情報局長ニューージェントの反対のために、結局、日の目を見なかったが、マッカーサーのキリスト教支持の言動も、占領の後期にしだいに鎮静化したのであった。

総司令部の高官たちのほとんどは占領期、マッカーサーの独断独行に逆らえなかったのである。特にマッカーサーは日本をキリスト教国化したいという野心を持ち続け、カトリックと終戦直後から共同で工作に入るのである。

次に、レイ・ムーア編による『天皇がバイブルを読んだ日』の中の「まとめ」を引用する。この文章は「別府事件」を実証してくれるであろう。この本の原書の題名を忠実に訳せば、『神の兵士——日本をキリスト教国とするマッカーサーの試み』である。

一九四九年は、マッカーサーの日本における伝道運動が最高潮に達した年であった。しかし、潮が引き始めたとき、その潮に押し流されなかった日本人はほんのわずかしかいなかったのは明らかである。日本のキリスト教国化が少しでも前進する方法は、ベテラン宣教師たちが大胆にも最高司令官に申し上げたように、長期にわたる努力によるしかあり得ない。一九四六年にマッカーサーがダグラス・ホートンに予言した「精神大革命」は、一九四九年になっても、起りそうにもなかった。天皇あるいは皇太子が日本人を教会へ導くであろうといった非現実的な考え方は、しだいにより冷静な判断へと変っていった。皇族のキリスト教に対して示した表面的な関心は、マッカーサーの文化に対する単純な理解を利用し、日本のキリスト教の指導者の蔭に隠れて、天皇を擁護しようとした、皇室の必死の努力であったように思え出した。（略）

劇的な天皇の回心もなければ、日本人の多くも回心しなかったことによって、キリスト教民主主義を打ち立てることはいかに遠大な事業であるかが明白になった。上から下への回心の熱烈な唱道者も、クリスチャンは、まだ日本国民の〇・五％にすぎないことを認めざるを得なかった。

文中の「劇的な天皇の回心もなければ……」が重要である。日本キリスト教国化とは正確に表現するならば、日本カトリック教国化であった。ローマ・カトリックとマッカーサーが協力し合って日本をカトリック教国としようとしたのである。従ってレイ・ムーアの指摘するところは、認識は甘い面もあるが、「別府事件」を知らないがゆえに鋭い点もある。マッカーサーはカトリックの力添えを得て日本をキリスト教国化できると計算したのであり、同時にカトリックもまた、マッカーサーの力添えを得て日本をカトリック教国にできると計算したのである。天皇を「劇的な方法で回心」させるという歴史的事実が厳然と存在したことをムーアは指摘している。だからこそ、一九四九年のキリスト教熱が日本中に拡大していったのである。カトリックは広布の方法として常に最高権威者を目標にするのである。日本では、天皇をおいて他に人はいない。だからこそ、カトリックはマッカーサーと組んで対策を練ったのである。天皇の巡幸は一九四八年は中止させられる。一九四九年になってマッカーサーは天皇の九州巡幸を認める。それに呼応するように、カトリックは「ザヴィエル渡来四百年記念祭」を行なうのである。

明確にしようと思う。「劇的な天皇の回心」を目標とした動きはあったのである。ムーアの文章がそれを明示する。しかし、その目標がどこで、どのようにして消えていったのかをムーアは知らないのである。私は読者や識者に再度問いたいと思う。

「もし、『劇的な天皇の回心もなければ』と指摘したムーアの疑問符はどこに消えていったのかを、あなたは答えられますか」

日本人は知らなかった。しかし、アメリカのかなりの数のキリスト教関係者や政治家や学者たちの間に、一九四九年のいつか、どこかで天皇の「劇的な回心」が起きることが知らされていたのではなかったか。しかし、天皇の「劇的な回心」はついに起こらなかった。一つの事件は封印されたので、回心を信じた人々は知らされなかったのである。ここまでは疑いようのない真実であろう。天皇もその秘密を守ろうとしたのである。失敗の事実を知っているカトリックの高職者たちも同様に秘密を守ろうとしたのである。それゆえ、闇の中に消え去ったのであろう。

私は、その一つの事件こそが「別府事件」だと推測する。もし、この「別府事件」でないとするならば、あの六月中に、どこかで、何が起こりえたのであろうか。

ロバート・フィアリーの『日本占領』(一九五〇年)を引用する。フィアリーは国務省極東局の局員であった。

一九四九年五月、マッカーサー元帥は、日本国民に対する声明において、「占領の性格は、軍事行動という厳格な性格から保護的軍事力の友好的指導という性格に漸次変化してきた」ことを認め、「日本国民が自主的責任をになうことが出来るに従って速やかにこの転換の発展をおしすすめる」意向を表明したのであった。この声明発表から二カ月の後、同元帥は総司令部員に対する告達のなかで、「占領当局が、日本の社会的、文化的および経済的発展に関する多くの特殊な任務のために、広汎な監視や政策の実施を行なう必要はもはや存在しない」と述べ、日本政府および関係機関が、「国内行政の諸事項について政府としての通常の権限を行使することを一般的に許容されまた慫慂《しょうよう》されるべきである」と指示した。

フィアリーは国務省の高級官僚であった。彼は特別任務を与えられて日本にやって来た。そして一九五〇年にこの本を出版した。その彼が、一九四九年の五月にマッカーサーが、従来の占領方針を転換して、「保護的軍事力の友好的指導」を目標にするようになったと本の中で書いている。そのために「特殊な任務のために、広汎な監視や政策の実施を行なう必要」があったのである。五月から七月にいたる二カ月間のどこかで、その「実施を行なう必要がなくなった」とフィアリーは書いている。ここでも私は読者に問いたい。

「五月から七月の間に何が起こったために、マッカーサーは政策の転換をしたのですか」

フィアリーが「日本の社会的、文化的、および経済的……」と書いている点は特に重要である。「社会的、文化的、経済的に関する特殊な任務」とは、日本国家を根本的にゆるがす、特殊な任務が必要な大事件が予想されていたということであろう。

「別府事件」が起こってから一カ月後、日本は大きく転換する。マッカーサーのスポークスマンが「中央の最高政府機関の訂正による以外は、地方官吏および地方議会は『完全に自立した』

ものである。従って、連合軍部隊と日本国民との関係を規定した諸規則も緩和される」と発表した。

日本の現代史を、東京を中心に見るから真実は見えてこない。三鷹事件や下山事件を中心に見ると、共産主義勢力と闘う占領軍と日本政府の姿のみがクローズ・アップされてくる。

この七月から九月にかけて、日本全土の地方行政はほぼ完全に独立していくのである。どうしてか、と追究していけば答えは自明となろう。マッカーサーが、各府県の占領当局の民政班を廃止したからである。もう少し考慮すれば、特殊の任務を民政班に与える必要がなくなったからである。結論はこうである。マッカーサーの胸中を推理する。

「日本をキリスト教国化する夢が破れたとあっては、日本に保護的軍事力をもって友好的指導をすることもなくなった。総司令部の全員に、特殊の任務を与えることにしていたが、それも中止することになった。こうなった以上は、全日本の自治体に完全な自由を与えよう。吉田茂が文句を言っているが、キリスト教のかわりに共産主義の恐怖を煽らせよう。国務省も朝鮮戦争の準備に入ろうとしているし、ちょうどいい潮時でもある」

マッカーサーの総司令部は九月中旬、全日本の占領当局の民政班に指令を出した。

「特に〝有力な理由〟によって当該司令官により禁止された場所を除くほかは、日本の旅館および劇場は連合軍部隊の出入禁止区域指定から解かれる。占領軍当局施設内の社交的活動への日本人の参加も自由とする。占領軍要員と日本人の各種競技等も許可する……」

地方を中心に世の中は乱れていった。別府では、GIたちがパンパンという女たちと享楽の限りを尽くした。ＭＰは知らん顔をしていた。マッカーサーは何一つ文句を言わなかった。宣教師たちは急に布教の熱情を失っていった。そして、半年後、朝鮮戦争で、パンパンと遊んだ別府のＧＩたちのほとんどは死んでいった。キリスト教の熱風は一九四九年七月以降、一度も吹かなかった。

第二章

忍び寄るカトリックの魔手

天皇、マッカーサーの奸計に気づく

あの「別府事件」から四カ月という月日が流れた。

一九四九年（昭和二十四年）十月十七日、「聖ザヴィエル渡来四百年記念祭」に尽力した人々を、マッカーサーはアメリカ大使館に招待した。ローマ法王使節代理ブルーノ・ビッテル（後の章で詳述する）をマッカーサーは部屋の片隅に呼び、いつものように演技たっぷりに両肩を抱きかかえると、「神父、すばらしい盛事でした。占領政策の中で最大級の行事の一つにあげられるでしょう」と言った。

ビッテルはマッカーサーに、「貴官の軍隊の妨害工作にもかかわらず……」とやり返した。ミューラー少将（参謀長）たちが、マッカーサーの独断的な兵士の出動命令に反発し、兵士たちにミサへの協力を控えさせたからであった。それを聞いて、マッカーサーはビッテルに告白した。「神父、察していただけるでしょう。私はもう最高司令官ではないのです」。そのとき、マッカーサーの頬に一筋の涙が流れたのである。

エドウィン・ライシャワーは『ライシャワーの見た日本』で「占領」について書いている。

アメリカの占領は、明らかに日本を新しい国家、ないし小アメリカにすることができなかった。われわれがなしたことといえば、根本的要素の多くをほとんど変えないで、日本の社会に根本的に新しい形態をつくるのに役立つような、ある特殊な再調整をなすことであった。換言すれば、われわれは、手を引いても、そのままになっている新しいバランスをつけたいと希望した。天秤の一方を少し強く下げたのである。

マッカーサーは、ライシャワーの逆を考えていたのであった。天秤は一度、破壊されねばならなかったのである。そしてマッカーサーが一九四六年にダグラス・ホートンに予言した「精神大革命」が起きるはずであったのだ。しかし、すべてはマッカーサーの誤算であった。ライシャワーは日本文学と歴史の研究家であり、ハーバード大学の教授を務め、ケネディ政権時代の駐日大使であった。彼は一九四八年の六月に人文科学顧問団の一員として来日し、マッカーサーと会見した。そのときのマッカーサーの言葉を『自伝』に書き留めている。

いまから千年後、歴史の教科書がまさに戦争について一行も書かなくなったとき、民主主義とキリスト教がアメリカから日本に持ちこまれ、以後の日本文明のすべての基礎になった事実に一章が費やされるであろう。

一九四八年の六月にマッカーサーは、日本をキリスト教国にできると疑わなかったのである。別の章で、この年の六月を見ることにする。

ここに一つのデータを書くことにする。一九四九年に天皇が外国人と謁見したデータである。

二月四日　駐日ローマ法王使節ポール・マレラ大司教
二月二十五日　ジョージ・プライス（デーリ・メール重役）
三月十八日　スタンレー・ジョーンズ博士（米国メソジスト教会）
三月二十八日　ポール・C・フレンチ（米国ケア機構事務総長）
四月二日　ウォーン・トムソン博士（総司令部顧問）
四月十八日　ダニエル・ボーリング博士（米国宗教福祉関係）
五月十一日　フランク・H・バーソロミュー（UP通信社副社長）

これらのアメリカ人は、マッカーサーが謁見を天皇に命じたがゆえに、皇居に入った人々である。

この一九四九年は五月十一日をもって謁見は終わっている。七人のうち四人はキリスト者である。この五月に天皇は九州巡幸に出る。そして、六月十三日に皇居へと帰る。

九州巡幸以降、マッカーサーは天皇に謁見を申し入れるキリスト関係者を天皇のもとへ送らなくなる。私は次のように考える。マッカーサーは、日本をキリスト教国化するという熱情をすべて失ったためである、と。だから、「劇的な方法での天皇の回心」は消えたのである。これ以外にこの事実を説明する何があるのだろうか。

七月四日はアメリカ独立記念日であった。マッカーサーは声明を出した。この声明は、共産主義に対する警告の声明と一般に受けとめられている。その中に、マッカーサーのキリスト教国化の敗北宣言とも受け取れる一文がある。

米国主義の諸概念は東洋の文化または習慣と同化する際、なんら障害とならず、その結果として東洋の最善なものと西洋の最善のものとの調合は、共産主義の最も積極的な攻撃に対して難攻不落の戦線となっている。根拠が健全であると同様に、またその結果も決定的である。人種的、地理的また文化的相違にかかわらず、人類のすべてのものは自由な社会においてのみ発展の手段を見出す。諸品性すなわちより高い個人的尊厳およびより広い個人的機会に対する普遍的希求においては根本的に相似ている。

マッカーサーが東洋を称賛した最初の文章である。かつて、マッカーサーは東洋の文化を認めようとせず、キリスト教の優位性のみを説いた。マッカーサーはこの演説以降に、キリスト教の代わりに共産主義の脅威を説くようになる。「役割の逆転現象」が起こったのである。

天皇は、国内が騒然としていた七月五日に新聞記者を招いて特別座談会を開いている。陪席者は田島宮内庁長官、三谷侍従長、鈴木総務課長、入江侍従、山田侍従。宮内記者として、藤樫準二（毎日新聞）、田中徳（共同通信）、秋岡鎮夫（朝日新聞）の三名が招待された。藤樫準二は『千代田城』の中で次のように書いている。

当時、国鉄の下山総裁の轢死体が自殺か他殺かで、各新聞は大騒ぎの最中であったが、四旬にわたる九州旅行は日の丸の小旗が公然と許され、盛大な歓迎に陛下も満足してお帰りになった。……南面窓下（花蔭亭）のソファを中心にU字型に着席、陛下は予定より三分おくれて正面のソファにお着きになった。われわれがいささか緊張しかけたと見た田島長官が、煙幕作戦？　開口一番に「煙草をすわないと、話が出ないでしょう」。この如才ない一言で雰囲気が一気にほぐれ出した。陛下と長官の間にはさまれている私に、長官が煙草箱を持ち出してむりやりすすめる。「まァまァ」で、私もつい吸いはじめてしまった。他の二人も同調して陛下を煙に巻き、ニコヤカな笑いのうちにボツボツと雑談がはずんでいった。

戦後、天皇はいくたびかアメリカの記者の会見に応じたことはあったが、日本の記者との会見はなかった。それも、この会見は座談会形式である。この会見の後にも、このようなうちとけた会見はなかった。天皇がこの時期、解放感にひたっている姿が見えてくる。この宴は、下山事件の最中である。六月から七月にかけて労働争議で国中が大きく動揺していたときである。

私はこの理由を「別府事件」の中に見出すのである。天皇は小百合愛児園での事件が失敗に終わったがゆえにキリスト教という束縛から解放されたこと、また、マッカーサーが解任の瀬戸際にある事実を天皇は寺崎英成《てらさきひでなり》御用掛のルートで知りえたこと。よって、マッカーサーに対して一定の距離を保てる自分を発見しえたこと。それゆえに天皇は、侍従らと共に記者を交えてくつろいだのであろう。それ以外に、この天皇の心変わりを説明できる何があるのであろうか。『千代田城』を続ける。

福岡でお召自動車の下敷きになった子供が奇跡的に助かった話、おばあさんが陛下と一緒に歩きながら「天子さまはどこに？」とさがしているユーモアな写真の話など、話題がはずみすぎて進駐軍（MP）のことを、私が脱線して「あいつら―」を連発して恐縮したものだった。陛下は、話をお聞きになるのはなかなかお上手で、それでいて、けっして聞き流していらっしゃるわけでなく、要所要所でお口ぞえもされ、おたずねにもなった。約二時間というながい時間を両膝をキチンと行儀のよい姿勢で、一回も足を組まれるようなことはなさらなかった。

「別府事件」を裏付けるもう一つの資料がある。それは、天皇がキリスト教信者からキリスト教について進講を受けることがなくなったからである。その月日は明確に書ける。すなわち、天皇が九州巡幸から皇居に帰ってからである。『入江日記』を見ても、朝日新聞の記事を見ても、ほとんど例外はない。

ただ一つの例外がある。それは十一月五日の片山哲《かたやまてつ》との謁見である。キリスト教徒とはいえ、元首相の欧州事情報告を天皇が受けたのである。キリスト者としてではなく、元首相としてである。この年天皇は学士員会員と六回、芸術員会員及び文化人と各々、二回も会っている。天皇は宗教を避けて、学術・芸術・文化面のパフォーマンスに出るのである。「キリスト教よ、さらば」の積極的姿勢である。一九五〇年一月三十一日の歌会始（若草）で天皇は歌を発表した。希望の歌であった。

もえいづる春の若草よろこびの
いろをたたへて子らのつむみゆ

しかし、天皇の心に心的な外傷が残ったことは間違いない。この「別府事件」がトラウマ的な事件となり、天皇は反キリスト教徒となっていく。

『改造』という雑誌があった。今はない。この一九五〇年の新年号に天皇の歌を掲載したいとの雑誌編集者からの依頼を受けた天皇は、七首の歌を斎藤茂吉の選という形での掲載を認めた。その中に九州巡幸の歌が四首選ばれた。因通寺洗心寮にて詠んだとされる歌が七首の中に入っている。天皇は五月二十三日に佐賀県基山町の因通寺洗心寮を訪れた。

みほとけの教へ守りてすくすくと
生ひ育つべき子らにさちあれ

私はこの歌が、キリスト教への改宗を断念しましたという天皇の静かな宣言のように思えるのである。入江相政は『宮中侍従物語』の中で洗心寮について書いている。

因通寺洗心寮は佐賀県下にあるが、因通寺は浄土真宗西本願寺派に属する寺。ここで孤児をおなぐさめになってから、ここをお発ちのとき、この寺の前がだらだら坂になっている。その坂を降りてお車のほうへお進みになるとき、たくさんの孤児たちが、陛下にまつわりついた姿、ついきのうのように思われるが、考えてみればもう三十年の昔になった。

浄土真宗西本願寺派も東本願寺派も、皇族と深く結びついている。それゆえに浄土真宗は孤児院訪問という形で天皇に強く働きかけたのであろう。天皇はＧＨＱにより、神社・仏閣への巡幸を中止させられていた。天皇家の祖先の応神天皇を祀る「宇佐神宮」も、別府から中津に向かう途中にありながら、参拝することはできなかった。私は「みほとけの教へ守りて」の一首は、マッカーサーへの毅然たる天皇の反抗であろうと思うのである。

占領史を専門とする袖井林二郎が『リメンバー昭和！』（一九九九年）の中で、「マッカーサーと裕仁に親愛はあったか」を論じている。結論を書けばノーということである。「占領期を通じて天皇はマッカーサーを十一回訪問しているが、マッカーサーは一九五一年四月、朝鮮戦争の戦略をめぐって大統領に解任され、帰国するさいにも、返礼をすることとさえしなかった。どれほど二人の間が親愛に満ちたものであっても、マッカーサーは異民族の占領軍司令官である。天皇が屈辱を感じなかったといっては嘘になる」と袖井は書いている。

袖井はマッカーサー記念館で開かれた占領研究セミナーに出席する。ここでマッカーサーの副官だったローレンス・バンカー元大佐と会い、彼の言葉を書いている。天皇は一九七五年訪米する。天皇はウイリアムズ・バークに二日間滞在する。その近くにマッカーサー元帥の霊が眠る記念館がある。だが天皇は、その記念館を訪れることはなかった。バンカー大佐は袖井に言った。

「元帥の力添えがなかったら、天皇は今日生きてさえいなかったであろう」

天皇はマッカーサー夫人の住むウォルドーフ・ホテルで夫人に会見する。ここで開口一番、夫人が天皇に言い放った言葉を袖井は伝えている。

「陛下、あなたがいまだに宮内庁のキャプティブ（囚人）のままなのは、全く残念なことです」。それに対して天皇は「アイ・シンク・ソー・ツー」（私も残念に思います）と答えた、ということである。

私は、別府事件がその最大の原因だとは書かない。天皇がマッカーサーと会見するたびに、内心は苦渋の時を持ち続けたと思うのである。人は生き延びる努力をした結果、生を持つのである。天皇ほどに苦しんだ人は戦後いなかったのかもしれない。どのような批評はあろうとも、である。

昭和天皇は一九八九年一月に亡くなる。その前年の一九八八年七月に皇居の道灌堀で昭和天皇は歌を詠んでいる。反キリスト教徒たる天皇の歌である。

夏たけて堀のはちすの花みつつ
ほとけのをしへおもふ朝かな

袖井は書き続ける。「昭和の終わりに感じ入っているのは、世界中で日本国民だけであることを、忘れてはならない。昭和天皇はあまりにも長くその座にあり、その間タブーは生き続けた。生き証人の多くは語ることなく世を去り、山のような証拠は失われたに違いない。歴史としての検証はかなり後手に回ってしまっている」と。

私も同感である。私はあの日、小百合愛児園への天皇巡幸に立ち合った生き証人である。そのときは小学五年生だ。それゆえにこそ、「昭和は遠く……」などと思い入れにふけってはいられないのである。

『近代日本文化論9』は「宗教と生活」である。この本の第一章は「さまよえる宗教」であり、その中で宗教学者の山折哲雄は次のように書いて、戦後のキリスト教熱が醒めていった原因を論じた。

マッカーサーが「真空」の線まで後退を余儀なくされたのは、かれの前に民政局と民間情報教育局をはじめとする「ニューディーラー」たちのつよい抵抗があったからだ。

山折哲雄は日本を代表する宗教学者である。私が調査・研究した結果(後の章を読んでほしい)、「ニューディーラー」の一人として、マッカーサーのキリスト教政策に正面切って反対した者はいない。山折にして、この程度のことしか書かないのである。

もう一人の異色の人物を紹介したい。その人は赤間剛《あかまごう》である。彼の『バチカンの秘密』を引用しようと思う。

バチカンが日本布教に最も力を入れたのは戦後の混乱期であった。当時、マッカーサー元帥の下で日本のキリスト教化が打ち出されており、プロテスタントと競合する形で、布教に邁進した。その場合、最高の戦略は天皇のカトリック入信であった。天皇の入信で、日本がカトリック化されると期待されたのである。しかし、日本の占領期が過ぎると、キリスト教の布教はみじめな失敗に終わったことが明らかになった。その最大の理由は文化的なものである。日本人にはキリスト教はなじみがなく、異質の文化だった。戦後の日本で宗教的勝利をおさめたのは、神道・仏教系の新宗教だったのである。

私が調査した範囲内では、この文章が一番詳しく、そして正確に日本のキリスト教化の失敗を伝えている。他の本も天皇とキリスト教の関係を描いているが、どれも、この赤間剛の説を超えるものはない。

「別府事件」はどうして闇に消えたか

脇鉄一が約十年間務めた市長をやめて『ある市長のノート』を書いたのは「別府事件」から十五年後。その後、別府を去り、東京に移って弁護士となった。

その彼が一九七三年、非売品として国会財政研究委員会出版局より、『かりそめの日本ならず』を出版した。その本の中でも彼はこの事件のことを書いている。『ある市長のノート』とほとんど内容が同じであるが、その重要部分を引用してみることにする。

この孤児たちの歌っておる礼拝堂の正面には、聖像と十字架が置かれてあるので、筆者や侍従の間で予め相談して、陛下はこの部屋の入口で園児らを撈われることにして、部屋の中には這入られない手筈をしていたのであるが、園長カルメラ嬢はそれを忘れていたのか、堂の中迄御案内しただけでなく、奥深く聖像の正面迄御先導したのである。

以下、『ある市長のノート』とほぼ同じことが書かれている。彼はこの『かりそめの日本ならず』を東京で私家版として出版した。友人や関係者、すなわち法曹界の人々に配ったのであろう。事件はすでに過去のものとなっていたとはいっても、この部分を読んだ人たちは、事件の重要性に気づかなかったのであろうか。私たち日本人は宗教の重要性に対して、あまりにも無関心でありすぎないか。脇は書き続ける。

彼の女は今にも陛下に対して聖像に礼拝をお願しそうなのには驚いた。筆者は狼狽して宮内庁からのお付きの鈴木総務課長に急を告げると、課長も驚いて馳せ付け、叫ぶように陛下どうぞこちらへと申上げた。するとそれを聞かれた陛下は、いとも静かに踵を返されて出口の方に向われた。僕は全くホッとしたのである。実はこの時の陛下の御様子が、実に自然であって少しも驚かされた気配も見えず、突嗟な変更とも感ぜられなかったのは不思議なほどであった。

若しも彼の女が、陛下に礼拝をお願したとしたら、陛下は一体どうされたであろうか。陛下は案内の者がお願することは、何でもそのままお聴き入れなさるようである。このことは、この行幸中僕の経験した範囲では例外がない。そう考えて見ると全くホッとしたのである。

脇鉄一は続けて、別府公園（当時は第二中学運動場）市民奉迎場での天皇を描いている。その場面を見ることにする。

宿所で少憩された陛下は、更に別府公園での市民奉迎場に向われた。ここでは二万（四万と記す資料あり：引用者注）に近い市民が、日の丸を手に春雨のけぶる中で陛下を待ち受けていたが、幸い御着きの頃には雨も霽《は》れていた。僕は陛下を御案内して、各団体の前で一々御説明申上げると、陛下はその度毎に御挨拶をされた後、君が代の斉唱の中を正面の御座に立たれた。この君が代、この国旗、それは終戦後二年《ママ》に垂んとするこの日迄、国民から奪われていたものであるが、今こそは天下晴れて、思う存分に声はりあげて歌い、力をこめて打振った。僕は御座の真下の台に上って、万歳の音頭をとったのであるが、この二万の市民の怒涛のような万歳の声と、体中に沸きかえる感激とで、僕の右腕の神経痛も癒えたかのように、高々と手を上げることができた。

天皇の巡幸は、全国的規模で人間天皇の誕生としての天皇制を演出していくものであった。天皇は自ら人間宣言をした。しかし、天皇は歴史的な神格性を持つ存在にちがいなかった。あの奉迎場の御座は、天皇の神格性をそれらしくみせるための舞台装置であった。矢野暢《やのとおる》は『劇場国家日本』の中で天皇の政治的意味について書いている。

天皇の政治的意味は、無限抱擁的であって、このひとつの表現のなかに、巨大な政治的宇宙がふくみ込まれる論理性をもってさえいる。天皇制によって、あらゆる政治的演出が最終的には正当化されることになる。したがって、天皇制のもとでは、ある種のゆるやかな様式性の枠のなかで、かなり多彩な政治が花咲くのである。

一九四九年の巡幸は、一九四七年の巡幸とは異質のものであった。ジョン・ダワーは『敗北を抱きしめて』の中で「……行列の最後尾には、時には百人もの宮内省の役人がこの新しい民主主義の象徴に随行しており、中には、地方巡幸を利用して、闇米やその他の『贈物』を徴発する腐敗分子もまじっていた（当時は、貴族階級でさえ食糧の不足を感じていたのである）。こうした行き過ぎと腐敗もあって、巡幸は一九四八年の初めに一時中断された」と書いている。

藤樫準二は『千代田城』の中で、「自動車行列にしても警察の先駆、後駆を加えて五台なのに、列外と称する後尾に二十台前後の自動車で長蛇の列をつくっての行進は、あまり体裁のいい光景ではなかった。宮内庁では九州地方からのお供は七名。事務と自動車関係を十二、三名に制限し、名誉回復にこれつとめたが、大して効果もあがらなかった」と書いた。

当時の侍従長三谷隆信の『回顧録』を見ることにしよう。

しかし年をこえると情勢はずっと変ってきた。市ヶ谷裁判〔俗にいう東京裁判のこと：引用者注〕が終了したと共に終戦以来萌していた米ソ関係の悪化が一層顕著となるにつれて、連合軍司令部の対日態度もいちぢるしくかわってきた。やがて春になると司令部は積極的に地方行幸を支持する意向を伝えてきた。陛下も再び地方に御出ましになって、国民大衆に接することはその御悲願である。それで五月中旬から九州一円を御巡幸になることにきまった。

巡幸前年の一九四八年は占領軍の一方的な通達により、天皇の巡幸は中止させられる。それが一転して、マッカーサーは天皇に九州巡幸を積極的にすすめたのである。ザヴィエル渡来四百年祭のスケジュールが一九四八年の暮れに作成され、それに添う形で天皇の九州巡幸となる過程が、この三谷隆信の一文から推測できよう。九州巡幸に関しても、すべてのスケジュールはマッカーサーの意図するところとなった。三谷の『回顧録』を続ける。

行幸のあり方については、弊害や誤解をさけるため、宮内庁側の供奉員を思いきって減員すると共に、地方で供奉の列に加わる人数を減らし、供奉自動車台数を数台に限定した。また献上品を一切受理せず、供奉中、供奉員は一切酒をのまぬことを自発的に申し合わせた。供奉の侍従を二人にへらしたため、侍従は食事もおちついてとれぬ程忙しかったり、不便はあったが一同が緊張して奉仕したので能率はあがった。

五月十七日朝皇居御出門、途中京都に御一泊、十八日夕北九州八幡市に着御、福岡、佐賀、長崎、熊本、鹿児島、宮崎、大分の各県を、五月十九日から六月十日にいたる二十三日間に御巡幸になった。その間午前九時から午後五時まで、昼食のための時間を除いて、毎日七時間あまり、文字通り寸暇なく、九州を北から南へ、南から北へと自動車でおまわりになった。

九州巡幸のとき、天皇の供奉の侍従は二人、すなわち、入江侍従と鈴木総務課長であった。「不便はあったが一同は緊張して奉仕したので能率があがった」と侍従長の三谷隆信は書いているが、あまりにも少ない供奉員ではなかったかと思うのである。九州巡幸はＧＨＱの完全チェックを受けていた。ＧＨＱすなわちマッカーサーは、天皇の巡幸を一九四七年には認めたのであるが、一九四八年は中断させるのである。
そして、一九四九年の一月に日の丸の掲揚を認める。こうした中で天皇は九州巡幸に出る。供奉員二人もＧＨＱの要求であろう。そうすれば、「天皇の劇的な回心」の場の演出も成功するからである。また、天皇の巡幸に同行した田島道治宮内府長官も、三谷隆信侍従長も（後述するが）、熱烈なクリスチャンである。このことも関係があったのかもしれない。その確かな証拠はないのであるが。
天皇の巡幸には、隠された意味があった。ＳＮＷＣＣ（国務省・陸軍省・海軍省調整委員会）がワシントンにあった。要するに、マッカーサーを支配する組織である。ここから一九四六年七月にマッカーサー宛の指令が出た。

天皇制を直接攻撃することは日本の民主的要素を弱体化させるばかりか、共産主義者や軍国主義ら過激派の勢力を強めることになるであろう。従って最高司令官は天皇を大衆化し、人間性を持たせるための方策を内密にとるよう命じる。このことは日本国民に知らせてはならない。

この指令の三カ月後の十月十六日、第三回目の天皇・マッカーサー会談が開かれた。この会談録が世に出ている。巡幸に関する部分を見る。

陛下　巡幸は私の強く希望するものである事は御承知の通りでありますが、憲法成立後は特に差控へて居ったのでありますが、当分差控へた方がいいといふ者もあります。貴将軍はどう御考へになりますか。

元帥　機会ある毎に御出掛けになった方が良しいと存じます。回数は多い程良いと存じます。……司令部に関する限り、陛下は何事をも為し得る自由を持っているのであります。何事でも私に御用命願ひます。

この会談の中で天皇とマッカーサーは、新憲法、戦争放棄、ストライキ等を論じている。天皇は「……日本人の教養未だ低く、且つ宗教心の足らない現在……」とマッカーサーに言っている。宗教心とは、間違いなく、キリスト教への帰依の心の足りなさにちがいあるまい。だからストライキが起きると、天皇はマッカーサーに語ったのである。

では、天皇はどのような姿で民衆の中に入っていったのであろうか。AP通信のラッセル・ブラインズの見方は鋭いものがある。

天皇はいきなり使い古した中折れ帽子に手を伸ばされたかと思うと、また思い直しておろし、微笑もうとした。それから微笑を浮かべて帽子をとられ、民衆にむけて盛んにそれを振られた。人々は歓呼の声を上げ、緊張を解いた。……堂々たる軍服姿の天皇を心に描いた民衆は、実際に天皇を前にして、その相違に混乱させられた。そこにいたのは、側近の指示でしか行動できない一人の小男だった。「あっ、そう」。いつもこういう話し方をした。高い調子で無意味な言葉を続ける。顔にしみが浮き出て、ぶしょうひげが生えていた。

そして靴はすりきれていた。

これは一九四六年の東京近郊の巡幸のときのブラインズの記事である。「シカゴ・サン」のマーク・ゲインは、天皇をチャーリーだと書いている。その動作がチャーリー・チャップリンに似ていたからである。マーク・ゲインと同じように感じた外人記者は他にもいたし、ＭＰもＧＩたちも天皇を「チャーリー」と呼んでいたのである。

ブラインズは天皇のみすぼらしい服装に、隠された秘密があることを知っていた。しかし、書けなかった。マッカーサーはアメリカ人記者の記事でさえ、天皇に関するものは厳密にチェックさせていたからである。

しかし、九州巡幸を取材したアメリカの一新聞記者がマッカーサーの掟を破った。彼は天皇が「ボロを着て、歩きまわっている」という記事をアメリカの新聞社に送ったのである。

この記事がアメリカで報じられ、天皇の風采が海外で話題になったので、侍従たちは九州巡幸後、新しい服を天皇に着てもらうことにした。この九州巡幸の翌年、すなわち一九五〇年の一月十六日は、天皇と皇后の二十五回目の結婚記念日であった。ついに天皇は新しい背広を新調した。民衆の天皇をアピールするために書かれたプロパガンダの天皇と皇后の物語『良子《ながこ》皇后さま』（小山いと子著）の中に、天皇が背広を新調する場面が仰々しく描かれている。そこにあるのはただ、民草の心に想いをやり、民草とともに古い背広（ボロとは言いたくないが）を着て市中を歩き、安らぎと希望を与える姿である。

従って九州巡幸は、古い背広で民衆の中に天皇が登場する最後となった。今にして思えば、あの古い背広や中折帽、すり切れた靴は偽りの衣裳であって、金モールの「大元帥・天皇陛下」がその背広の下に隠れていた。

このような姿で、警備の人々もめだたぬ中で天皇は戦後の廃墟の中を歩いていたのだ。天皇が巡幸を始めたのを見学し、シカゴ・サンのマーク・ゲインは『ニッポン日記』（一九四一年三月二十六日）の中で次のように書いている。

神としての天皇の有用性は降伏の日とともに痛く減少した。今や宮廷の中の、また宮廷をとりまく抜け目のない老人たちは新しい神話を製作しつつある——国民の福祉に熱心な関心をもつ民主的な君主に関する神話である。これは、日本国民および、われわれがその確立の援助を約した、かの民主主義の観念に対する恥ずべき裏切りだ。

新しい神話とは、大元帥の天皇を隠しに隠し、軍閥に裏切られたという偽りの悲劇の天皇を民衆の前にさらし、わざと古着をまとい、擦りへった靴をはいて、哀愁を漂わせ、偽りの同情を買おうとする平和天皇の物語である。純情な国民は、裏切られたのに、父や兄が殺されたのに、母や姉妹が空襲で殺されたのに、新しい神話にもう一度殺されたのである。かくて天皇は、日本人の精神の骨の髄まで、平和天皇、文化天皇を植えつけたのであった。

敗戦前であれば、現人神として、天照大神直系の天皇を直接に拝める人はごくごく限られていた。天皇は何を想い、民衆の中へと入っていったのであろうか。絶対的な忠誠を誓わせ、赤紙一枚で命を捨てさせた民草はもういない。しかし、天皇は何かを確信すればこそ、かつての民草の中に入っていったに違いないのだ。

かつては遠い視線さえ投げることを許さなかった天皇が今、道化の神の姿にて現われてくる。そこには空《うつ》ろな空間が誕生していたに違いない。現人神を一度見たいという好奇心が憐れみの情を伴って、やり場のない衝動がかつての民草の心に溢れ出す。敗戦によるどん底の生活苦にもかかわらず、瞬間瞬間のあの〝どよめき〟は一体、どこから生まれてきたのであろう。天皇と侍従たちが、その〝どよめき〟を演出したのであろうか。

天皇を迎えた人々は敗戦後の生活苦の中で空虚感を持っていた。その空虚感を埋めてくれるものを求めた。民族とか国家とかいうものが消滅しかけていた。そこに神が登場したのであった。幻想の中の満足感という虚《むな》しさが、人々を熱狂させたのであろうか。

昔々、カール・マルクスというユダヤ人が「民衆の幻想的幸福である宗教を廃棄することは、民衆の現実的幸福を要求することである」と哲学の本の中で書いた。この男の説を信仰する共産主義者の多くも、天皇を前にして「バンザーイ」を連呼し続けたのである。

共産主義はこの世の中で最も強烈な宗教であることが、この例を見ても分かる。彼らは自国民を数千万人も殺したスターリンを神と信じた。

天皇が奉迎場の台に立つ。大衆は神を仰ぎ見る。そして頭を下げる。常に正面を向いて、「バンザーイ」をする。決して尻を見せてはいけない。直立不動の姿で全員が「バンザーイ」をする。まことにすごいやり方が登場したものだ。そうか！　そうであったのか。この方式はヒトラーの登場場面とそっくりであった。中央に空なる空間が生まれる。知らざる、知ってはならない配電盤がセットされている。天皇の側近がボタンを押す。天皇霊の電気が流れ出す。

そして、天皇の周囲の人々は天皇霊の血の飛沫を浴びるのである。

一九四七年以降の地方巡幸の中でこの奉迎場が登場する。この年の六月の関西行幸のときに試験的に採用される。そして東北行幸以来、さまざまに形を変えて奉迎場方式が定着していく。当初は校庭や駅前などの広場に即席の「奉迎場」が作られた。そして次第に一定の型が誕生してくる。「君が代」が歌われる。代表者が音頭を取り、唱和と万歳となる。この奉迎場方式の登場により、戦後復興のためという行幸の目的は消えていき、一つのショーと化する。物々しい警官たちが警固体制をかため、多数の宮内府の官史がお供をする。

やがて天皇の巡幸は一種のお祭り騒ぎとなっていく。一九四七年十二月十一日、巡幸最後の日、御召列車が岡山県から兵庫県に入った途端、沿道の田んぼに並んでいた約六十人の小学生たちが一斉に日の丸を振った。この一件に民政局の尉官のポール・ケントが「指令違反」だと怒った。巡幸責任者の加藤進（宮内府次官）を呼びつけた。この一件が導火線となり、一九四八年は巡幸中止となる。

三谷隆信の『回顧録』をもう一度引用する。「奉迎場」について書かれている。

人口の疎らな地方を御通過のときは、所々に奉迎場が用意されていた。小学校の校庭などが利用されていることが多かったが、二間位の高さの奉迎場が設けられ、その周囲に数千の人々が近くの町村から集り群がって陛下の御来駕をおまちした。陛下はお着きになると直ちに台上に御立ちになる。（略）数分は台上にとどまって御会釈をされる。やがてまた万歳の声におくられて次の場所に御出発になるのであった。朝御宿泊所を発たれてから、こういう御行程を、御休息の時間もなくつづけられた。

三谷は真実を書いていない。奉迎場のほとんどは万単位の人々を動員する装置であった。巡幸を迎える一地方の行政機構が奉迎場を用意したのではなかった。すべては、宮内府（一九四九年六月一日からは宮内庁）と総司令部の合意のもとに作られていた。正しくは、仰々しい「奉迎場方式」を宮内府が決定する。これをGHQの民政局が承認する。最終的にはマッカーサーがこれらのすべてを認めたのである。一大ショーを九州で展開したいという、天皇と宮廷人の野心をマッカーサーが認めたのは、天皇をカトリック礼拝堂の中でイエス・キリストの前で跪拝させるのに都合がよかったからであろう。

九州巡幸にあたって宮内府は『行幸事務必携』を作成し、関係各県に送っている。すべては、「天皇バンザーイ！」を叫ばせるための演出であった。

＊奉迎場にはそれぞれ高さ六尺、広さ六尺×六尺程度の高台をもうけられたし（てすり不用）。

＊奉迎場には戦災者、引揚者、遺族等にそれぞれ区別した標識をなるべく設けるのが適当である。

＊奉迎場に於ける式次第は次のようにするのが適当と思われる。天皇陛下御着（又は君が代斉唱裡に着後、この場合は次の君が代は省略）、市長敬礼（参集者右に和し敬礼）、君が代斉唱一回、万歳三唱、一同敬礼、ご退場。

＊奉迎場にはマイク、救護所、案内図、便所を設置すべきである。

すべては計算し尽くされていたのである。多数の人間が一カ所に集められ、天皇御着から御退場まで所要時間は十分たらずであった。この凝縮された時間の中で、単純すぎるショーが演じられる。天皇は高台に立つだけ。市長敬礼に従って民衆が敬礼する。そして「君が代」を斉唱する。市長が万歳をするのに合わせて「バンザーイ」を繰り返してショーは終わるのである。

このとき、天皇は間違いなく現人神であった。日本の歴史上かつてないことが起こったのであった。そして、これからも永遠に起こりそうもないことが、一九四九年の九州巡幸で起こったのである。民衆を見事に操る装置が完成していたのである。

現人神を待つ間に無音で奏ぜられるオーケストラ。聴こえる者だけが聞くがいい「君が代」のメロディー。もうこの世に二度と出現することがない天皇が帽子をふりつつ登場し、あっという間に退場するのだ。天皇のみに巨大なスポットが当たっている。廃墟と化した敗戦後の日本に、奉迎場なるものが無限に誕生し、その周辺の住民のほとんどが催眠術をかけられたかのように「天皇陛下バンザーイ」と叫ぶのであった。

こうして天皇は敗戦の責任を無にしえたのである。この奉迎場の熱狂場面を語らずして、天皇の戦争責任を追及しても意味がない。天皇をして「戦争責任を語り、民草の父や兄を戦場で殺した罪を謝罪するより、民草にバンザーイを言わせるほうが、自分の神聖さが高まっていく」と思わせたのは、この行幸で得た知恵からであろう。

日の丸の旗を振り、「天皇陛下バンザーイ」を叫ぶことは、天皇への忠誠心を示し、天皇に感謝して天皇から慰めてもらい、励まされることに喜びを見出すことにほかならない。

別府市民奉迎場での昭和天皇、最前列に脇市長（『ある市長のノート』より）

かくして天皇は日本国家の無責任の象徴となった。このとき以降、日本の道徳心は荒廃した。荒ぶる神から和魂《にぎみたま》の神へと見事に変身した天皇は、「全国をくまなく歩いて、国民を慰め、励まし、また、復興のために立ちあがらせるための勇気を与えることが自分の責任である」と堂々と述べるにいたった。

この「バンザーイ」の歓呼の中の天皇に、カトリックの影が忍びこんできた。日本最大のピンチが訪れようとしていた。天皇は自らの姿をあまりにも隠しすぎたのではなかったか。脇鉄一はそんな天皇を、「陛下は案内者がお願することは何でもそのまま受け容れられるようである。このことはこの行幸中に僕の経験した範囲では例外がない」と書いた。一方、ブラインズは「そこにいたのは、側近の指示でしか行動できない一人の小男だった」と書いた。

天皇の行幸はいたるところで民話（フォークロア）を生み出していった。天皇は免罪であるという世論がこの民話の中から生まれてきた。

「歴史は事実より神話やフォークロアによって支えられ、造られることが多いのですから、側近の人たちも意識してそれに役立ちそうな種を洩らしたり、書き残したりするわけです」と色川大吉は『昭和史の天皇』の中で書いている。

巡幸とは、天皇の新しい神話やフォークロアを製作することであった。

九州巡幸は、一九四六年と一九四七年の巡幸から誕生した「新しい神話とフォークロア」を天皇が持参してなされたのである。このとき、宮廷と政府と総司令部から垂れ流されてくる「天皇無罪論」に日本人は、一部の人々を除いて騙されていった。天皇有罪論を日本人がある程度知るようになるのは一九五〇年代の後半、日本が独立をはたしてからであろう。

二〇〇一年、ジョン・ダワーの『敗北を抱きしめて』が出版された。この本の中に次のような一文がある。

戦いに敗れ、外界から遮断された日本人は、戦勝国連合の崩壊も、中国の国内分裂も、西欧帝国主義・植民地主義を相手にしたアジアの闘争の復活も、冷戦の緊張の決定的出現も、核武装競争の始まりも、すべて知らないことになっていた。いうなればタイムワープのなかにいたわけだ。

私はこの文章を読み、納得した。マッカーサーの司令部は言論・出版・放送・映画のすべてを検閲した。それから半世紀以上が過ぎた。しかし、日本人の心は当時とほとんど変わらない。閉ざされた日本人の心は、アメリカの恐怖に脅え続けたままである。

江藤淳は一九八九年（平成元年）に『閉された言語空間』を世に問うた。その中で、「現在の日本人の精神構造は、占領軍の検閲によって、制限された言語空間に閉じ込められてしまった」と書いた。日本人が占領期の事件を追究しようとしないのは、マッカーサーの亡霊という言語空間の中に閉じ込められているからにほかならない。

江藤淳は「言論統制——占領下日本における検閲」という論文の中で次のように書いた（傍点は江藤淳）。

敗北が合意によるものであれ、征服によるものであれ、アメリカは日本を自分の姿に模して改造しようと堅く決意していた。占領検閲支隊（ＣＣＤ）の検閲活動は、日本人の考え方のみならず、記憶すら変えてしまおうとした占領軍の周到な努力の一面を示している。この点に関しては日本の占領研究が、ごく最近まで、占領軍の検閲についてほとんど触れるところがなかったという事実を指摘しておくのは有意義であろう。

私はダワーと江藤淳の文章を読んで、一九四九年に起こった三大事件（三鷹事件、下山事件、松川事件）に思いを馳せた。これらの事件は当時の新聞に大々的に報道された。検閲はもちろんあった。では、どうして三鷹事件が連日報道され続けたのかを見よう。

毎日新聞の一九四九年七月十七日付を見る。

政府は特に最近の下山国鉄総裁変死事件、三鷹事件などによる社会情勢の険悪化にたいして、……午後五時総理大臣声明を発表した。……さらに、これを共産主義者の扇動によるものと断じ、初めて、真正面から共産主義と闘う決意を表明したことは極めて注目される。

一九四九年七月十五日の夜、中央線三鷹駅車庫から無人の列車が暴走した。乗客らの死者六名、十数名が負傷した事件であった。吉田茂首相は翌日に、何らの証拠もなく、「共産主義者が関わっている」との声明を出した。この声明の背後にＧＨＱがいたと書くことに異論はあるまい。

当時の新聞を見ると、これらの事件の報道に満ちていることが分かる。しかし、前記のダワーが指摘するような国際事件は報じられていない。まさに日本人は「閉された言語空間」の中にいた。

ここまで書いて、賢明なる読者は気づかれたことであろう。占領軍に都合の良い報道のみを私たちは知らされていたのである。その後遺症が今日でも残っている。

一つの決まった定説のもとに、日本の現代史ができ上がっている。そして、それを疑わないのである。もうすこし素直に書くならば、日本人は半世紀以上にわたり、占領軍に洗脳されたままである。それゆえにこそ、天皇とキリスト教の関係も、マッカーサーの夢であった「日本のキリスト教国化」の行く末も、おざなりの言葉で半頁か数行ほどしか現代史には登場しない。否、ほとんど、現代史の本に登場しないのである。

天皇、キリスト教から遠ざかる

マッカーサーは熱烈なクリスチャンである。と同時に、フリーメーソンの会員であった。彼はフリーメーソンのフィリピン地区会により、この資格を受けるにあたって演説した。

キリスト教は道義を完全なものと見て取り上げ、みずから範をたれてそれを美化し、なんの修正も加えずに後に残した。人類の心に深い永続的な刻印を残した宗教、そういった重要な宗教はこの世にほとんど政体の数ほど多く多様に現れてきているが、そういったわれわれの知る限りの宗教はすべて同じ基本的な目的を追い求めている。その目的とは道義を例をもって示し、実践させることである。

（ダグラス・マッカーサー『マッカーサー回想記』）

マッカーサーにとって、フリーメーソンはキリスト教と全く同じように見えた。一九四七年にマッカーサーはフリーメーソン最高位（真実は違う。一般的には、の意味である）の第三十三位階を受けている。

日本はキリスト教のみならず、フリーメーソンからも狙われた国であった。一九三〇年のロンドン条約批准をめぐって、ウイリアム・R・キャッスル駐日大使（戦後、グルー元大使とともにジャパン・ロビーの一員となった反マッカーサー派）は、金子枢密顧問官に次のように語っている。

今回の日本政府の勇気ある決断によって、軍縮案が無事実施されることに、心からお礼申し上げます。それも、これも弊原外相がメーソン員としての信義から最後の請訓への回答案を示し、フリーメーソンの世界平和達成に協力してくださったからと理解しています。

戦後の最初の首相、東久邇《ひがしくに》稔彦《なるひこ》もフリーメーソンであり（戦後に加入）、二番目の首相の幣原喜重郎もフリーメーソンであった。ここにもマッカーサーの意志が働いているのかもしれない。「別府事件」の後に、すなわち一九四九年の七、八月ごろから、日本キリスト教国化のかわりに、フリーメーソンの天皇加入工作が活発化する。日本フリーメーソン化運動が見えてくるのである。天皇をフリーメーソンに加入させようとするのはキリスト教と同じ動きである。その中心として動いたのが、皇族では、前述の東久邇と李垠《イウン》（夫人が皇后の従姉妹）であった。また松平恒雄《まつだいらつねお》（元宮内大臣、衆議院議員、元伯爵、元駐英大使）と幣原喜重郎（元首相、元男爵、元駐英大使）の二人が東久邇と李垠の運動を支持し続けた。

マッカーサーは、まず皇族たちを入会させ、次に日本の指導者たち、そして最終的に天皇を会員にしようとした。しかし、天皇はフリーメーソンの恐ろしさを知っていたから動かなかった。この間の天皇工作の動きを知る本としては、赤間剛の『フリーメーソンの秘密』が詳しい。

この本の中には、マッカーサー元帥の腹心の軍人マイク・リビイストの天皇入会工作が描かれている（ここでは省略する）。

一九四九年後半、日本にメーソンのロッジが開かれるようになったとき、マッカーサーは次のようなメッセージを寄せている。

日本はフィリピンを武力で征服した。今度はフィリピンがメーソンの教えで日本を征服するのだ〔日本のメーソンはフィリピン系ロッジに属する：引用者注〕。それは日本人のイデオロギーを改めるだろう。日本でのフリーメーソンの発展は我々が占領していることに関係する民主主義の目標にとって根本である。

マッカーサーのキリスト教熱が醒めていったのが、このフリーメーソンのメッセージを見ても理解できよう。あの「別府事件」以降、たしかに、マッカーサーは精神を病んでいた。

敗戦後、かつてのクリスチャンたちの多くが、歴史の真実を追求する眼を持つことなく、ただひたすらに天皇が戦犯に問われるのを救おうとして涙ぐましいほどの動きをするのである。その中心はクエーカー・コネクションといわれた人脈である。

私はこの本の中で、彼らをあえて無視し続けた。彼らの行動は泡のようなものと見なしたからであった。マッカーサーは天皇の戦犯に関しては最初から何らの影響力を行使できなかった。天皇を戦犯から救ったのは、アメリカを支配する大統領を超えた支配力を持つ人々であった（後述する）。天皇はジャパン・ロビーの人々によって、アメリカの真の支配者がどこにいる人々かを知らされるのである。それは一九五〇年以降である。

無視してきたクリスチャンの中に、元宮内次官の関屋貞三郎《せきやていざぶろう》がいる。とりあえず、彼の一九四五年十月の「日記」（高橋紘・鈴木邦夫『天皇家の密使たち』所収）を見ることにする。元東大教授で後に文相となった田中耕太郎《たなかこうたろう》のことを記している。

田中君ハ米軍メジャ（少佐）ヘンダーソン、ドクター・R・ハーマン（コロンビア大学経済学部教授）ト交ワリ、陛下ノ平和愛好者タルコトニ干シ先方ニ誤解アルコトヲ憂エ、余ニ相談ニ来レルナリ。

カトリック教徒の田中耕太郎は、戦後に天皇教一派に近づくことにより、時の場所を得ようとした一人であった。田中は戦前、自由主義者として政府から圧力を受け、東大教授を辞した人であった。しかし、田中は戦前の自らの思想を捨て、平和を説く天皇をアメリカの有識者たちに宣伝し、もってクエーカー教徒の前田多門《まえだたもん》の好意を受けるようになる。前田多門が東久邇内閣の文相になると、彼は学校教育局長に迎えられた。田中は一九四六年六月二日、「新しい文教方針は教育勅語による」という声明を出して忠君精神の教育勅語を賞賛して、見事な天皇教徒へと変身したのである。やはりクリスチャン人脈の安部能成《あべよししげ》が文相を去ると、その後を引き継ぐ。文相のときも「教育勅語は天皇のお言葉なるが故に真理なのでなく、真理なるが故に真理である」という名言を国会で吐いた人物である。

一九四六年四月三十日、天皇は宗教に関する集中講義を受けた。仏教は鈴木大拙《すずきだいせつ》。彼は戦前からの「隠れ天皇教徒」であり、木戸幸一《きどこういち》元内大臣や牧野伸顕《まきののぶあき》元内大臣の密使的役割をこなし、アメリカで禅を広める一方で、アメリカの情報を蒐集《しゅうしゅう》して天皇教のために奉仕したのである。従って、天皇は鈴木大拙をことのほか喜ばしく迎えたのである。空の精神とは何ぞや、と言いたくなるのである。プロテスタントは東大文学部のフランス文学教授の斉藤勇《さいとういさむ》。そして、カトリックは田中耕太郎が講義を担当した。この宗教の集中講義はマッカーサーを喜ばせたことは間違いない。田中は一九四九年十月に『天皇の印象』という本の中で、天皇への講義の模様と、天皇のキリスト教改宗問題について触れている。あの「別府事件」から四カ月後の出版であるので、実際の執筆時期はもう少し早いであろう。

御進講は、講義一時間半、御下問に対する奉答は二、三十分。全体で約二時間ということになっていた。（略）いよいよ御質問の時間になった。（略）ご質問の点は、（一）羅馬《ローマ》カトリックと希臘《ギリシヤ》正教の差異、（二）ムッソリーニがヴァチカンと条約を結んだ理由、及び（三）カトリック教会が布教に格別熱心な理由の三つであった。皇族方の中では、主として高松宮殿下が活発に御質問になった。

天皇は、法学博士の田中に宗教と政治との関係について専門的な質問をした。「とにかく陛下の御関心事は、宗教の政治的な面に存しているように拝察された」と田中は書いている。「もし、陛下の御関心の重要な部分が日本国家の運命や世界人類の平和及び自然科学の分野の御研究に集中されていたとするならば……」と田中は書いている。天皇は悩んでいた。自らの改宗について苦悩の日々を送っていたのが、田中の文章の中に明確に書かれている。

ところで、この御進講が新聞にとくに、外字系新聞によって世間に伝えられるや、天皇がカトリックに御改宗にでもなるかのような噂が飛んだのであった。それは陛下にとって御迷惑千萬な風説である。（略）かような点で陛下が何らかの個人的信念に御到達になったとしても、御改宗は極めて微妙な問題を含んでいるのである。（略）日本国全体の象徴であらせられる天皇が特定の教派の信仰をもたれることは往昔、仏教渡来の頃よりも遥かに困難であることを認めなければならない。それは総理大臣が新憲法の下において自由にある教派に帰依しても地位を維持しえるのと同日の談ではない。とくに皇室と神社神道の浅からぬ歴史的関係を考えるときに、一層この感を深くするのである。

「総理大臣が新憲法の下で……」は、同じカトリック教徒である吉田茂首相を指すものと思われる。「皇室と神社神道の浅からぬ歴史」とあるのは間違いである。皇室は江戸末期まで仏教と深く結ばれていたのであり、神社神道との関係が深まるのは明治になってからである。

この田中の『天皇の印象』は、全体として天皇の忠実なる部下である天皇教徒が、天皇の代理人としての役割を演じているように見える。「陛下が何らかの個人的信念に御到達になったとしても」という彼の婉曲的な表現の中に、天皇が一時期、キリスト教にかなりの信仰心を持っていた時期があったことが分かるのである。

しかし、「御改宗は極めて微妙な問題を含んでいるのである」は、マッカーサーの意に添わなかった天皇の弁明と受け取れるのである。あるときまで、天皇がカトリックになるべく言明したことは事実である。それをローマ法王ピオ十二世とマッカーサーが受け入れ、一九四九年に日本をカトリック教国化すべく、カトリックは全世界の高職者を日本に集めたのである。カトリックが狙ったのは、全国的な熱狂の中で、天皇の劇的な回心を中心として日本をカトリック教国にすることであった。さて、田中耕太郎はまた、意味深長なことを書いている。

今や神社神道は国教たる性質を失い、国民は完全に宗教の自由を獲得するにいたった。従って天皇に関しても、英国国王の場合のような制限は存在せず、天皇は御自らの良心に従い、政治的顧慮を離れて最良と御信じになる宗教に帰依せられることにつき、制度上何等の支障もないのである。天皇が人間として有せられる基本的自由は、決して一般国民の誰よりも少ないものであってはならない。ことに、天皇は如何なる意味においても、政治の犠牲になるべきものではない。天皇の求霊や幸福の問題は、全くの天皇御一個人の問題として考えなければならない。我々は陛下が政治的な考慮を離れた純粋な霊的生活の問題として、宗教について御考えになる意味において、終戦後間もなく行われた三宗教に関する御進講の意義を認めようとするものである。

田中耕太郎はカトリック教徒として、同じカトリック教徒の吉田首相とともに、日本のカトリック教国化を期待しつつ待っていたのであろう。彼の文章から伝わってくるものは「無念」

の一語である。「天皇の救霊や幸福の問題は、全くの天皇御一個人の問題として考えなければならない」に、天皇がカトリックとしての信仰を今後も持続してほしいという願いが表われている。

田中耕太郎は吉田首相のブレーンの一人だった。一九四六年五月、第一次吉田内閣の文相に起用された。一九五〇年、吉田首相は田中耕太郎を最高裁長官に任命する。カトリックと反共産主義者のコンビの誕生であった。

田中耕太郎は『私の履歴書』の中で、「我々カトリックは、労働と資本や社会問題や共産主義や世界平和の問題について無関心、冷淡でありうるはずがない。否、カトリック的な正義と愛とは一層これらの分野の開拓を必要とするのである」と書いている。カトリックがたんなる宗教的道徳や祈りをするだけの教団とみるのは間違っている。カトリックの末端の信者はカトリック上層部の聖職者の真の姿を見ていないのである。彼は続いて、「我々は民主主義の下において守るべき政治的寛容と、これと次元を異にする問題であるドグマティックな寛容とを混同してはならない。後者は前者とは異なって、真理に対する欠乏、これに対する不忠実を示す以外の何ものでもないのである」と書いている。

カトリックの不寛容さは驚くべきほどである。田中耕太郎は吉田茂とともに熱狂的な反共主義者でもあった。

一九四九年十月十日、朝日、毎日、読売、日本経済、京都、中京、時事、中日、共同らの社長、そして放送協会の会長たちが宮内庁に招かれ、天皇との御陪食に参列するという栄誉に浴した。三笠宮も出席した。社長たちは食事の後に別室に入り、天皇と歓談した。一時間にわたる談話の終わりに近づいたころ、天皇は立ちあがり、「新聞は自重して公正にやらなければいけない」と言った。その件に関して、読売新聞社長の馬場《ばば》恒吉《こうきち》は『拝啓の記』(『天皇の印象』所収)の中で、その天皇の有難い言葉を受けて、「われわれは頭をさげて御礼を申し上げた。それで拝謁は終ったのである」と書いている。

天皇はこの年の暮れから自信を取り戻した。言論の自由に対しても口をはさむほどに自信を取り戻した。そのころ、マッカーサーはアメリカの国務省や統合参謀本部から難題を押しつけられていた。マッカーサーと吉田茂は、再軍備を要求するアメリカにノーを言い続けた。自信を取り戻した天皇は、彼らの要求を受け入れる発言をするようになっていくのである。

オランダの駐日外交官であったバロン・バン・アディアードの『平和への従属国家』(一九五四年)の中に、一九四九年の日本の姿が描かれている。

> たいへん奇妙なことだが、アメリカは日本人の傾向について間違った情報を与えられていたようだ。アメリカは疑いなく、占領を通じて、日本人の間に好意的援助の精神が行き渡っていると、日本人がひたすらありがたがってアメリカ側につくだろうと、我々は自由主義国家の連合の忠実な一員だと宣言するだろうと、ロシヤおよび共産中国からのどんな友好的接触も突っぱねることだろうと、希望的に観測していた。しかし、一九四九年の日本人の対応は、その「予測」がまったく間違ったものであることを証明した。

文中の「好意的援助の精神が行き渡っている」というのは、キリスト教の教えが広く日本人の心に行き渡っているであろうとのマッカーサーの「予測」そのものである。「一九四九年の日本人の対応」とは、マッカーサーたちが期待した日本キリスト教国化の夢の喪失にほかならないであろう。従って、この一文は、日本がマッカーサーたちの夢を裏切った一九四九年の日本人の姿を描いているのである。

マッカーサーの側近の民政局局長のコートニー・ホイットニーは、『日本におけるマッカーサー』の中で一九四九年の「別府事件」を彷彿とさせるような文章を書いている。

クリスチャンとして彼は、多くの〝異教徒〟日本人を巧妙だが強力な圧力をかけてキリスト教徒に改宗させたいという、当然の誘惑に直面した。そのような改宗をさせるほど大きな機会は、またとなかった。かってない精神的荒廃がすべての日本人を包み込んでいた。苦しい時にすべての人がやるように、日本人も精神的なよりどころを求めて宗教に目を向けた。しかもこの重大な時に当たって彼らの宗教も救いとはならなかったのである。一九四五年九月の日本は、宣教師の楽園であった。

一九四五年九月の日本とは、マッカーサーが天皇と第一回目の会見をしたときである。このとき、天皇はマッカーサーに自らすすんで「キリスト教徒になってもいい」と申し入れた。この会見は第五章の重要な題目である。まさに、日本は宣教師の楽園であった。ホイットニーはマッカーサーの真実を描いている。「巧妙だが強力な圧力をかけてキリスト教徒に改宗させたいという、当然の誘惑に直面した」マッカーサーを描いている。その最終誘惑が別府の小百合愛児園での事件であったのではないか。ホイットニーの見解を聞こう。

しかし、実践的なクリスチャンであるとはいえ、マッカーサーはそのような種類の宣教師ではなかった。彼はキリスト教よりもはるかに歴史の古い東洋の宗教の底に横たわっている基本原則の多くに常に心からの賛美の念をいだいていた。多くの基本的な点で、両者の間には矛盾はないし、一方他方の知識と理解によってむしろ強化されることは感じている。

「そのような種類の宣教師ではなかった」というのは、敗者の天皇が第一回会見で、マッカーサーの予想を全く裏切る形で突然に「キリスト教徒になってもいい」と言ったことを黙殺したことかもしれない。しかし、マッカーサーは一九四九年六月の「別府事件」の日まで、絶えず日本をキリスト教国にするために全力を傾倒するのである。これは忠実な部下であるホイットニーのマッカーサーになり代わっての弁明であろう。

ホイットニーはマッカーサーの東洋思想について書く。これも全くおかしな話である。確かにマッカーサーは「自分ほど東洋を知っている者はいない」と口癖のように語ったが、東洋の深い英知について語ることは、占領時代、「別府事件」までは一度もなかったのである。

ホイットニーの弁解は続く。さながら失敗した「別府事件」を残念がるマッカーサーが語るかのように。

日本人にキリスト教を押しつけようとせず、むしろキリスト教を実践して、占領軍がキリスト教の最高の原則に従って運営されていくようにしようと彼が苦心したのは、このような理由によるのである。だれにも改宗を押しつけることをせぬ一方、彼は日本人にキリスト教の最高の価値を示すことによって、キリスト教的考え方の利益を日本人に与えるように努力した。

ホイットニーはマッカーサー声明の代筆者（スピーチ・ライター）であった。ほとんどのマッカーサーの声明は彼が書き、マッカーサーが少し訂正しただけであった。ホイットニーこそがマッカーサーの影そのものであった。彼はアメリカに帰ってからも、マッカーサーの秘書をした。この一文の中に、日本キリスト教国化に失敗したマッカーサーの無念を見ることができる。

第三章

天皇教の国、日本

ヒロヒトの恋、その波紋

昭和天皇裕仁《ひろひと》は一九〇一年（明治三十四年）四月二十九日、青山御所において、当時十八歳の皇太子嘉仁《よしひと》の第一皇子として生まれ、迪宮《みちのみや》とよばれた。明治天皇はこの孫を節子《さだこ》（貞明皇后）の実家、九条公爵家ではなく、海軍中将の川村純義《かわむらすみよし》に預けた。裕仁が嘉仁の実子ではなく、明治天皇の実子ではないのかという説がここから生まれてくるが、この説については書かない。確証がないからだ。

私は、第三章と第四章で、第二次大戦前の昭和天皇について書こうと思う。昭和天皇とはどのような天皇であったかを知ることが、第五章以下の内容に深みを増すと思うからである。

天皇家ほど暗殺の影が色濃く見える世界はない。孝明《こうめい》天皇の兄弟は六人いるが、いずれも誕生か、生後一年から三年以内に死んでいる。

明治天皇の兄弟は一人。誕生の翌日に死んでいる。明治天皇の子は十五人（男子三人、女子十二人）。嘉仁と女子四人だけが無事に育った。しかし、彼の子供は全部側室が生んだ。死んだ子供十人は、誕生即日か早死である。

天皇の御寵愛《ごちょうあい》を受ければ憎まれ、御懐妊ともなれば陰謀渦巻く異常の世界は、平安時代に書かれた『源氏物語』の悲劇そのままである。
嘉仁の母は柳原愛子《やなぎはらなるこ》。一位局《いちいのつぼね》といわれた。その愛子の姪にあたるのが歌人の柳原白蓮《びゃくれん》である。その歌人白蓮が雑誌『別冊文藝春秋』で『柳原一位局の懐妊』を書き、その間の事情を具体的に述べている。一位局がとおる廊下に油を塗って、彼女がころんで流産するように仕組んだり、呪いの人形を打ちつけたりしたというように……。

この事実を知った明治天皇は、嘉仁を宮中でもなく、柳原家でもなく、彼が信用する中山家に預けた。

昭和天皇裕仁も父嘉仁（後の大正天皇）の例にならい、明治天皇により川村家（軍人・川村純義）に預けられた。川村家は柳原一位局と姻戚関係にあり、信頼しうると明治天皇が考えたからにほかならない。

明治天皇は嘉仁が生まれながらに病弱であったため、孫の裕仁を健康で克己心の強い子供に育てようとした。また、翌年に生まれた淳宮《あつのみや》（後の秩父宮）も川村家に預けられた。一九〇四年（明治三十七年）、川村純義が死ぬと、青山御所の隣に建てられた皇孫御殿で二人の兄弟は育てられた。川村の死後の養育掛は侯爵木戸孝允《きどたかよし》の養孫の孝正《たかまさ》。孝正の子が幸一《こういち》、後の内大臣である。

皇太子裕仁の成長過程には常に軍人がついて離れない。川村純義、乃木希典《のぎまれすけ》、東郷平八郎《とうごうへいはちろう》……。それぞれの出身は薩摩、長州、薩摩である。将来の天皇を薩長がしっかりつかまえておこうとする意識があったからにちがいない。

一九一二年（明治四十五年）、明治天皇の崩御《ほうぎょ》。嘉仁が即位する。十二歳の裕仁は皇太子となり、陸海軍小尉に仕官した。一九一四年（大正三年）、中尉に進み、高輪御殿内の御問所で教育を受けた。東郷元帥が総裁。宮内相波多野敬直《はたのけいちょく》が副総裁。東宮大夫浜尾新《はまおあらた》が三顧の礼を尽くして迎えたのが倫理担当の杉浦重剛《すぎうらじゅうごう》であった。

拝命後、神奈川に高島呑象翁《たかしまどんしょう》〔易者：引用者注〕を訪ねて意見を聴き、其れから青山墓地に行って、小村侯、佐佐木侯、乃木将軍の墓に参拝して此の事を告げ、或いは外にも心當りの人々を訪ねたりして随分苦労したよ。

（猪狩史山・中野刀水共編『杉浦重剛座談録』）

昭和天皇裕仁の人格形成には、生後即座に母親節子から離されたことと、杉浦重剛による儒教中心の教育が深く影響している。

敗戦直前、裕仁が三種の神器が心配でならないと嘆く場面があるが、これも杉浦重剛の影響が強くみられるのである。杉浦重剛の教育の一場面を描いてみよう。

……欧米諸国は「アーリヤ種」に属する同一民族なり。我が日本帝国は将来独力を以てアーリヤ諸民族と相抗するの覚悟が必要である。

一九一八年（大正七年）の一月のある夕べ、十五歳の少女が皇太子裕仁と宮中の庭を約三十分ほど散策した。その日のちょっと前まで雨が降っていたために、その少女はまっ白い足袋《たび》が汚れはしまいかと気にし続けていた。少女の名は良子女王《ながこ》といった。皇族の一人、久邇宮邦彦《くによし》親王の長女であった。

その前年の十一月、貞明皇后は、当時学習院女学部の中等科三年生の良子女王に会っていた。その年の十二月末、宮内大臣波多野敬直は、皇太子妃冊立《さくりつ》の内諾を得るために久邇宮邦彦親王に会う。裕仁、良子初見合の後の一九一八年（大正七年）一月十四日、皇太子妃内定。二月四日、新聞紙上での発表となった。

この内定に裕仁の父、大正天皇は関わっていない。すでに大正天皇の脳病は進行中であったからである。

良子女王の父は久邇宮邦彦王。母は俱子《ちかこ》。邦彦王は私立成城中学から陸軍士官学校へ進み、日露戦争では第一軍の参謀として出征し、大正十三年には陸軍大将、そして軍事参議官となる。俱子妃の父は島津忠義《しまずただよし》公爵、その母は側室の寿満《すま》。久邇宮と俱子夫婦には二男三女の子供がいた。長男は朝融《あさあきら》王、次男は邦久《くにひさ》王。三番目が長女の良子女王、そして次女が信子《のぶこ》女王、三女が智子《さとこ》女王、三男邦英《くにひで》王と続く。

邦彦王は御婚約発表後の一年前、大正六年三月一日に渋谷区下渋谷の第一御料地（現・聖心女子大学）に豪壮な御殿の建設に着手した。この御殿の全額は三菱財閥が出した。すでに一年前から良子女王と皇太子の御婚約が内定していたのである。この館は「花御殿」といわれた。三菱財閥は台湾から、節のない檜を買い付けた。天井や壁や唐紙に描かれる絵には、当代一流といわれる画家たち、横山大観《よこやまたいかん》、下村観山《しもむらかんざん》、竹内栖鳳《たけうちせいほう》、川合玉堂《かわいぎょくどう》らが動員された。

三菱財閥が日本最大の軍需産業を形成していくようになるのは、この御内定と深く関係するのである。後の五・一五事件、血盟団事件、二・二六事件と見るがいい。三井や安田財閥のトップが数多く暗殺されたが、三菱財閥には一人もいない。この御内定が大きく昭和時代を動かしたことを知り、太平洋戦争を見なければならないのである。真珠湾攻撃の最大原因は裕仁の恋にあると言っても過言ではない。

大正八年十二月十六日、「花御殿」は完成し、午餐会が開かれた。皇太子に軍事学を教えていた当時の陸軍大学長宇垣一成《うがきかずしげ》の『日記』を見ることにしよう。

十二月十六日、久邇宮殿下に午餐に召され新御殿の拝観の栄を得た。輪奐《りんかん》の美を尽くし、景勝の地を占めありしには感心せり。翌十七日、朝五時半過ぎより暁暗を犯して鮫ヶ橋の貧民窟を経過して散策を試みた。沿路中流以上の家は門戸を堅く鎖して暁夢尚醒めざるの景色なるに、独り此境のみは大部分現に起床し、暁霜を踏んで既に活動の緒に就きつつあるを認めたり。経世三顧の価あるを感じたり。

貴と賤の世界を描いて余りある一文である。貴あれば賤あり。貴なる世界の美しさよ。賤なる世界の悲しさよ。この御内定から一つの事件が発生する。世に言う「宮中某重大事件」である。

邦彦王の父親である朝彦親王《あさひこ》についで書くことにしよう。

徳川幕府は皇室の力が増大するのを抑えるために、皇族として、有栖川、伏見、閑院、桂の四家しか認めなかった。後に復活することになるが、伏見家以外の三家は幕末か維新後で絶えた。伏見家第二十代当主は邦家親王《くにいえ》。その第四男として朝彦親王が生まれた。皇族を継げるのは当時では一人だけ。したがって朝彦親王は家を出て、京都一乗院に入った。俗に「三太夫の息子」、「本能寺の小僧」といわれたが、運よく仁孝天皇《にんこう》に見出され、その猶子（養子）となった。謀略に謀略をかさねて青蓮院の門跡を継ぎ、幕末には、一乗院宮、青蓮院宮といわれた。彼自身はこの言葉を嫌い、自らは中川宮と名のった。

やがて明治天皇の父、孝明天皇の信頼を得る。NHKの大河ドラマとは異なるが、中川宮は一橋慶喜《ひとつばしよしのぶ》と密約を結ぶ。孝明天皇を廃し（殺し）、自らが天皇になり、慶喜を将軍位に就けるというものであった。その実現のために中川宮は慶喜から賄賂《わいろ》を取り、その金で数々の策謀を実行するが失敗する。孝明天皇暗殺についてはかれすぎているからここではすべて省略する。中川宮は薩州島津や会津松平の武力を巧みに使いつつ、長州藩や三条実美《さんじょうさねとみ》らの攘夷派を京から追放した（「八月十八日のクーデター」）。

この一八六三年（文久三年）のクーデターの後、中川宮は権力を一手に握り、一八六四年（元治元年）七月十九日の蛤御門の戦で長州討幕派志士、久坂玄瑞《くさかげんずい》、真木和泉《まきいずみ》らを死に至らしめる。

明治維新後、中川宮は皇族の身分を剥奪《はくだつ》され、広島藩に幽閉される。だが明治八年、皇族がなければ天皇の男子継承が心配であるとの問題が起き、薩長間の激論によって、久邇宮を立てることが赦《ゆる》される。しかし、朝彦王は東京への進出を認められず、伊勢神宮の宮司となり、たくさんの子供をつくる。この王の第八子が邦彦王である。他に、賀陽宮邦憲王《かやのみやくにのりおう》、梨本宮守正王《なしもとのみやもりまさおう》、朝香宮鳩彦王《あさかのみややすひこおう》、東久邇宮稔彦王《ひがしくにのみやなるひこおう》（後の首相）、久邇宮多嘉王《くにのみやたかおう》がいる。

こうして孝明天皇の暗殺を企て続けた父を持つ者たちのみが皇族となり、昭和天皇とその政府を支え続けるのである。この王たちが実質的に日本国軍を支配し続けて、大東亜戦争を演出するのである。この、世にも不思議な物語を知ることなく、『天皇のロザリオ』の物語は語れない。

久邇宮家を継いだ第八子の邦彦王は、朝彦王が伊勢神宮の宮司であったとき、身分の卑しい下女に生ませた男子である。俗にいう〝部落〟の娘の子が邦彦王である。貴と賤はいつも混じりあっている。他の兄弟とは母がちがうこの運命の苛酷さが彼を、父と同じように謀略家へと変貌させたのである。邦彦王の妻の俱子は、島津忠義（鹿児島藩主・公爵）と色盲の妾である寿満との間に生まれた。この寿満が色盲であるということが「宮中某重大事件」のキーポイントである。

裕仁の初恋の人は、邦彦王の異母兄の娘である梨本宮方子《まさこ》女王であった。宮内大臣波多野敬直と貞明皇后が陰謀を企み、天皇の命令（大正天皇の脳病は進み、すでに口もきけず判断能力もなくなっていた）という形で裕仁の初恋の邪魔をした。方子女王は「皇室典範」さえ無視され、朝鮮王の李王垠の後妻にされてしまった。方子の母梨本宮伊都子女王の日記に、この間の苦悩が生々しく描かれている。

伊都子は大正天皇が皇太子のころにしばしばデートをし、「未来の妃」といわれていた時期があった。節子皇后の嫉妬心が方子女王の不幸を招いたのであった。

時の最高実力者・元老山県有朋《やまがたありとも》はこの御婚約発表を知って怒りやむがたきであったが、すぐには動かず策を練りあげていた。この御婚約を破棄させるのに都合のよい出来事が起こった。それは、一九二〇年（大正九年）の夏、邦彦王の妻・俱子の母である寿満が色盲症であることが判明したからである。山県は反撃に出た。

将来の天皇に、もし紅緑の色彩が弁別できないことが起こったならば、天皇一身の不幸はもちろん、皇統にたいしておそれ多い。

当時の陸海軍は色盲の兵を採用しなかった。その軍規に反することになる。裕仁は間違いなく将来の大元帥。元老の中の元老、当時最大の実力者であった山県に元老西園寺公望《さいおんじきんもち》も、時の首相原敬《はらたかし》も同調した。山県は久邇宮邦彦王の父朝彦王に、かつての恩ある人、久坂玄瑞を殺されたという恨みを持っていた。

伏見宮は「御婚約を御辞退するを至当と考える」と久邇宮に忠告した。邦彦王は杉浦重剛に相談する。杉浦重剛は「綸言汗の如し」の一文を発表する。一度流された汗はもとに返らない。この御婚約は正式に決まったもの。これを覆すことは何人《なんぴと》たりともできない、というのが杉浦の主張であった。彼は皇太子のみならず、皇太子妃に内定した良子女王にも倫理の講義をするようになった。

杉浦重剛は琵琶湖藩の儒学者の出。東京大学予備門（第一高等学校）校長、文部省専門学務局次長、衆議院議員を経て、その当時は日本中学を創設し校長となっていた。また、雑誌『日本人』を発行していた。彼は二十二歳から二十六歳まで、イギリスに留学した科学者でもあった。さて、杉浦重剛の歴史の闇に隠されている一面に注目してみたい。

「大日本国粋会総本部」という右翼団体が一九一九年（大正八年）十月十日に京都を総本部として生まれた。『国粋之日本』（昭和五年休刊）という機関誌を同時発行した。関西のやくざ、西村伊三郎《にしむらいさぶろう》の提唱に、当時の内相であった床次竹二郎《とこなみたけじろう》が応じて作られた組織である。選挙妨害を中心とした。しかも、会員たるや全国中の侠客といわれる〝やくざ〟が名を連ねていた。

大正末期からこの団体は選挙妨害のみならず、部落解放をめぐる水平社問題に床次内相の意を受けて積極的に介入した。この組織を床次とともに創りあげたのが、今日においても〝やくざ〟から「天台翁」として尊敬を受けている、東宮御所で皇太子に教育をする杉浦重剛その人であった。この会の名付け親も、その綱領も彼の授けたものであった。

一、本会は意気を以て仁侠を本領とする

二、皇室を中心とし普く同志を糾合し、国家の緩急に応じて奉公の実を擧ぐることを期す

三、生活問題解決、労資協調

床次が内相を去り、杉浦が死んだ後、この組織は内部紛争をくり返し、関東系と関西系に分かれていった。

もう一つ、忘れてならない大事なことがある。この会の顧問に頭山満《とうやまみつる》の名がある。杉浦と頭山はこの会の以前から深く結ばれていた。この二人が皇太子の御婚約問題に深くからんでいくのである。

宇垣一成の『日記』（大正十五年十一月五日）を見ることにする。

酒井栄蔵《さかいえいぞう》と会見したり。

……世の中を動かしていく原動力であり又中軸たるべきものは人間の意志、思想である。最強の力を有する支配は堅確の意志を有して社会の思想界を制する人により行はるべきである。

宇垣一成は陸軍大学校長から田中義一内閣の陸軍大臣になっていた。大正天皇崩御の直前である。

さて、宇垣は酒井栄蔵という大阪のやくざと会見し、意気投合する。酒井栄蔵は大日本正義団の西村伊三郎の影響を受けて「大日本正義団」なる右翼団体を組織した。彼は、イタリアの国家ファシスト党のムッソリーニに私淑して、「和装黒シャツ党」を名のり、黒づくめの服装をシンボルとする、あの〝やくざスタイル〟を創りあげた。その彼は杉浦を「天台翁」として尊敬してやまなかった。

皇太子を教育する立場にある人物が、やくざの頂点に立つ男であったことを理解されよ。日本の悲劇はここに始まる。

結論を書いてから物語を始めよう。杉浦重剛が一身を賭けたがゆえに「ヒロヒトの恋」は成就《じょうじゅ》したのである。杉浦を助け、この恋の成就のために働いた人物こそが、玄洋社の頭山満であった。

一九二〇年（大正九年）十一月三十日の夜、頭山の意を受けた杉山茂丸《すぎやましげまる》なる男が杉浦の家を訪れた。その夜から日本の夜はさらに一層の深みをました。二人は山県を元老の地位からひきずりおろす策を練った。杉山は「ホラ丸」といわれ、若くして数々の暗殺を企てた男として有名であった。杉山は、彼自身の最大の支持者であり、金づるでもあった山県を訪れて、「頭山一派の者たちが、あんたの命を狙っとる……」と脅迫した。

山県はおびえ震えあがった。また、杉浦重剛と深い結びつきがあった「政教社」の三宅雪嶺《みやけせつれい》や徳富蘇峰《とくとみそほう》も「ヒロヒトの恋」の成就の仲間入りをなした。北一輝《きたいっき》は山県を非難する怪文書を書いた。この怪文書は皇居内の某所で印刷され、その筋へと配布された。この主役は久邇宮その人であった。北一輝がクローズアップされる契機ともなった。

レナード・モズレーの『天皇ヒロヒト』を見ることにしよう。どうして外国人の書いたものをと思われるにちがいない。今日まで、頭山満について書かれた本は数知れず、私はその大半を読んできたが、ほとんどが彼を賛美してやまないものばかりなのだ。私は頭山満の実像に迫りたいのだ。


彼は愛国者と称する一団の全国組織を支配しており、彼らは日本の純潔を守り、その威信を維持するためという口実で、小はストライキ破りから、大は政治家の暗殺まで、どんなことまでやる連中だった。頭山はまた上層部にも多くの友人や協力者を持っており、天皇の神聖不可侵を、いささかでも侮辱するような者に対しては、ただ一つの回答——死で報いた。頭山はこのご婚約問題に、次の二つの理由から介入した。彼の考えでは、山県はご婚約を無視しようとして、すでに裁可された天皇を侮辱した。また、山県は皇太子を訪欧旅行に行かせようとする計画の推進者であった。

杉浦と頭山は「山県を殺せ！」という一大デモを一九二一年（大正十年）二月二十一日の紀元節に明治神宮で決行すべく、全国津々浦々のやくざに号令を出した。もうこれ以上、やくざの話を書くのはやめる。ただ、山県のみならず、中村宮内大臣も、国家警察の長たる床次内相も敗北を認めたと書くのみである。

真実を書こう。日本という国家がやくざの力に敗北したのである。やくざとは、莚《むしろ》からワラを引いてその長短で賭けを争ったことからきている。日本の国家がやくざの長短の賭けに敗北したのである。それは、日本という国の一番みじめな瞬間であった。山県は次なる狂歌を詠んで自ら敗北宣言をした。

ひるがえす心のおくの苦しさは
人に語らむ言の葉もなし

この年の三月、山県狂介と称し、一線をしりぞく。彼の辞世の歌は次のごとし。

飛ぶ蛍打ち落されて川の面に

光りながらも流れてぞゆく

一九二一年（大正十年）十一月四日、頭山満の意を受けた者の手により、原敬首相が暗殺される。その翌年の一九二二年二月一日、山県は死す。国葬ではあったが、翌日の新聞は次のように報じた。

……席も空々寂々で、武と文の大粒のところと軍人の群で、国葬らしい気分は少しもせず。全く官葬か軍葬の観である。

暗殺された原敬首相の遺書（死を予感して急いで書き上げたものと推測される）の一部を記す。

死去の際、位階勲等の陞叙《へいじょ》は余の絶対に好まざるところなれば、死去せば即刻発表すべし。

一生涯、無位無冠の人であり、妻子には、借金も預金も残さなかった男の人生であった。

皇太子裕仁は、一九二一年三月三日、横浜から軍艦「香取」に乗り、ヨーロッパへと旅立った。二千五百人の浪人（やくざを含めて）たちとともに頭山満が明治神宮に平伏して外遊中止を祈願したが、無にするかたちとなった。

皇太子はヨーロッパから帰るとすぐに、一九二一年十一月に摂政に就任。翌一九二二年六月二十日、良子女王との正式婚約発表。大正十三年一月二十六日、御結婚式となった。

一月二十六日の結婚式の大礼に、頭山満はモーニング姿で宮中に姿を現わした。裕仁に招待されたのである。今や、頭山満が天皇の最大にして最高の賓客となった。古代宮廷主義がここに復活し、軍人と右翼（やくざと浪人）が宮廷を支えるということになった。中村雄次郎に代わり、大久保利通の二男の牧野伸顕《まきののぶあき》が宮内大臣となった。牧野は一味の右翼理論家の小尾晴敏、安岡正篤《やすおかまさひろ》を宮中に入れて、皇居の旧本丸内に社会問題研究所をつくった。

翌年、大川周明がこの研究所の同人となると、その名を大学寮と改め、大正デモクラシー運動への対策を練った。また、荒木貞夫《あらきさだお》、渡辺錠太郎《わたなべじょうたろう》、秦真次《はたしんじ》などの軍人も参加し、民主主義風潮弾圧の策を練った。

この寮に、陸海軍の若手将校たちが出入りし、三菱財閥が巨額の金を彼らに渡し、美女と美酒におぼれさせていくのであった。二・二六事件で北一輝と共に死刑となった西田税《にしだみつぎ》がこの大学寮で若手将校たちに軍事学を教えていたのである。日本の右翼は大学寮から生まれたのである。右翼たちは天皇と深く結びついていくのだ。

頭山満七十四歳の一九二八年（昭和三年）十一月三日は、明治節の御儀。同十日は今上天皇裕仁の大礼。頭山は今上天皇より、「民間に在りて功労顕なるもの」としてのお誉めの有難き言葉を戴いた。当日、賢所《かしこどころ》大前の儀。同紫宸殿《ししんでん》の儀に参列を許されるという破格の名誉を授かった。同十一日、御即位後一日の御神学の儀にも参列の名誉に浴した。また、十六日、十七日の両夜にわたり行なわれた大嘗祭《だいじょうさい》の夜宴の儀においても、第二日の夜に頭山は召された。裕仁は日本中の人々に、頭山が日本を代表する高位の地位にあることを知らしめたのである。

この大礼の儀の後、国家警察といえども頭山には逆らうことはできなくなった。頭山に逆らう者は、何人《なんぴと》であれ、裕仁に逆らう国家の反逆者としての汚名を着せられることになった。裕仁は自らの恋を成就させてくれた恩人に、最大の敬意をもって応じたのである。

うごめく黒い龍

敗戦後、マッカーサーのGHQで活躍したハーバート・ノーマン（カナダの外交官）がいた。彼は日本歴史の研究家でもあった。論文「日本政治の封建的背景」（『ハーバート・ノーマン全集』所収）から引用する。

西郷は反逆者であったにもかかわらず、愛国者の至宝として賞揚されている。暴力行為を法廷で大目に見られ、新聞紙上ではひどく賞めたてられている頭山や内田などの子分にとって西郷は測り知れない価値をもっている。暴力の動機は、かれらから不逞の陰謀の汚名を除くために十分な口実であると考えられている。黒竜会公刊の歴史書が、西郷はまだ政府在職中に征韓問題について年少の天皇から懇意な激励を受けた、と述べていることを指摘しておく必要がある。こうして、天皇は、利己的な廷臣や参謀長の策謀により西郷のような忠臣から隔離されたが、真の愛国者——断乎とした膨張主義者——の願望に対しては理解と祝福を寄せているという印象が作り出され、この印象はそれ以来強調されてきている。

ノーマンの西郷に対する考え方が出ている。西郷が、ノーマンが指摘するような膨張主義者であったかどうかは論ずべき点が多いであろう。私は、西郷は反膨張主義者であった、と信じている。頭山満をはじめ玄洋社の人々は、西郷を師と仰ぐ、愛国的膨張主義者といってもいいであろう。ノーマンは次のように福岡を描く。

九州の福岡市は一衣帯水の玄界灘をへだててアジア大陸と相対している。福岡は日本から大陸へ最も近い地点である。今日の福岡は巨大軍需の中心地であり、また中国へ向う航空路の終点であり、また中国へ向う派遣軍の乗船地である。福岡では、ここ数年来、外国人は汽車から降りることすら許されない有様であった。しかしながらこの市は日本の戦時機構にとって、単に戦略中心地であるにとどまらない。むしろ福岡こそは日本の国家主義と帝国主義のうちでも最も気ちがいじみた一派の精神的発祥地として重要である。（略）比較的近年になっても福岡から侵略的外交政策に関係した人物が他の都市より多く出ている。膨張論的、排外愛国主義諸団体の福岡出身指導者の名簿は実に堂々たるものであり、その中には、頭山満、内田良平、平岡浩太郎、明石元二郎、広田弘毅、中野正剛以下多数の群少愛国主義者が名を列ねている。

石瀧豊美の『玄洋社発掘』によると、玄洋社が福岡に誕生したのは一八七九年（明治十二年）十二月である。ノーマンは一八七八年としている。後に「玄洋社の三傑」と称される箱田六輔が三十歳、平岡浩太郎が二十九歳、頭山満が二十五歳のときである。玄洋社の「憲章三則」を掲げておく。

第一条　皇室を敬戴すべし
第二条　本国を愛重すべし
第三条　人民の権利を固守すべし

ノーマンの論文「日本政治の封建的背景」をもう一度引用する。玄洋社に対する鋭い指摘がなされている。日本の学者たちは玄洋社に触れることはない。触れても平凡なことを書くのみである。

玄洋社の指導者たちは西郷の敗北から一つの教訓を学び取った。すなわち、国内における反動政府の樹立と外国に対する進出という目的を達する方法としての武力反抗は失敗する運命にあることが予見されていた。(略)従って、これら士族反対派分子の役割は主として合法の枠内で活動することにあった。しかし、このことは恐怖手段、政治的威嚇、秘密の陰謀等々、かれらの得意とする手段を用いることを排除するものではなかった。(略)玄洋社は当初から国家機関そのもののなかに多数の積極的共鳴者をもっていたし、またそれを次第に獲得していった。

天皇裕仁の結婚後の国家機関そのものへの参加をノーマンが描いているのである。ノーマンの玄洋社に対する文章は冷静である。しかし、日本人の書いた文章は全く異なる。以下は都築七郎の『頭山満』からの引用である。

私は民族派の仲間たちと、「西郷さん」「頭山先生」と言って、あたかも現存している先達のごとくこの両師を口にする。北一輝、大川周明はあくまで北であり大川であるが、西郷隆盛と頭山満は敬意と惜別と夢とがあり、私をいつも魅了し惹きつけているからである。吉田茂が亡くなったとき、朝日新聞はコラムで「日本に危機が生じたときに巨星はおちる」として、大久保利通、伊藤博文、西園寺公望、頭山満、吉田茂の五人を選んでいた。私はこの人選に不服であるが、四人の廟堂に列し、位人臣を極めたなかで、ひとり頭山先生のみは天下の大仕事に身を処したにもかかわらず、一度も名利を求めなかった。朝日新聞は社主村山竜平が民族派から天誅を受けて以来、先生とは格別の関係にあったとはいえ、このコラムは朝日の慧眼というべきであろう。

日本人の書いた頭山満についての文章で、この域を出るものは皆無といってよい。ではノーマンの頭山評をもう一度見てみよう。

若い頃の頭山（一八五五年―一九四四年）は無気力な青年だったらしく、貧乏だというのに商売や定職を習うことに全く無関心であった。かれは当時不平士族の放蕩と暴行の巣窟であった福岡の茶屋や遊廓の乱暴放埒な雰囲気を好んだ。頭山は生涯を通じて浪人に通有の野暮くさい資質をもっていたが、徳川末期に一部の浪人を洋学の先駆者にならせたような知的好奇心や学問に対する欲求などは持合わせてはいなかった。頭山は刊行物に執筆したことは一度もないが、生涯の特定の事件や同時代の回想については時々語っている。もっとも回想録は門弟が代筆したものである。かれは、日本の最も無骨な田舎者を基準に判断しても粗野猥雑であり、趣味や作法の点では「最上のナチ型と驚くほどの類似を示している」（略）。玄洋社の社員が連座したテロ陰謀事件のために警察の嫌疑を受けたことも少くないが、いうまでもなく、用心深かったため有罪の証拠をにぎられたことは一度もない。後年の頭山は、法律を超越した地位を占めたのであるから、卑俗な警察の追及の手などは遠く及ばなかったのである。ひとたび「浪人の元老」の地位を占めてからは、頭山の家は警察に追われる外国の亡命者や国内のテロリストにとって神聖な避難所となり、その邸内に入ったからには、何人でも、日本警察のいたる処に配された監視の眼を逃げることができたのである。

ノーマンの言わんとする思想に日本人は真正面から向きあわねばならない。その努力をしないから、日本の歴史が見えてこない。戦前、日本に治外法権の場所が三カ所あった。一つは皇居、もう一つは元老西園寺公望の邸、もう一つは頭山満の邸であった。頭山を賛美してやまない人々は頭山が「人の世話をする。金に淡泊である……」といっている。真実はどうか。もう一度、ノーマンを引用する。

かれ〔頭山：引用者注〕は常に多数の有力な工業家や銀行家から懇切な協力や援助を受け

ている。（略）大倉組や安田のような有力な諸会社、軍部お気に入りの久原彦之助のような金融界、産業界の巨頭、前に三井の重役で元満鉄総裁の山本条太郎などは玄洋社や黒竜会の野心的な計画の一部に莫大な資金を融通している。頭山は金の匂いがしないということではローマ皇帝ヴェスバシアヌス（九－七九）と意見を同じくしていたであろう。当時「日清貿易研究所」設立資金を求めていた荒尾精に対して、頭山は「貰う金なら、えたの金でも黙って貰え」と忠告している。（略）頭山は物事をまとめる大家であることを自ら示している。かれの仲間はその野望達成のための風向きが悪くなって途方にくれると頭山のもとへ教えを乞いに行く。機を見るに敏な感覚とともに、ヒトラーその他の暴力団型の人間が備えている例の本能とを二つながら身につけている頭山は、そうした危機を左右する大立者が、瞞着、威嚇、贈賄、暴力によって軟化するか、あるいは最後の手段、暗殺によって取り除けるものであるかどうかを、冷笑的な態度で決定してやるのである。

私はどうして頭山満に注目するのか。それは、彼について考察しないでは現代史が書けないと思うからである。

頭山は第一次世界大戦の途中で「浪人会」なる組織をつくった。この組織に入った壮士たちは、相手が臆病な人間であれば「その家や所属官庁の前で単に示威を行なうだけであるが、強い人間と見れば殴打を加える」とノーマンは書いている。

さらにノーマンは書く。「相手が物的、精神的手段によって説得しえない場合、またはその人間を生かしておくことがそれら反動団体の計画実現に障害となる場合にはじめて暗殺手段に訴える」

多くの事件が暗殺手段に訴えられてなされていった。私は、「日本人よ、正直にこれらの事実に眼を向けよ」と言いたい。そうすれば、ほとんどの事件も、戦争も見えてくるのである。あの太平洋戦争も、天皇ヒロヒトの恋の延長線上にあることを知るべきなのである。

頭山満が組織した浪人会が起こした事件は多い。そのうちの一つを書いてみたい。

一九一六年（大正五年）一月、三十代の東大助教授吉野作造《よしのさくぞう》が発表した論文「憲政の本義を説いて其有終《その》の美を済《な》す途《みち》を論ず」（『中央公論』掲載）が大人気となる。吉野の説く民本主義に天皇教の危機を感じた杉浦重剛はこの熱情の学徒の自宅を訪れ、六時間にわたる激論をかわす。吉野は「軍閥による政治を廃すべし。護憲政治を確立すべし」と説いて自説をまげなかった。杉浦は頭山に接近し、浪人会の壮士たちに大正デモクラシーの絶滅を企するのである。ヒロヒトの恋と大正デモクラシーの絶滅は連動している。大正が終わると、暗き濁流の時代となっていく。脅迫と暗殺の時代となっていくのだ。

ノーマンがマッカーサーに会い、最初に進言したのが黒竜会などの組織の解体であった。多くの日本人は今日でも頭山満の玄洋社、黒竜会を賛美する。しかし、ノーマンはここに戦争へと突きすすんだ日本の悲劇を見た。私も同じように、ここに日本の悲劇を見た。

藤本尚則編とする『頭山精神』（一九三九年・東京堂）なる本がある。その巻頭の辞の一節を引用する。

畏い話であるが、天皇陛下東宮に在しませし御当時、或日御学問所にて、「オランダのロイテル将軍」の題目にて御演説遊ばされ、古今東西、いくたの英雄豪傑あるも、その事業は如何に華々しくも、それが自己の欲望野心に出づるものは真の英雄豪傑とは云はれない。真の英雄豪傑は、私心なきものでなくてはならぬ」と仰せられた。

その後、数週日を経て、御学問所御用掛として帝王倫理御進講の大仕を奉仕せる杉浦重剛先生は、沼津の御用邸に伺候したる際、殿下の右の御演説に関し翁の所見として、「さような人物を我が国の現右に求めますならば頭山満の如きものがそれであろうと存じます」と言上し、尚折に触れて頭山翁のことを殿下に申し上げたと、以上は生前編者への直話である。

藤本尚則には『巨人頭山満翁』なる本もある。その巻頭に杉浦重剛が詩を寄せている。

不動如山　其徐如林
渾身総是　報国赤心

『杉浦重剛座談録』（一九二二年）の中に、杉浦が東宮御所に上り、東宮裕仁に頭山の伝記を献上したという話がでている。

『頭山精神』の中から頭山の言葉を聞くことができる。博多弁まる出しである。なお、題字は近衛文麿《このえふみまろ》の筆になるものだ。頭山は近衛を脅し続け、ついに奇妙なる友情を結ぶにいたったのである。

何も切り取り強盗の眞似をして領土を広うすることはいらぬ。目先を掠めて富を増すこともいらぬ。道を行ひ敬愛の心を以て宇内萬邦に対していさえすれば、国は期せずして世界の鑑と仰がれるにちがいない。それが日の本の国民たる一大使命で、正道の為には進んで国を以て斃るの精神を貫いてこそ、却って国を興し、また世界人類の上に貢献する所以となるのである。

一九四二年（昭和十七年）、ヒュー・バイアスは『昭和帝国の暗殺政治』をアメリカで出版した。第二次世界大戦下であった。彼は次のように頭山満について書いている。

専制的な封建社会にあって、頭山は「専制政治を暗殺で和らげた」のかもしれないし、伝説と伝承によって伝えられた名声にふさわしいだけのことがあるのかもしれない。西洋式の行為基準を採択した国に、マフィアのやり方をもちこんだ頭山は、時代錯誤でもあるし、汚点でもあった。だが彼は、未熟で無思慮な人間には英雄にみえた。というのは彼らは与えられた投票権の意味を理解せず、暗殺はやはり政府の不正と過ちを是正する英雄的な方法だと考えていたからである。

バイアスとノーマンの考え方はほぼ一致する。暗殺を是とする「未熟で無思慮な人間」が日本人の中に多すぎるのであろうか。もう一度、ノーマンに返ることにしよう。

頭山は民間における主要な軍部接触者である。たとえば、一九三一年の「満州事変」後、日本の満州併合支持のため、世論動員の必要を生じたとき、頭山と内田はその各種団体を複雑な機械のように高度に廻転させた。この方面から流れ出る洪水のような宣伝は軍部の冒険に対して国民の承認を得る為に、低劣な貪欲とシューヴィニズムをもてあそんだ。満州事変のすぐあと一九三一年十二月に、内田良平は「満蒙の獨立」と題するパンフレットを広く配布し、そのなかで満州開発計画の要綱を述べ、満州を日本の経済ブロックにくみ入れているが、これは日本の満州政策の注目すべき予想であり、青写真でさえあった。満州侵略を日本の人民に押売りするための宣伝本部が、多数の過激国家主義団体によってつくられた。たとえば、「満州問題解決同盟」が臨時に結成された。会長は先の満鉄理事井上匡四郎、頭山はその顧問であった。

「福岡玄洋社」なるノーマンの論文の最後の頁の数行を見る（『ハーバート・ノーマン全集』所収）。

……過去三年間に頭山と黒竜会の現在の首領葛生能久は単に個人としてでなく、黒竜会の名において発言している。かれらの仲間には将軍、提督、政治家たちが加わっている。かれらは日本の軍部、ファシスト指導者の運命と一層緊密にしかも公然と結びつき、それと完全に融合している。こうして、彼らは日本帝国主義の敗北の後に来る自らの滅亡の原因をつくりつつあるのである。

この「福岡玄洋社」は「日本政治の封建的背景」の第五章である。この論文は一九四四年（終戦の前年）の秋から冬にかけての短期間で書かれた。ノーマンが当時、未発表のままに夫人の手もとに残した資料の中に「日本における過激国家主義団体の概要」がある。これは、戦前、東京のカナダ公使館に語学官として在勤中に、カナダ本国宛に送った公式報告書である。その中に北一輝に関する記事が出ている。その一部を引用する。

北一輝は、一九三六年の二月二十六日事件に下された判決に名を連ねているから、経歴の概略をたどってみることは興味があろう。北は佐渡ヶ島の貧しい家に生れた。ながく病身であったため、正規の学業を終らなかった。上京して社会科学を独学であれこれと学んだようである。二十四歳のとき、『国体論及び純正社会主義』と題する著書を刊行したが、これは国際社会主義を論難し、天皇の下における国家社会主義に近い議論をうち立てたものである。当時、北は何らかの秘密結社に参加し、それを通じて冒険者として中国に渡り、孫文その他の中国革命家に会うようになった。一九一一年の第一次中国革命の当時、北は中国にいたが、政治陰謀にまきこまれたらしく、上海の日本領事はかれが三年間、中国に帰ることを禁じた。そこで一九一六年に帰国した北は中国革命と日本外交の改革を論じた著書を刊行した。

ヒロヒトの恋を助けた一人として北一輝を登場させた。北は久邇宮側となり動いたが、頭山のように天皇から迎えられることはなかった。この男は頭山とはちがい思想家であった。ノーマンが指摘したように、二十四歳の北が書いた『国体論及び純正社会主義』は正しく革命的な本であった。北はこの本の中で新しい天皇論を展開した。久野収は『現代日本の思想』の中で「伊藤博文の作った憲法、すなわち天皇の国民、天皇の日本から、逆に国民の天皇、国民の日本という結論を引き出し……」と書いている。

北は「宮中某重大事件」が発生した一九二〇年（大正九年）に、裕仁に法華経を献上している。東宮大夫・男爵浜尾新が「受領書」を出しているから、裕仁の手に届いたのは間違いない。北は宮中工作をしたけれども、うまくいかない。北は配下の岩田富美夫をして山県暗殺団を計画させる。久邇宮は北の謀略のデマ文書を受け取り、宮中で印刷して多方面に配付する。しかし、久邇宮は使者を北のもとへ送り、次のような文を渡す。

本来なら、あなたを浪人総代としてお礼すべきだが、頭山さんが先輩ゆえ、頭山さんを総代と遇するが、なにとぞ御諒承いただきたい。

（大野芳『宮中某重大事件』）

頭山が三菱財閥と結びつき、天皇から「浪人の元老」という資格を与えられる。北は失意のうちに三井財閥と結びつく。三菱は軍需産業を拡大し、邪魔者の排除を頭山に依頼する。満州支配のスケジュールは三菱と頭山一派の合作である。北は三井財閥から金《カネ》を貰い、子分を育て上げる。彼は「予言する魔王」ではあったが理論家にとどまった。

北の『日本改造法案』は国家と社会主義を結びつけたユニークなものであった。この法案を信じた若手将校たちが二・二六事件を引き起こしたというのが通説となっている。

しかし、私はこの通説をとらない。ヒロヒトの恋が下克上の世界を生み、その中から若い将校を含め、多数のテロリストたちが生まれてきたためと考える。

皇道派と統制派の対立が原因だという説も私はとらない。この両派は同じ穴のムジナたちだ。三菱や三井の金に群がった連中であると見るのである。頭山は三菱から、北は三井から金を貰い、その金でテロリストの壮士や浪人や将校を誘惑したのである。女が欲しい奴には女を、酒が欲しい奴には酒を、金が欲しい奴には金を投げ与えた結果が「二・二六事件」であった。そして、こんなテロリストたちの首領《ドン》によって政治が支配されていき、太平洋戦争へと進んでいったのである。

北一輝と金について追究してみると、テロリストやファシストたちの何たるかが見えてくる。北が二十四歳のときに書いた『国体論及び純正社会主義』は自費出版である。しかも貧乏のどん底の中で、借金までして書き上げたものである。日本をいかに救うべきかを、熱き憂情の中で書き上げたものだ。天皇を国民の天皇にし、社会改革を遂行せんとするこの本が、当時の多くの支持を受けたのも当然であった。北は、天皇と国民の間に介在して利益を貪る権力者、財閥を排除すべしと主張したのである。

この本は一九〇六年（明治三十九年）に出る。自由民権運動のリーダーであった板垣退助《いたがきたいすけ》はこの本を読み、「本書の出現の二十年遅きを嘆ず」と言った。著名なマルキシスト河上肇《かわかみはじめ》はこの青年の家まで訪ねていく。熱情に溢れた青年は松方内閣の機密費で中国で暗躍したり、久邇宮邦彦王と交わるにつれて人間がすっかり変貌し、「魔王」と呼ばれるようになってしまう。

血盟団事件で三井財閥は、団琢磨《だんたくま》を暗殺された後に北に近づき、危険保険というべきものを北に渡す。盆暮れに各一万円ずつ受け取ったと、北は後に告白している。しかし、真相はそんな金額ではないと思われる。

二・二六事件で北は逮捕される。頭山一派の何かがみえてくる。北は憲兵に尋問される。「あなたは『日本改造法案大綱』で財閥を否定しているのに、財閥から生活費を受けるのはどうしてなのか」と。

生活費を全部受けているという訳ではありませんが、改造法案に於て、財閥を否定して居ると云ふても彼れと是は別問題で、恰《あたか》も明治維新当時の桂小五郎（後の木戸孝允）、西郷吉之助が藩候の禄を貰って居たのと其の本質に於ては大差がないと思ひます。

（大谷政二郎『昭和憲兵史』）

次に、田中隆吉の『日本軍閥暗闘史』の一節を見ることにする。

北はまた単純な青年将校を籠絡することにかけて妙を得ていた。彼はいつもどこからともなく大金を手に入れては懐ろに用意していた。そして集いくる青年将校にして、女を愛する者には贅金を投じて美妓をあてがっていた。女を欲せず理論を聴かんとするものには、得意の快弁をもって国家改造法案を説明した。

北は頭山と同じように金を動かしていた。北が頭山とちがう点があった。北は天皇を軽くみていた。頭山は自分自身のためと、天皇のために金を使った。頭山が暗殺にかかわった事件で天皇を怒らせたものは一件もなかった。秘かに天皇は、頭山がらみの事件を嘉《よ》みし給うていた。天皇と頭山は深く一体だった。

田中惣五郎の『北一輝——日本ファシストの象徴』の中に北の最期が書かれている。

代々木の練兵場の片隅にあるバラックの仮刑場に立ったとき、西田（税）は天皇陛下万歳と三唱しようといった。北はしずかに制して、それにはおよぶまい、私はやめると言い、そのまま銃声とともに万事は終ったといわれる。

北は二・二六事件とは関係がない。ではどうして北が死刑になったのか。天皇の日本でなく、日本の天皇にしようとした思想のゆえであろうと私は思っている。昭和天皇はこの事件に激怒する。しかし、五・一五事件のときは平静であった。自分のやり方に反対する首相の暗殺には怒りを表わさなかったのだ。

北は死の直前に獄中で俳句を詠んでいる。

若殿に兜《かぶと》とられて敗け戦

若殿とは天皇裕仁。天皇の若き日の恋のために怪文書までも書いて尽くしたが、国民のための天皇たれとの本を書いたために、二・二六事件の首謀者にデッチ上げられて（誰に？ 若殿にだ）、死刑となったのである。

叛乱を起こした若手将校たちは、その理由の一つに農村の窮乏をあげている。だが、彼らの中の一人として貧農の出はない。中産階級や軍人の息子である。田中隆吉が書いているように「美妓」か「国体論」かである。彼ら将校たちを維持するために日本は大金を遣い、農村の窮乏は深まったのだ。この事実を知りえなかったがゆえの叛乱であった。本当に農村の窮乏を救うためなら、軍隊を去って、一人の貧しい娘のために命を投げ捨てるほうが日本国のためになるのである。

ねず・まさしの『現代史の断面　二・二六事件』を見る。ねず・まさしの論はこの事件の核心をついている。

なぜ、天皇は確乎としていたのか。自分の統治権が犯され、統帥権が奪われようとしていたからである。これは天皇家の歴史的本能である。歴史上、天皇の統治権が脅かされ、また奪われようとしたときは、どの天皇も、それを維持する為に腐心した。成功、不成功は別として。天皇の伝統的本能、実をいえば、支配者としての本能が目をさまし、怒りくるったのである。

二・二六事件の第一報を聞いた天皇は、「ついにやったのか」と叫んでいる。天皇はこの日がやってくるのを予期していたのである。そして幾度も陸軍に鎮圧を命じている。ついに「朕みずから近衛師団をひきいて鎮定に当る」と言い出したのである。

私は天皇が若き日の恋の成就のために、右翼が台頭してきたのを苦々しく思っていたと推察する。その右翼を抑える役を頭山満に担したと思っている。ここから下克上の風潮が深まってくる。「ファッショ、ファッショ」の掛け声が色濃く流れていく。

この事件で死刑された将校の一人に磯部浅一《いそべあさいち》がいる。河野司編『二・二六事件　獄中手記・遺書』の中から磯部の日記を引用する。

八月二十八日

……今の私は怒髪天をつくの怒りにもえています。私は今は、陛下を御叱り申し上げるところ迄、精神が高まりました。だから毎日朝から晩迄、陛下を御叱り申しております。天皇陛下、何と云ふ御失政でありますか。何と云ふザマです。皇祖皇宗に御あやまりなさい。

二・二六事件の起こった一九三六年（昭和十一年）二月二十六日、東京は数十年ぶりの大雪であった。青年将校たちの雪中をゆく軍靴の音がサッ、サッ、サッ……と響き渡った。この音が東京から日本中に響き渡っていった。サッ、サッ、サッ……殺・殺・殺と聞こえるようになってしまった。

「殺・殺・殺」は武田泰淳の『風媒花』の中の「殺・殺・殺、東京はもう一度焼き払わんといかん……」から借用した。

「天皇陛下、マンザイ!!」

頭山満が純粋培養に成功した一人の政治家を登場させよう。それは、二・二六事件後に首相となった広田弘毅《ひろたこうき》である。

ジョン・G・ルースの『スガモ尋問調書』なる本を参考にする。一九四六年（昭和二十一年）二月四日、検察官フェルプスの「玄洋社とは何か」の尋問にA級戦犯広田はこう答えている。

……西郷党が政府に対して立ち上った時（西南の役）、前述のように福岡の青年たちも参加した。この乱の結果、福岡の年配の人々は戦死したり、処刑されたりした。自決した人たちもいた。十五、十六歳の若者たちが後に残された。彼らによって玄洋社が結成されたと私は理解しています。

見事な玄洋社誕生を物語る文章である。

戦死、処刑、自決の中から甦った組織こそが玄洋社であり、後の黒竜会、大日本生産党であった。福岡とアジアは玄界灘をへだてて結ばれている。かつて福岡は軍需産業の大基地であった。蒙古襲来も、秀吉の朝鮮征伐もその基地は福岡であった。日露戦争のときも同じ。このことは、ノーマンの本を通じてすでに書いた。
城山三郎の『落日燃ゆ』は、広田弘毅の伝記である。出版後、大きなブームを呼び、毎日出版文化賞、吉川英治文学賞を受賞した。私はこの本を非難するつもりはない。ただ、あまりにも史実を無視しているのに驚くのである。
城山三郎は、平和主義者であったと広田を描く。私は彼は戦争を賛美してやまなかった政治家であったと信じている。では、広田を追ってみることにしよう。

城山は広田を「郷党などというよりも、役割に生きた。いまは風を切って回る風車であった」と書いている。私はこの文章の意味が全く理解できない。何を書こうとしているのか、と城山に問いたい。残念ながら、死ぬまで広田は玄洋社の郷党意識を持ち続けていたのである。その生涯にわたり、広田は紛れることなき玄洋社員であった。
石瀧豊美の『玄洋社発掘』という本の終わりにある「玄洋社名簿」(昭和五十六年二月十八日作成)の広田弘毅欄を見てみよう。

明道館員。東京帝大(法)卒。外交官。昭和八年外務大臣。十一年総理大臣。昭和二十三年十二月二十三日、A級戦犯として刑死。七十一歳。

昭和九年十二月現在の財団法人玄洋社名簿(百十七人)にも、昭和十年度の社員名簿にも広田の名がある。昭和十八年十月十五日の機関誌「玄洋」第一一三〇号に、玄洋社新役員(三十九人）の一人としても登場する。昭和四十七年建立の「玄洋社社員銘塔」の記載社員の一人でもある。

城山は、玄洋社という言葉の使用さえ恐れているようである。玄洋社のかわりに、郷土の先輩とか、郷党意識とかいう言葉を使う。しかも、その両方ともあまり関係がなかったと書くのである。『落日燃ゆ』という本は、正直言って、信じられぬほどに偽善に近い。


内務省出身の伊沢多喜男《いざわたきお》は一九三二年（昭和七年）、三菱から多額の資金を貰い受け、「国維会」なるものを結成した。会の成立には頭山満が尽力した。この会に頭山満の力添えで広田が加入した。ここで広田は荒木貞夫（当時陸軍中将）、建川美次《たてかわよしつぐ》（当時陸軍中将）らの、かつて宮内庁の大学寮に出入りしていた軍人たちと結びつく。また、華族の近衛文麿（当時貴族院議長）と朝食を共にする仲ともなる。この会の理論的指導者は安岡正篤。宮中の右翼団体形成の大学寮の一員。彼は北一輝、大川周明、テロリスト井上日召《いのうえにっしょう》らの盟友であり、頭山を師と仰ぐ一人でもあった。

広田はこの会を通じて、内務官僚出身の伊沢と後藤文夫《ごとうふみお》の手兵となる。五・一五事件は頭山の息子の頭山秀三《ひでぞう》がリーダー。犬養毅《いぬかいつよし》首相が軍事費を抑えようと天皇に直訴すると、天皇は反対した。そして、右翼と軍人たちの連合組織に犬養首相は殺された。天皇はこの事件に悲しみの言葉を出していない。

犬養が暗殺された後、元老西園寺公望は次期首相を選定するために東京に着く前に、憲兵隊司令官秦真次中将から脅迫される。秦もまた大学寮に出入りしていたテロリストに近い軍人であった。西園寺は、海軍大将斎藤実《さいとうまこと》を首相に指名せざるをえなくなった。ここに政党政治は終わりをつげることになる。

広田を頭山が政治の中枢にすえようとする野心を、読者は読みとれたであろうか。五・一五事件後の外相就任、二・二六事件後の首相就任に、頭山の野心を読めるだろうか。

一九三六年（昭和十一年）三月五日、宮中に参内《さんだい》した広田弘毅は天皇から条件をつけられる。この条件については、城山の『落日燃ゆ』の中にも書かれている。

第一、憲法を遵守《じゅんしゅ》して政治をおこなうこと。
第二、外交では無理をして無用な摩擦を起こさないこと。
第三、財界に急激な変動を与えないこと。
第四、名門をくずしてはならないこと。

今までの首相は、その父親のほとんどが軍人か官僚であった。広田の父は農民（石工でもあった）である。第四の意味は「貴族を尊敬して、政治をおこなえ。近衛の意向を尊重しろ」という意味がこめられている。

ねず・まさしは『現代史の断面・中国侵略』で広田首相について次のように書いている。

広田はまた頭山満の玄洋社と関係がある。この団体はもともと貴族を尊敬している。したがって広田が奇妙に感じたのは当然である。天皇の考えでは、元老からの推薦だから認めたが、全くの平民出の者を首相にすることには、内心不満であったにちがいない。それが、この言葉にあらわれている。首相の心構えにまで天皇は干渉している。絶対君主の典型というべきで、立憲君主とは凡そ縁が遠い。

広田弘毅が首相になったこの年の七月八日、頭山は自宅内の刀剣鍛練所で、笠間、吉原両刀匠に日本刀「至誠錬磨剣」を作らせ、広田に贈呈した。

話を一年前に戻そう。一九三五年（昭和十年）五月二十三日夜、広田の外相就任の祝宴が催された。広田は、頭山と杉山茂丸をある料亭に招いて、次のように語ったのである。

……この身体こそ真に国家のために奉公すべく、ひたすら君命の下に一身を捧げて、天瘁し、両先生の御薫陶の恩に酬いなければならぬことを一日も忘れることができないのであります。

（元読売新聞記者・土岐直彦の手記）

この〝有意義〟な会合の後五十七日目に、杉山は突然、脳溢血のため七十一歳で死んでしまう。

杉山茂丸の長男は作家の夢野久作《ゆめのきゅうさく》である。代表作は『ドグラ・マグラ』。日本文学の最高峰に位置する作品と私は評価している。

杉山茂丸は陽気な男で、多数の女性たちと交際し続けたために多額の借金を残して死んだ。

息子の久作は父の借金の後始末をし続けた。茂丸の借金処理の責任者が訪れて、久作に「これですべて終わりました」と報告した。

ほっとした久作は「そうですか、アハハハ……」と大声を出して笑いだして、そのまま後ろに倒れて死んでしまった。父と同じ脳溢血であった。『ドグラ・マグラ』の怪奇小説そのままの父と子であった。そういえば、映画『ドグラ・マグラ』の主人公を演じた落語家、桂枝雀も変な死に方をした。あの『ドグラ・マグラ』の魔界に枝雀も入ってしまったのか。


広田弘毅の義父である月成功太郎《つきなりこうたろう》のことについて書くことにする。城山三郎が『落日燃ゆ』の中で頭山や杉丸とともに故意に書かなかった人物が月成功太郎である。

城山は月成について、「静子の父月成功太郎はかつての自由民権運動の志士だが、このころは、浩浩屋（広田の下宿）に近い小石川伝通院で、子供も多いため、貧乏暮しをしていた」

それでは、月成功太郎の真実の姿を書いてみよう。明治十年四月一日の西南戦争で戦死した月成元雄の弟に月成勲がいた。玄洋社の前身高場塾の出身。功太郎も高場塾に属した。

功太郎の長男鼎輔も、四男の左門も純粋な玄洋社社員。広田は、義父も義兄弟も玄洋社社員であることを承知のうえで静子と結婚した。

それでは杉山茂丸との関係をみることにする。『広田弘毅』なる本が広田弘毅伝記刊行会（福岡市・葦書房）から一九六六年に出ている。この本の中に、前記の元読売新聞記者・土岐直彦の手記が出ている。城山がこの本から多数引用しているのに、この記事がみえないのは不自然である。

この夜（昭和十年五月二十三日夜）、頭山と杉山の両翁を招いての交誼五十年の祝賀会であった。

……両先生は、ともに何らの官位もなく、何らの肩書ももたれたことはおありになりません。私の如きは全然これと違っておりまして身体髪膚《はっぷ》はこれ父母に享けましたが、のち先輩の御厄介になって世の中に出で、すでに三十年間……。先生の御薫陶の恩に酬いなければならぬことを……。

広田弘毅は城山三郎が描くような「平和の使徒」であったのか。『落日燃ゆ』は一つの確かな目標を何者から与えられて、創作されたものにちがいない。

こんな類の本ばかり、日本人は読まされている。『落日燃ゆ』は、徳富蘇峰にこれでもかと大東亜戦争を賛美させた毎日新聞から「毎日出版文化賞」、二・二六事件のときに、大量のビスケットを叛乱将校にプレゼントした吉川英治の名を持つ「吉川英治文学賞」を受賞している。

徳富蘇峰は一九四二年（昭和十七年）五月二十六日に創設された日本文学報国会の会長を務めた。また、彼は大日本言論報国会の会長でもあった。この日本文学報国会には二人の常任理事（久米正雄《くめまさお》と中村武羅夫《なかむらむらお》）と十三人の理事がいた。この中に、柳田国男、折口信夫、佐藤春夫と並んで吉川英治がいた。

蘇峰はこれらの知識人の団体の会長として大東亜戦争をあおったとして、一九四三年（昭和十八年）四月二十九日、宮中にて天皇陛下から文化勲章を授けられた。

外交評論家の清沢洌《きよさわきよし》は『暗黒日記』の中で書いている。

不敬罪は我が国に幾らもある。(一)皇室、(二)東条、(三)軍部、(四)徳富蘇峰――これ等については、一切批評を許されない。

しかし、蘇峰は戦後、戦犯になるが、病気と高齢のために巣鴨への収監を免れる。『敗戦学校』を書いて反省し、文化勲章を返上する。清沢洌は『暗黒日記』の中で頭山満を非難し続けている。

もう一度、広田の首相時代を見てみることにする。

首相大命降下の四日後、広田首相は陸海軍大臣の現役軍人制を導入した。これは何を意味するのか。もし、首相が、軍事費増大を拒否した場合、陸海の大臣が反対すれば、内閣は倒れ、その次の何人《なんぴと》も首相になれないことを意味する。天皇は広田に「軍事費問題に手をつけるな」との内示を与えていた。裕仁は犬養毅にもこの点を守れと言っていた。しかし、犬養毅は国家の未来を憂慮して天皇に直言し、頭山の息子の配下の者に暗殺される。このことはすでに書いた。東京裁判を傍聴した犬養の息子犬養健《たける》は、「もし、あのとき天皇が父の直言を受け入れてくれていたら、父は死ななかったし、日本も戦争をしないですんだのに……」と泣いたのである。

一九三六年(昭和十一年)十一月、広田は日独防共協定をナチ政権との間に結びつけた。これが後の日独伊三国同盟へと発展していくのだ。一九三七年一月三日、頭山満は近衛内閣の外相となっていた広田のために、「日独伊防共協定強化大講演会」を徳富蘇峰らと開いた。

また、頭山満が「一国一党論」を熱心に説き始めたのは広田が首相のときだった。一九三六年二月十六日、頭山満は一条実孝公、山本英輔海軍大将の三名連署で「全国民に告ぐ」という檄文《げきぶん》を各新聞に広告として掲載した。

この広告がもたらした影響は甚大であった。政友会の久原房之助《くはらふさのすけ》は頭山満に同調し、自由主義者の東大教授蝋山政道《ろうやままさみち》も賛成の論陣を張った。これが、「大政翼賛会」へと発展していったのである。徳富蘇峰は毎日新聞で、頭山満は朝日新聞でその哲学を語り続けた。一九四四年(昭和十九年)二月六日の朝日新聞の頭山満の一文を見られよ。原文のママである。朝日新聞は頭山満を「日本の国宝」と讃え続けた。彼の文章は名文中の名文といわれた(文中に句点はない。読点のみの文章)。

……日本は神国ぢや、何千年、何万年前から神国として、ちやんと備はったものがあったからどんな国泥棒の野望も潰されおった、われわれがかうして生きてゐるのもすべて大御親心によるものぢや、この国に生を享けただけでも譬へようもない有難いことぢや、わしらは霊妙尊大な日本人ぢや……

頭山満は一九四四年十月四日、敗戦の一年前に胃潰瘍のため、静岡県御殿場東山別邸で療養中に死んだ。毎日新聞は十月六日付で「国事に尽した九十年、無冠の国士逝く」のタイトルのもとに、頭山の人生を紹介した。その中で広田弘毅は、「滲み出る大徳」というタイトルで頭山満を追慕した。

……また英米の東洋圧迫が露骨化して来た頃、陰ながら先生が独大使との間に尽くされた斡旋の功労など、あまり世間に知られていないが、国民としても僕としても忘れることができないものである。

読者はここにおいてほぼ完全に理解できよう。頭山満と広田弘毅が二人三脚で秘密裡にナチと交渉をし続け、日本を戦争に駆りたてていったことを。その二人を支えたのが天皇であったことを。朝日新聞の十月十一日の葬儀のタイトルは、「まるで国民葬、追慕の人波二万人」。

言うまでもない、葬儀委員長は広田弘毅元首相。副委員長は当時の朝日新聞の最高実力者にして玄洋社最高幹部の緒方竹虎《おがたたけとら》。両者のほかに、玄洋社全役員、小磯国昭首相、近衛文麿公ら多数の政治家や軍人たち。その朝日新聞の中のほんの一部分にスポットをあてる。

……各方面からの花環に埋められた式場正面には、畏き辺りより御下賜の生花一対が翁生前の功績を称えて馥郁と香る。

「畏き辺りより」とは、昭和天皇その人をさす。「浪士の元老」として昭和天皇を支え続けたその功の最大にして、生花一対の御下賜となったのである。頭山満こそはまさしく天皇が認めたごとく「日本の国宝」であった。

広田弘毅は一九四八年（昭和二十三年）十二月二十三日、東京裁判の死刑判決によって処刑される。花山信勝の『平和の発見』の中に処刑の模様がくわしく書かれている。東条英機たちは「天皇陛下、バンザイ」と死んでいった。しかし、広田弘毅だけは「天皇陛下、マンザーイ」と言って死んだ。

萬歳は、漫歳とは少し異なる。バンザイは、永久に栄えることを祈るのである。マンザイは、ふたりが組んで、滑稽な対話や芸をする演芸をさす。吉本興業の得意とするところである。

さて広田弘毅は、だれと組んで、世にも滑稽な芸をし終えたと思ったのか。それは、読者一人一人が考えてみるのが一番よい。最後に、ほんとうに人生の最後に、広田弘毅はすばらしい言葉を私たちに残してくれた。さて、私は次のように叫ぶ。

「広田弘毅、マンザーイ」

第四章

昭和天皇は「神」でありしか

御前会議

一九四一年（昭和十六年）九月六日、午前十時から十二時まで、昭和天皇が出席し、「帝国国策遂行要領」に関する御前会議が開かれた。主な出席者は近衛内閣総理大臣、豊田外務大臣、東条陸軍大臣、及川海軍大臣、杉山参謀総長、永野軍令部総長、原枢密院議長、他六名。

この御前会議で米英との具体的な戦争に入ることが決定した。原枢府議長が会議を司会し、豊田外相が戦争に入る可能性について説明をした。また、及川海相が戦争準備について語った。この及川海相の答弁の後に天皇が立ち上がり、語りだしたのである。「杉山メモ」の原文のままを記すことにする（参謀本部編『杉山メモ』より。カタカナをひらがなにした）。

九月六日

御前会議席上　原議長の質問に対し及川海軍大臣の答弁あり。其後

御上　私から事重大だから両統帥部長に質問する。先刻原がこんこんと述べたのに対し両統帥部長は一言も答弁しなかったがどうか。極めて重大なことなりしに統帥部長の意志表示なかりしは自分は遺憾に思ふ。私は毎日、明治天皇御製の、

四方の海皆同胞と思ふ代《ママ》になどあだ波《ママ》の立騒ぐらむ
　を拝誦して居る。
　どうか。

この天皇の発言が、天皇が戦争を阻止して行動した証拠であるから、平和主義者であるということを主張する学者がいる。天皇の戦争責任が問題になるときに、この歌が論議されること多し、である。この歌はより正確に書くなら次のごとしである。

四方の海みなはらからと思ふ世に
　など波風のたちさわぐらむ

「四方」はよもと読む。この明治天皇の御歌は、昭和天皇が一九四一年九月六日の御前会議の終わりに近く、朗詠して有名となった。否、これは不正確な表現であろう。この御歌を朗詠したがゆえに、大東亜戦争（あえてこの言葉を使う。日本では「第二次世界大戦」とも「太平洋戦争」とも呼ばず、「大東亜戦争」と言っていた）に反対の意志を表明したとして、戦後、昭和天皇は平和天皇としての名を高めたのである。

さて、昭和天皇はこの歌を二回、朗詠してみせた。この天皇の発言の後に永野《ながの》修身《おさみ》海軍軍令部総長が発言する。

全く原議長の言った趣旨と同じ考えでありまして、御説明の時にも本文に二度此旨を言って居ります。原議長がわかったと言はれましたので改めて申し上げませんでした。

杉山元参謀総長は次のように答えた。

永野総長の申しましたのと全然同じで御座います。……

この御前会議の前日（九月五日）に天皇は突然、陸海統帥部長（杉山と永野）を呼び寄せ、近衛文麿首相の立ち会いのもとで御下問をされている。この御下問と奉答も「杉山メモ」による。ほんの少しだけ記す。

御上　南方作戦は予定通り出来ると思ふか
杉山　右に対し馬来比島等の予定作戦を奉答す
御上　予定通り進まぬ事があるだろう。五け月と云ふがそうはいかぬこともあるだろう
杉山　従来陸海軍で数回研究して居りますので大体予定通り行くと思ひます
御上　上陸作戦はそんなに楽々出来ると思ふか
杉山　楽とは思ひませんが陸海軍共常時訓練して居りますので先づ出来ると思ひます
御上　絶対に勝てるか（大声にて）
杉山　絶対とは申し兼ねます。而し勝てる算のあることだけは申し上げられます。必ず

勝つとは申上げ兼ねます……

御上　あゝ分った（大声にて）

私たちは、天皇が杉山参謀長や永野軍令部総長、そしてこの二人の部下たちを加えて大本宮で連日のように大東亜戦争の机上プランを練っていたことを知る必要がある。「杉山メモ」の他にこの前日の様子を記録しているものがある。田中新一大本営陸軍部第一部長の「日記」である。

杉山陸軍参謀長と永野軍令部長を呼んで、天皇が近衛文麿首相の前で対米、対英作戦の疑問点を質問した。天皇は、南方要域攻略作戦について質問をした後、「航空撃滅はできぬこともあるだろうが」と問題を提起した。また、「天候の障碍《しょうがい》をどうするか」とただした。杉山は「障碍を排除してやらなければなりません」と答えた。

最後に永野が「……将来の活路を開くための決意が必要です。独逸軍のノルウェー上陸の例もあり、思い切るときは思い切らねばならぬと思います」と発言した。このとき天皇は大声で、「絶対に勝てるか」と叫んだ。

二人の統帥部の長は、その意を強く天皇に訴えた。天皇はまた大声で「ああ、分かった」と叫んだ。最後に近衛首相が発言した。

「両総長が申しました通り、最後まで平和的手段を尽くし、已むを已まれんときに戦争となることは、両総長と私どもとは気持は全く一つであります」

昭和天皇は「分かった。承認しよう」と言った。

この九月五日の会議の後の「杉山メモ」を見ることにする。

杉山総長所蔵

南方戦争に対し相当御心配ある様拝察す

官長（名前なし）の所蔵

此の重大事項を一回の連絡会議で決めたことが総理に対する種々の御下問となったのではないかと拝察す

近衛文麿に『平和への努力』なる手記がある。杉山参謀長の「杉山メモ」と重要な点でほとんど内容に変わりはない。しかし、さきの明治天皇の御歌を近衛が拝誦した件のところでは微妙な違いがある。近衛の『平和への努力』では次のように書かれている。

「余は常にこの御製を拝誦して、故大帝の平和愛好の御精神を紹述せむと努めて居るものである」と発言し、満座粛然、暫くは一言も発する者なし。

では、『人間の条件』の作家、五味川純平《ごみかわじゅんぺい》の『御前会議』なる本から引用する。

発言しない建前の天皇が発言したのは異例のことである。つまり、天皇は意思表示せずにはいられなかったと解すべきであろう。
天皇は詩歌の朗読による表現などはとるべきではなかった。詩歌は感傷的な感懐の表現手段でしかない。事はまさに国運が決する瞬間だったのである。（略）
「四方の海」の御製の朗読の代りに、あるいは朗読のあとでもよかった。天皇がもし戦争を欲しなかったのなら「朕は戦争を欲せず」とひとことを言ったらどうであったか。（略）
日米交渉に国運が懸っていたとすれば、その日米交渉妥結にとって最大の障害となる「帝国国策遂行要領」を九月六日の御前会議で可決したのである。天皇は消極的感想を三十一文字に托したが、最高権威者として否認はしなかった。沈黙の人が、決定的瞬間に沈黙を破る必要を感じ、しかも決定的なことを言わなかったのである。明らかな責任回避であった。これ以後、国家は奈落への急坂を加速して転落する。

五味川純平は「天皇は消極的感想を三十一文字に托した」と、「四方の海」の歌について書く。消極的感想とは、戦争否定の消極的な表現となろう。この点だけは、私と五味川純平と違う点である。私はこの「四方の海」の歌を、積極的戦争宣言の歌と解釈するのである。この点については後で述べることにする。
この極秘裡の会議の内容がアメリカにすっぱ抜かれていた。アメリカの元駐在大使、ジョセフ・グルーの『滞日十年』なる本にその内容が書かれているからだ。彼の一九四一年十月二十五日の日記を記す。

信頼出来る日本の通報者が私に、近衛内閣互解の直前、枢密院と陸海軍の主要分子を召して会議を開いた天皇が、彼らは合衆国と戦争を起こさぬことを保証する政策を遂行する準備があるかと、質問したがこの会議に出席した陸海軍の代表は天皇の質問に答えなかったのでそれで、天皇は彼の祖父・明治天皇の進歩的政策に言及して陸海軍に彼の欲するところに従えと命令したが、これは未曽有のことである。天皇の断乎たる立場は効果的に陸軍を統制しうる位置にある者を首相として選ぶことも必要化し、東条将軍の任命となった。彼は現役にとどまると同時に、現在の日米会談を成功的に落着させることを試みる政策を委ねられたのであると語った。

グルーの「日記」には「われわれの最も確かな筋」とか、「高い位置にいる日本の友人」とか「別の日本人」という表現でスパイが登場する。このスパイがグルーに日本の最高機密を通報し続けていたのである。私たちは、この日本の裏切り者についてほとんど知らされることがない。

ジョン・ダワーの『吉田茂とその時代』によれば、「吉田は小林躋造《こばやしせいぞう》海軍大将を通じて、海軍、またある程度は陸軍内部の推移もよく知っていた」と書いてある。日本の学者は吉田茂のこの程度のことさえ無視する。ダワーは続けて書いている。

吉田は九月六日の重大な御前会議のことも十分に知っていた。吉田が戦後追放処分から免れたのは、この辺の事情があったからに他ならない。

吉田茂は後章でたびたび登場する。この件も詳しく書くことになる。

このグルーの文章にも、明治天皇の「四方の海」の御歌が平和の歌であるように書いているようにみえるのだが。グルーはもちろん、日本文学の素養がない。グルーに御前会議の内容を漏洩した人物が、この歌が平和を意味すると述べたものであろう。すると、次のように、このスパイは述べたと思える。

「グルー、あなたはアメリカに伝えて下さい。日本の陸・海軍のエリートたちは、米・英との戦争を望んでいます。しかし、天皇は反対しています。グルー、私は戦争になると国力に劣る日本が敗北すると信じています。国家の最高機密をあなたにお伝えするのですから、敗北後の私と私の仲間たちのことをよろしくお願いします」……

佐藤賢了《さとうけんりょう》の『大東亜戦争回顧録』によると、御前会議から帰庁した東条陸相が「聖上は平和にあらせられるぞ」と語る場面が書かれている。また、武藤陸軍軍務局長（武藤も御前会議に出席していた）が、「オイ、戦争なんぞ駄目だぞっ。陛下はとてもお許しになりっこない」と語ったと書かれている。

近衛も東条も武藤も、明治天皇の御歌を平和の歌とする点で一致する。彼らの本が戦後に発表されたから、多少変貌しているのであろうか。日本の学者たちのうちすべてが、この御歌を平和の歌としていて、戦争賛美の歌であるとはしていない。この点は一致する。

しかし、「杉山メモ」には、この御歌についての特別の感想が書かれていない。杉山も永野も前日に天皇に召され、「御下問」を受けている。二人が戦争の必然性を説いたとき、天皇は大声で「分かった」と言い、米・英との戦争を認めている。「国策遂行要領」を天皇が認めていることは間違いないのである。

天皇は敗北の可能性も考えて、二面作戦をとったのであろうか。反天皇主義者として名高い軍艦「武蔵」の生残兵の渡辺清《わたなべきよし》が『私の天皇観』で、次のように書いている。

ちなみに開戦決定時にあなたがしたことといえば、せいぜい御前会議の席上で、一同に明治天皇の歌を詠んできかせたことぐらいだったといっていいと思います。(略)

事実「極力喰いとめよう」とする気持があなたにあったのなら、その気持を遠まわしに歌などに託さずに、一言「否」と意志表示すべきだったと思います。当時その大権を現実に行使できるのは、元首であるあなたを他にいなかったのですから。

同じく反天皇主義者井上清《いのうえきよし》の『天皇の戦争責任』という本から引用する。井上は、五味川や渡辺とは少しだけだがニュアンスが違っているが、「四方の海」の解釈にはたいした差異はないと思われる。

この会議における天皇の発言は、天皇がいかに平和主義者であり、あくまで日米戦争を回避しようとしていたことを示すものとして、天皇弁護者によって、大いにもてはやされている。しかし、天皇はこの日も、昨日の両総長、首相との問答でも、外交を主とせよと抽象的に強調しただけであって、日米交渉上の難点は何か、それを打開するために、日本がわではアメリカに何を譲歩できるかどうか、というようなことは全然問題にしなかった。それに反して、作戦上のことについてだけは勝てるかどうか、熱心に戦術的なことまで質問している。そうして「大坂冬の陣」の話に耳を傾け、結論として、政府・軍部提案の「帝国国策遂行要領」を一字の修正もなく裁可した。すなわち戦争コースを定めた。

井上清は「外交を主とせよと抽象的に強調しているだけで」と書いている。このときの御下問（九月五日）で天皇は、二人の総長に「成るべく平和的に外交でやれ。外交と戦争準備は並行せしめずに外交を先行せよ」と言っている。ただこれだけである。以下は私が書いたとおりの作戦論議を、延々と続けた。上陸作戦（九州での上陸演習）について専門的な発言を延々とする。天皇は机上でこの作戦に加わったことが分かるのである。

さて、井上は「大坂冬の陣」についても触れている。これは「杉山メモ」の中で以下のように書かれている。

永野軍令部総長は大坂冬の陣のこと其他のことを申上げたる所　御上は興味深く御聴取遊ばされたるが如し

「杉山メモ」なるものについて解説しておきたい。終戦の際焼却されたと思われていた重要書類が、実際は一部、ひそかにかくされていた。そのうちの一部がこの「杉山メモ」といわれるものである。元帥陸軍大将杉山元が参謀総長就任（一九四〇年＝昭和十五年十月三日）以来、同大将が東条英機陸相と激論のすえに参謀総長を東条の兼任というかたちで譲り、その職を辞した一九四四年二月二十一日までの記録がいわゆる「杉山メモ」といわれるものである。

杉山元は一九四五年九月十二日、敗戦直後に夫人とともに覚悟の自決をした。偶然とはいえ、このメモは残った。これ以上の重要な「日本の最高戦争指導」の全容を記録したものはない。終戦直前、焚書として黒煙の中ですべて焼却されていたと思われていたのだ。

一九四六年一月、元首相東条英機は巣鴨拘置所にてフィーリーによる尋問を受けた。以下、問はフィーリーで答は東条である。

問　初代天皇の言葉だという「八紘一宇」のスローガンがありますか。

答　はい、あります。

問　それは日本の軍国主義者と、日本の膨張を望んでいた国民のスローガンだったのですか。

答　そのように使われました。

問　満州事変の前の一九二五年－三一年、そしてその後も、そのスローガンを唱え、日本がその通りアジア、太平洋に膨張すべきだと信じていた陸軍将校たちがいたのですか。

答　この思想は国民に誤解された。実は精神的な意味だった。日本国民はそのスローガンを間違って解釈した。私や他の責任者はこのスローガンを四方にあまねく徳を広げ、他国との関係を徳で守るという、精神的な意味で使ったのです。

東条英機は東京裁判を受けるようになり、正直に喋るようになった。真実を語り、真実を残そうとした。彼は「八紘一宇」について答え、その意味するところを「四方にあまねく徳を広げ、他国との関係を徳で守る」ことであると答えた。「八紘一宇」と「四方の海」の御歌が同一の精神であると東条は語っているのではないだろうか。東条は部下たちに「八紘一宇」の思想を説いた。そして、部下を国民を鼓舞し続けた。彼は明治天皇の御歌と「八紘一宇」を混合していた。後に東条が「この思想が国民に誤解された」と語ってみせたのではあるが。

私は、この御歌を、東条が『スガモ尋問調書』の中に残したように、「八紘一宇」をあまねく四方に広めるために天皇が使用したと信じている。では、天皇はいかなる意味をこめて、御前会議の席上でこの歌を朗詠したのであろうか。以下は私の勝手な解釈である。そして、この勝手な解釈に私なりの回答を用意する。

ここにいる皆のものよ、よく聞くがいい。今から私は明治大帝の御歌を朗詠してみせるぞ。この御歌は、明治大帝が日本の国が未来に向かって国力を発揚するために、四海にあまねく徳を広めるために、他国との関係を「八紘一宇」の徳で守るために、歌われた歌であるぞ。日本の徳をあまねく四方の海のかなたまで広めねばならん。私は毎日、明治大帝の遺徳を偲び、この歌を拝誦したのだ。ここにお前たちの前で歌ってみせるから、よく聞くがいい。「八紘一宇」

の精神を四方のかなたまで広めるがいい……。

九月六日の御前会議の前日の近衛と両総長との会談についてはたびたび記した。その中に、平和について天皇が語った言葉も記した。もう一つ、平和について天皇が語った言葉が記されているので、ここに書いてみる。杉山総長が天皇に奉上する場面である。

尚日本としては半年や一年の平和を得ても、続いて国難が来るのではいけないのであります。二十年五十年の平和を求むべきであると考えます。

御上　あゝ分った（大声にて）

この短い天皇と杉山のやりとりの中に、翌日の明治天皇の御歌を朗詠した天皇の気持ちが表現されていると思うのである。

天皇は、二十年、五十年先の平和を求めていた。それは、「八紘一宇」による世界統一の夢であったろう。日本のような小国が米・英を相手に、二十年五十年の先の平和を求めて戦争状態に入ることを正式に認めていた。そして、あの御歌の登場となる。それでも平和の歌なのか。世界征服をはたさんとした彼の平和を意味した歌ではなかったか。

鹿島昇《かしまのぼる》の『昭和天皇の謎』から引用する。

参謀総長と軍令部総長は国務大臣とちがってラインの長でなく、天皇のスタッフであった。この制度はかつて天皇制が認めた征夷大将軍の存在を否定して、陸軍と海軍を統一的に指揮するものを天皇ただ一人にしたのである。しかし、これでは実際に戦時に軍の統帥を行なうことはできないから、戦時統帥の機関として大本営が設置され、のちに大本営は肥大化しながら幕府のごとき存在となった。

その理由ははっきりしている。明治天皇の大本営の場合、天皇の指令によって国務大臣が官制上、大本営のメンバーになることができたが、昭和天皇のもとでは法令が改正してそれができないようになった。大本営は憲法上の輔弼《ほひつ》機関から天皇の統帥権に従属する機関に変ったのである。

九月六日の御前会議で天皇が発言する場面をもう一度読んでほしい。

天皇が、「両統帥部長は一言も答弁しなかったがどうか」と両統帥部長に語るところである。天皇は首相をはじめ、すべての国務大臣を無視し続けている。九月五日（御前会議の前日）、杉山が天皇に「半年や一年の平和を得ても続いて困難が来るのではいけないのであります」と言う。天皇はその翌日の御前会議で、豊田外務大臣が説明する平和について聞くだけである。半年や一年の平和について、関心を示すことはなかったのだ。

天皇が側近でかためた大本営には、首相でさえ参加することができなかった。天皇は軍閥と財閥が複合体をつくり、二・二六事件が発生したことに危機感をおぼえた。そのために、軍閥と財閥の力をそぐために、外部に彼らを脅す組織が必要となった。

頭山満と徳富蘇峰が朝日新聞と毎日新聞で論陣を張ったのも偶然ではない。一党独裁体制ができたのも偶然ではない。頭山満の子分（あえてこのように書く）の広田弘毅が首相になったのも同じように偶然ではない。御前会議は単なる儀式のようなものであった。すべては天皇主導の大本営で決まっていた。

皇道派とか統制派とかで陸軍を考えようとするから分からなくなる。天皇直属の大本営こそ、日本国家最大にして最高の暴力装置であったのだ。

あえて書こう。ここから恐怖が流れ出した。そして多くの日本人が殺された。どこにいる人間が叫んでいるのか？　平和天皇論を叫ぶ人間の正体は暴かれるべきではないのか。

明治天皇の一断面

明治天皇の公式伝記である『明治天皇紀（十）』を見ることにする。一九〇四年（明治三十七年）にはたびたび御前会議が開かれた。最終的には二月四日の御前会議でロシアとの戦争が最終決定する。明治天皇の心境を見ることにしよう。

議遂に決するや、夕刻内廷に入りたまひて後、左右に顧みて宜く、今回の戦は朕が志にあらず、然れども事既に玆に至る。之を如何ともすべからざるなりと、更に独り私語したまふものの如く、語り継ぎて宣はく、事万一蹉跌を生ぜば、朕何を以てか祖宗に対するを得んと、忽ち涙潸々として下る。一座為に黯然《あんぜん》たり。

日露戦争はどうして起こったかは簡単に論ずべきではない。一つの原因を作ったのが、昭和天皇が「浪士の元老」として、日本の国宝となった頭山満の行動にある。この点に少し触れておきたい。

黒龍会の刊行書『東西先覚志士記伝』なる本がある。この本からの引用をもとに私がまとめたものである。

頭山満は日露戦争の近づいたある頃、自らが作った対露同志会の幹部を連れて伊藤博文公の家に行く。先客の青木周三前外相は玄関先で頭山に「ヤー来たね。しかし、殴りはしないだろうね」と言った。すると頭山は伊藤に聞こえよがしに「殴るかも知れんさ」と言ったので伊藤は不機嫌な顔をした。

頭山は伊藤に「露と戦うべし」と雄弁に語りだした。ながいやりとりの後、頭山は突然伊藤の傍により、その伊藤の顔を直視しながら「伊藤さん（それまで頭山は公式に閣下と呼んでいた）、あんたは今日本で誰が一番偉いと思いますか」と聞いた。「畏れながら、それは天皇陛下にわたらせられるでしょう」と頭山は自ら答えた。

頭山は「次に人臣中では誰が一番偉いと思いますか」と聞いた。沈黙を続ける伊藤に「それはあんたでしょう」と言い放った。そしてゆっくりと、「この際しっかりして下さらんと困りますぞ」と言った。伊藤も「その議ならば御心配下さるな。諸君の御意志のあるところ伊藤が引き受けた」と断言した。

「それだけ承ればもうよろしい。さあ皆んな帰ろう」と促したのであった。

私はこのときの頭山の姿に注目したいと思う。彼は浴衣《ゆかた》姿で伊藤博文の前に登場する。ハーバート・ノーマンもこのエピソードを彼の本の中で紹介し、「この会見によって、対露開戦準備の国内の結束ができ上がった」と書いている。この会見の後で頭山らは桂首相宅を訪問する。桂は頭山の言うままに、あらゆる保証を与えた。ノーマンは次のように書いている。

桂はロシヤと開戦する意図については何らの疑念も残さなかった。このような鉄面皮、故意の侮辱（浴衣を着た如き）、婉曲な脅迫、追従などの混合は、長い論文を書いて頭山があれこれの陰謀の連累であったことを考察するよりもはるかに明瞭にかれの手法を物語っている。それはまた、伊藤公の時代以後、頭山の勢力がさらに大きくなった時において、他の日本の指導者に対しどのような種類の戦術が操られてたかを想像せしめて余りある。

（ハーバート・ノーマン『日本政治の封建的背景』）

どうして頭山の前に、伊藤博文（当時枢密院議長）と桂太郎（当時首相）が、なすすべもなく敗北したのか。それは、当時の玄洋社の力が強大であったことによる。

第一は、西南戦争後の西郷隆盛の遺徳の継承者たちの結社であるとしたこと。このことに異論ははさまない。西郷は死んでいて、玄洋社について知ることもないのだから。

当時のエネルギーの中心地の炭坑への影響力を、玄洋社が持っていたこと。炭坑主のかなりが玄洋社と結びつき、海外への進出を狙っていたこと。伊藤も、桂も、玄洋社に屈伏したのであった。

運よくというべきか、日露戦争に日本は奇跡的に勝利した。

明治天皇と日露戦争当時の一断面を頭山満との関係で考察した。昭和天皇時代の大本営とことなり、明治天皇の大本営では、天皇の指令によって国務大臣が官制上、大本営のメンバーになることができた。だから、頭山たちは桂太郎首相に「陰謀の連累」（ノーマンの説）を行使した。しかし、前述したように、頭山は近衛文麿に「陰謀の連累」の行使をしなかった。その必要もなかった。理由はすでに書いた。近衛たりとも、大本営の中に一歩でも足を踏み入れることが禁じられていた。誰に？　昭和天皇その人にであった。

さて、「四方の海」について考察してみることにしよう。

明治天皇の作歌は総計九万三千三十二首。一年単位で一番多い年は一九〇四年（明治三十七年）の七千五百二十六首。

「四方の海……」の歌は、宮内省蔵版・文部省発行（一九二二年）の『明治天皇御集』によると、日露戦争のとき、すなわち、一九〇四年の作となっている。

どうしてか。日露戦争を勝利に導くために明治天皇が詠んだ歌となっているのだ。

これには異説がある。それでは飯沢匡《いいざわただす》の『異史明治天皇伝』を見ることにしよう。

天皇は必ずしも現政権に賛成ではない。特に西郷隆盛には絶対なる信頼を持っていたのに、それが政府に刃向っている。これは天皇に対しての反抗でなく、長州に対してである。薩長といっていた「薩」の代表者というべきであった西郷が抵抗している。明治天皇にしてみれば、長州に代って薩州でもよかったのである。例の「よもの海みなはらからと思う世になで浪風の立ちさわぐらむ」（原文のママ）という御製は、今上天皇も、今回の第二次大戦中、歴史的瞬間ともいうべき時に、これを朗唱して大変効果的に利用されたことであるが、この御製は、日露戦争中のものでなく、すでに明治十年の役中にできていたという説もある。私はこの説に賛成なのだが。

では、もう一つの異説をあげよう。近世史家飛鳥井雅道《あすかいまさみち》の『明治大帝』から引用する。

この歌は、実は明治十年の作だという伝えがあった。最近では、飯沢匡『異史明治天皇伝』がこの説だが、わたしも同意見である。（略）明治十年の天皇の「サボタージュ」の部分は、さすがに作家の勘が光っている。わたしは明治九年以後の天皇は、かなり明確な西郷びいきだったと考えたい。天皇は西南戦争がせまった時、日程変更をいい、表にでてこなくなり、乗物を拒否し、勉学をも拒否したのだった。

この本の中で、飛鳥井は渡辺幾治郎の『明治天皇の聖徳・重臣』という本を紹介する。その部分を記すことにする。

明治十年秋の頃であった。或る日、皇后や女官等に西郷隆盛といふ題を賜ふて和歌を詠じさせた。西郷の罪過を誹らないで詠ぜよ、唯今回の暴挙のみを論ずるときは、維新の大功を蔽ふことになるから注意せよ、と仰せられた。この明治天皇の「西郷隆盛」の題で皇后美子が和歌一首を詠んでいる。

薩摩潟しつみし波の浅からぬ

はしめの違ひ末のあはれさ

わたしも飯沢匡、飛鳥井雅道の説に賛成する。ここには明治天皇の歌が書かれていない。しかし、明治天皇がまず「よもの海……」と詠んだ後をうけて、皇后美子が「薩摩潟……」と詠んだものと思えるのである。そうすると、明治天皇の御歌は次のように解せよう。

やっと明治に入り、内乱も静まったと思ったのに、また波風が立ってしまい、西郷は死んでしまった。どうしてこんなことになってしまったのか。

これに応じて皇后は、「あなたの詠じられた歌のとおりです。西郷は薩摩の海にしずみました。はじめは、この維新の力となってくれましたのに、なんという結末でしょうか」と応答の歌を詠じたのであろう。

ここでもう一度、昭和天皇について記したい。昭和天皇は「神」であるといわれたが、明治天皇は「神」であるとは公然とはいわれなかった。あの御前会議の発言も「神」の発言であればこそ、今日にいたるまで論議の的になっている。

単純な問いから出発しよう。昭和天皇は本当に「神」であったのか。

一九四六年一月十五日、木戸幸一元内大臣はA級戦犯として東京巣鴨プリズンでサケット捜査課長の尋問を受けた。

問　つまり、最近天皇は神でないと宣言し国民に対してその神格を否定しましたが〔人間宣言をさす。これは後述する：引用者注〕、天皇が自ら神としてふるまうように内大臣は天皇を助言していませんでしたか。

答　いいえ。そうなったのは軍部時代以降のことです。

問　では、天皇側近は天皇が神であると唱えなかったのですか。

答　はい。

問　国民は当時、天皇が神であると信じるように教えられていなかったというのですか。

答　私が記憶するかぎりでは、そんなことは覚えていません。その運動が始まったのは一九三一年から三二年以降、支那での事変〔満州事変：引用者注〕の勃発とともに始まり強くなりました。

問　一九三〇年以前は天皇が神であるとは一般に教えられていなかったが、一九三〇年ごろ、ないしその数年後から天皇が神であると国民を信じさせるようになったという意味ですか。

答　一九三一年以降にその運動が始まりました。私の記憶するかぎりでは、それ以前には、そのようなことはありませんでした。

問　あなたの心中を疑ってはいませんが、天皇が神であるとの印象を与えようという運動を始めた人たちは、国民に対する支配力を強め、威信を高めようと望んでいたのですね。

答　運動がそのような人たちによって始められた結果、国民がそう信じるようになったと思います。
問　では民主主義とは異なる、集権的政府を望んでいた集団ないし党派がそう信じることを主張したのですね。
答　そのころ、政党が腐敗していました。真の日本精神に立ち帰るべきだと唱える運動があり、その連中は天皇が神であると主張する運動を行なえば自分たち勢力が強まるだろうと考え、それを強く主張していました。

（粟屋憲太郎他編『木戸幸一尋問調書』）


私は「神」の誕生の過程を描こうと思って、この尋問調書をここに引用した。

「日本精神に立ち帰るべきだと唱える運動」は宮中内の大学寮の中から生まれ、大川周明らの理論的右翼をたくさん輩出し、地に「浪士の元老」、「日本の国宝」の頭山満を生み、天に大本営の中で首相も入れない聖域を自らつくりたまいし「神」を誕生させた。

あの御前会議で明治天皇の御歌を朗々と詠じたのは、昭和天皇裕仁ではなく、自らを「神」に仕上げた天にいます至上の中の至上、「聖上」であった。だから西郷の死を悲しんだ御歌が「神」の声で伝わったときに、御前会議に出席した高位の者どもは驚き心を失った。

戦後、この御歌は生きかえり、平和天皇を象徴するものとなった。

「神」は死んだのか。自らの「人間宣言」で示したように「神」は死んだのであろうか。否、私たち日本人の心の中では「神」は生きている。天皇に戦争責任ありとする声はほとんど消えた。「神」の声が残響の世界からやってくる。あの歌をもう少し深く追究し、「神」の正体を白日のもとにさらさねばなるまい。

「四方の海」の歴史的考察

「山河海泊」という言葉がある。山野河海に対する天皇の支配権を意味する。全共同体の首長たる天皇の権威が強力であった時代に「大地と海原」を天皇が支配し、供御人といわれた人々の五畿七道諸国の往反、交易売買を保証した。建武の新政が終わり、南朝が吉野に本拠地をもち数十年も余命を保ち続けえたのは、「往反・交易売買の保証」ゆえであった。

九条兼実《くじようかねざね》の日記『玉葉』(一一八三＝寿永二年)の十月十八日付の記述をみる。

此次男云「四方皆塞、中国之上下併可　餓死」

四方とは幾外を意味する。幾内は王権の所在を意味する。供御人たる人々がいて、天皇家に食物貢進をしていた。平民の「謀叛」によって王権が今危機の状態にあると、九条兼実は嘆いている。

では、もう一つの例を見る。『太平記』には「四海」という言葉がよく出てくる。

「従ㇾ之四海大ニ乱テ、一日モ来ㇾ安」とか、「四海風ヲ望デ悦ビ、万民徳ニ帰シテ楽ム」

四海と四方は、四境ともよばれる。

私は「建武新政」に失敗した御醍醐天皇の気持を連想しつつ、明治天皇が西郷隆盛を失った悲しみを詠じた歌が、あの御歌ではないかと考えるのである。私たち日本人は、天皇を特別の心でみている。かつて、江戸時代の政治家であり学者でもあった新井白石は『折たく柴之記』の中で天皇を見事に表現した。

天子の号令、四海の内に行はるるは、ひとり年号の一事のみこそおはしますなれ

明治十年のころ、四方の海、すなわち四海とは、四域を意味した。すなわち、天皇が京都から東京に移ったために、東京と京都を結ぶラインを幾内としても、詮然、北は北海道、西は鹿児島（沖縄を入れたとしても）にすぎなかった。しかし、不可思議というべきか、この御歌が日露戦争時の歌とされ、「八紘一宇」のスローガンの象徴と化していくのだ。

この御歌を一八七七年（明治十年）の作とする飯沢匡、飛鳥井雅道の説に反論する学者もいる。岩井忠男は『明治天皇』の中で次のように自説を展開する。

たしかにみずからの名で宣戦の詔書を発しておきながら、「など波風のたちさわぐらむ」とは余りにも他人事のようなうたいぶりである。しかし、同じ年に、

はらからのむつびをなしてまじはらば
とつくに人もへたてざるらむ

という中味の通じ合う一首もある。宮内省の編年である明治三十七年説をくつがえすだ

けの根拠はとぼしいと思うべきであろう。

まさに岩井忠男が言うように、明治十年説には確たる証拠はない。私たちは皇室の真実を、皇室を通してしか知りえない。都合の悪いことを皇室はつねに隠してきたからだ。

私は作年論はひとまず置くことにする。この御歌の行く末を考察してみたい。「八紘一宇」の思想と結びつくからである。

一九〇五年（明治三十八年）、日本は日露戦争に勝利を収めた。この勝利の後の天皇の歌は華やいでいる。

よものうみ波しずまりてちはやぶる
神のみいつぞかがやきにける

その翌年の歌はよりいっそう華やいでいる。

日の本の国の光のそれゆくも
神の御稜威《みいつ》によりてなりけり

日露戦争の勝利に明治天皇のみならず、ほとんどの国民が酔いしれた。「神の御稜威」を知り、日本国民はすっかり変わってしまった。

徳富蘇峰は次のように喜びを表現した。

吾人は日露戦争が、世界の表面に散在する白哲人種以外の人種に絶大なる感化を与えたことを、無視する能はず。

蘇峰は白哲人種、すなわち白閥（人）打破を主張しだす。「アジアの先進者の任務」を説き、アジアを解放するというスローガンを唱えはじめる。こうして「八紘一宇」の思想が世に出てくることになる。

部落問題の研究家の喜田貞吉《きださだきち》が一九三八年（昭和十三年）、彼の死の前年に『日本民族の構成』を出版した。天皇の御前会議での朗詠の三年前の出版であることを念頭において読んでほしい。

今やわが国威は海外に進展して、台湾、朝鮮を併合し、近く満州国とは兄弟《はらから》の国をもって任ずるの間柄となっているのである。畏くも明治天皇陛下には、「四方の海、皆はらからと思ふ世に、など波風の立ち騒ぐらむ」〔原文のママ〕と仰せ給い、このありがたき大御心のもとに、東洋平和のため、同胞幸福のために、日清、日露の両戦役をも敢行し給うたのであった。四方の海は皆同胞である。別して東亜の諸民族は、皆わが日本民族構成の要素をなすものとして、最も近い関係を有する同胞中の同胞である。しかるに今やその同胞中の一国たるシナと兵火を交えているということは、かの誤れる抗日、反日、侮日の政策に対する自己擁護の手段として、まことにやむを得ざるに出たものであるが、わが国としては、彼が速やかにその迷夢から覚醒し、相提携して東亜の平和のために、また人類の幸福のために努力するの期を待つべきである。

昭和天皇の御前会議、その三年前に出版された本の中に、アジア侵攻のシンボルの歌として「四方の海」の御歌が使われていた。昭和天皇が御前会議に臨んだとき、すでにこの御歌は、アジアを侵攻し、アジアの民を日本の支配下におくために利用されていた。

部落問題の研究家にして国家主義者の両面の顔を持つ喜田貞吉は、憲兵の監視下にあった。この本は天皇教賛美の本となっている。もし、疑問に思う人は読んでみるがいい。日清、日露戦争を敢行し、民草を戦争に導くためにこの歌を明治天皇が作ったことは、当時の子供さえ知っていたのだ。

ではもう一つの例を示したい。喜田と同じ年の一九三八年の雑誌『日本婦人』に高群逸枝《たかむれいつえ》が書いた『神功皇后』の一節である。

……かくて、一歩をすゝめて大東亜民族の結びつきさへ、さらにはいはゆる世界華族へ、――血の親近感が、漸次世界的にまで拡大したときこそ、すなわち人類は救はれるであろう。思ふに、わが肇国《ちゆうこく》精神は、実にこの望ましき未来を視野として樹てられたものであり、神武天皇の「八紘為宇」の御言挙げ、高倉天皇の「四海為宇」の詔、明治天皇の「よもの歌、みなはらから」の御製など、畏れ多いことながらすべてこの精神の顕現ならぬはない。

神武天皇の「八紘為宇」（為を一とも書く）とは「六合《くにのうち》を兼ねて以て都を開きて八紘《あめのした》を掩《おお》いて宇《いえ》と為《せ》むこと、また、よからざらんや」に依る。この言葉は『日本書紀』の中に出ている。「六合」は「くにのうち」と読む。東西南北・上・下の六つの方向、すなわち「全世界」をさす。「八紘」は綱と同じで、「あめのした」と読み、「全世界」をさす。
日露戦争後、明治天皇はカリスマ性を増してきた。大東亜戦争に入るころ、明治天皇の誕生日（十一月三日）は「明治節」とよばれ、その日には、日本中の子供たちは強制的に唱歌を歌わされた。

アジアの東、日出づるところ、聖の君の顕れまして、古き天地、閉ざせる霧を、大御光に限なく払い、代々木の森の代々とこしへに、仰ぎまつらん大帝

一九四一年（昭和十六年）二月二日、御前会議の四カ月前、昭和天皇は仏印（フランス領インドシナ）侵略について木戸幸一内大臣に次のように語っている。『木戸日記』からの引用である。

自分としては主義としては相手方の弱りたるに乗じて要求をなすが如き所謂《いわゆる》火事場泥棒式のことは好まないのであるが、今日の世界の大変局に対処する場合、所謂宋襄の仁をなすが如き結果となっても面白くないので、あの案は認めておいた。

二月一日、木戸幸一に語った前日、近衛文麿首相、杉山元参謀総長、博恭《ひろやす》王軍令部総長をよび、御下問した。ここで天皇は、陸海軍の仏印侵略を認めた。これは、陸軍大臣と海軍大臣に認めたのではなく、自ら主導権を握る大本営で作成した侵略案を近衛首相をよびつけたうえで説明し、首相に認めさせたものである。天皇の自作自演以外の何物でもない。

当時のインドシナはフランス領であったが、フランス本国がナチス・ドイツに占領されたので、東洋の植民地にまでは手がまわらなかった。天皇の大本営はこれをチャンスととらえて、侵攻作戦を立てた。作戦は、陸軍を代表して杉山参謀総長が、海軍を代表して天皇一族の軍令部総長の博恭王が立てた。天皇はこの二人の総長と最終的なツメを行なった。そして近衛首相をよびつけ強引に認めさせた。

天皇自ら「火事場泥棒式」と言っている。これが「八紘一宇」の平和思想であった。

また、この発言の前年の六月二十日にも天皇は仏印に触れている。『木戸日記』から引用する。

本日拝謁の際、御話、仏印の問題にふれたるが、我国は歴史にあるフリードリッヒ大王やナポレオンのような行動、極端にいえば、マキャベリズムの様なことはしたくないね。神代からの御方針である八紘一宇の真精神《まこと》を忘れない様にしたいものだねとの御言葉あり。

「八紘一宇」とは、「火事場泥棒式」と同意語であることが理解できたであろうか。それでは、「八紘一宇」と「四方の海」が同一のものであることを示す証拠資料を読者に提供しよう。

一九四六年一月、元首相東条英機は巣鴨プリズン（拘置所）で連日、フィーリー検査官の尋問をうけていた。そのときの模様の一部を再度引用する。

問　初代天皇の言葉だという「八紘一宇」のスローガンがありますか。

答　あります。

問　それは日本の軍国主義者と、日本の膨張を望んでいた国民のスローガンだったのですか。

答　そのように使われました。

問　満州事変の前の一九二五年－三一年、そしてその後も、そのスローガンを唱え、日本がその通りアジア・太平洋に膨張すべきだと信じていた陸軍将校たちがいたのですか。

答　この思想は国民に誤解された。実は精神的な意味だった。日本国民はそのスローガンを間違って解釈した。私や他の責任者はこのスローガンを四海にあまねく徳を広げ、他国との関係を徳で守るという、精神的な意味で使ったのです。

この東条英機の考え方は、先に記した喜田貞吉や高群逸枝の文とほぼ完全に一致する。すなわち、膨張政策を進めるうえで「八紘一宇」のスローガンをかかげた。この思想を広めるために都合のよい歌が明治天皇の御歌の中に発見できた。日露戦争のときから歌われていた「四方の海」の御歌であった。

東条は巣鴨では正直に喋っている。「四海にあまねく徳を広げ……」と。

あの御前会議で天皇は、「八紘一宇」のスローガンをかかげて、ひたすら前進しろ！　と説いた。そのために「四方の海」の御歌を朗詠した。しかし、敗戦後、国民の前に大元帥の姿を隠すための工作に入った。『木戸日記』に残っているのだが「ほう被りでいくか」と洩らすのである。自分に都合の悪いすべてを封印し、大本営の存在さえ否定した。そして、「四方の海」の御歌朗詠が平和を願った行為であると、裕仁の部下の軍人たちや政治家に喋らせた。東条も近衛も同調した。

側用人ならずとも、御用学者——文化勲章が欲しくてならない阿呆学者ども——が、この御歌にしがみついた。ついに、井上清、渡辺清、五味川純平らの反天皇主義者までもが、この御歌朗詠の昭和天皇の行為を不満がありながらも「平和的行為」と認める結果となり、今日までこの神話は一縷《いちる》のほころびもない。

天皇裕仁はナポレオンの行動をマキャベリズムとして否定するが、ナポレオン研究家の箕作《みつくり》元八《げんぱち》博士の講義を受け、彼の書を読み、ナポレオンの戦術の研究を続けてきた。

天皇裕仁の思想の一端を考察するために、本庄繁の『本庄日記』から引用する。一九三三年（昭和八年）四月、侍従武官長拝命以後のものであり、日記の中に挿入されている。「宮中奉仕後、第三者より、聴取したるもの」と注釈がついている。

> 鈴木侍従長〔後の首相鈴木貫太郎：引用者注〕の直接承れりとて、同侍従長より、聴取せり。陛下には、箕作元八氏の大部の歴史を、詳細読了あらせられる処、嘗て左の如く語られたり。

一、奈翁（ナポレオン）の前半世は、仏国の為に尽せるも、後半世は自己の名誉の為に働き、其結果は仏国の為にも世界のためにもならざりき。
二、露国帝政の滅亡は、露帝室が自己の栄華の為を計りて、其国民の為に思はざりしに因す。
三、独乙帝国の滅亡は、独乙のみのことを考へて、世界の為を思はざりしに由ると。実によく其大綱を把握せらる。

天皇裕仁は皇室や自分のためでなく国民のためを思って「八紘一宇」の思想を現実化していった、と主張しているようにみえる。それゆえにこそ、「宋襄の仁」、すなわち情のかけすぎを捨て、非情なる「火事場泥棒式」に徹しえたのであろう。明治天皇と同様、領土の拡張に一生を賭けたのが、偽りのないとされた天皇裕仁の偽らざる姿であった、といえよう。

「神」のつくり給いし財宝の行方

なぜ理想がないのか？　彼らは考えないからだ。考えることを怖れているのだ。日本に信教の自由があるが、思想の自由はないと思っているのだ。考えない方が無難だと思っているのだ。

（正木ひろし『近きより』「第三巻　新年号」所収、一九三九年）

昭和天皇は「神」であらせられた。このことについて考察した。

この神は、火事場泥棒式やり方で仏印侵略をしたことも書いた。

それでは、この神がどれだけの皇室財産をつくり上げたかを見てみよう。神の姿を知る一つの方法として一番よい方法であると思う。私の知るかぎり、井上清が『天皇の戦争責任』の中で天皇の財産に触れた以外に、あまり触れた本がない。

高校教科書『新詳説・日本史』（山川出版社・二〇〇二年）の一節から引用する。

日本の商社の活動が活発となり、「横浜正金銀行」が積極的に貿易金融を行った。（略）また、海運業奨励政策によって、日本郵船会社などの手で、次々と遠洋行路がひらかれていった。（注）日本郵船会社は、三菱会社と半官半民の共同運輸会社との合併によって一八八五年（明治十八年）に設立され、一八九三年にはボンベイ航路、一八九九年にはヨーロッパ、アメリカ、オーストラリアへの各航路がひらいた。

日本郵船の大株主は天皇家と三菱財閥であった。アメリカへ大量の移民を運んだのは、この日本郵船の船であった。天皇家と三菱との関係の強化は第三章の「ヒロヒトの恋、その波紋」の中で書いた。

天皇家と日本郵船の深い関係は、明治時代から続いていた。この会社の船で娼婦たちが海外に「進出」させられた。詳しくは山田盟子の『ウサギたちが渡った断魂橋《どわんほんちゃお》』に書かれている。日本の偉人中の偉人と評価の高い福沢諭吉は、「賤業婦人の海外に出稼ぎするを公然許可すべきこそ得策なれ」（『福沢諭吉全集』第十五巻）と主張した。娼婦を送り出す船会社が、天皇家と三菱に大いなる利益をもたらすということを計算したうえでの「得策なれ」の主張であった。「至尊の位と至強の力を一に合して、人間の交際を支配し、深く人心の内部を犯してその方向を定る」

福沢諭吉の思想は当時の天皇家に迎えられた。彼の思想は浅く、たんなる天皇萬歳のための提灯もちだった。至尊の位（天皇）と至強の力（三菱）を一に合して、日本郵船は発展していった。

当社シアトル線の使用船は夙《つと》に其優秀と快速とを以て内外旅客に知らるる。航海日数約十二昼夜を以て太平洋を横断す。且つ帝国政府の命令航路たり。

右の文は、日本郵船株式会社の「シアトル航路」の広告文である。氷川丸、諏訪丸、鹿島丸、香取丸などが運航した。

日露戦争後、アメリカ移民が増えていった。一九〇八年（明治四十一年）ごろには、約十万人の移民がアメリカにいた。

一九〇一年（明治三十四年）、共産主義者の片山潜は、小冊子『渡米案内』を発行した。一週間に二千部売れるほどの当時では大ベストセラーとなった。日本郵船株式会社のヤラセだった。共産主義者はゼニに弱い証拠の一つが、この片山潜の本に秘められている。

片山は、アメリカでの移民生活をベタほめした。日露戦争のころ、アメリカに行くのに約二百五十円の大金が要った。現在、日本に密入国しようとする中国人が、中国マフィア（蛇頭）に支払うくらいの金額だった。やっとアメリカに渡ったものの、新聞や雑誌や『渡米案内』の甘言広告とはちがい、辛酸の極みの生活が移民を待っていた。男たちは鉄路の重労働やタマネギ畑で働かされ、女たちのほとんどは娼婦の館にほうり込まれた。このときの莫大な金は、福沢が言う「至尊の位と至強の力」、すなわち、皇室と三菱の懐に入った。

片山潜は、天皇が支配（大株主）する横浜正金銀行（旧東京銀行の前身）から金を貰って生活していた。当時の日本共産党の幹部たちが、ニューヨーク、ロンドン、モスクワと流れていったが、そのほとんどの金は、この銀行が出したのである。元社会党委員長鈴木茂三郎もこの銀行から金を貰った一人である。

同じ手口を皇室と三菱は考えた。ペルシャ（イラン）からのアヘンの輸入であった。皇室と三菱は、三井も仲間に入れることにした。三井を入れなければ内乱が起きる可能性があったからだ。三井と三菱は隔年でアヘンをペルシャから入れ、朝鮮に送り込んだ。満州という国家はこのアヘンの金でできた。

天皇一族はこの利益を守るために秘密組織をつくった。厚生省という組織に、昭和天皇は木戸幸一（後に内大臣）を入れ、阿片政策を推進させた。一九三八年（昭和十三年）十二月に興亜院がつくられ、阿片政策を統括した。その翌年から「土薬公司」ができた。日本でもケシ栽培をし、朝鮮にほうり込んだ。中国でも熱河省でケシ栽培をした。この利益も皇室の財産の形成に大きく貢献した。この阿片政策はこの辺にしたい。

多くの（ほとんどと言うべきか）軍人たちが、三菱と三井のアヘンの利益の一部を貰って遊興にあけくれた。マーク・ゲインは『ニッポン日記』の中で一九四六年三月二十八日の出来事を書いている。

東条が自殺を企てたその家は、岩崎家からの贈物で、東条一家には三菱財閥の情深い当主から現金、株券その他で一千万円の額があるという報道が行なわれた。

どうして天皇家はこんなに蓄財に励むようになったのか。その歴史を少しだけ書く。大宅壮一《おおやそういち》の『実録・天皇記』から引用する。

安政元年（一八五四年）に皇居が炎上したときなども、孝明天皇は近衛関白邸に避難し、そこで何カ月も居候をした。その際、近衛が伊丹からもらってきた酒を差すと、天皇は一口なめてびっくりして「これ何ぞ味の佳なるや」と叫んだ。これは精白米とちがっていたので、それを飲みなれていた天皇には、本物の銘酒が驚異だったのであろう。

江戸時代、天皇家は恵まれない生活をしていた。しかし、蓄財に励んだという記録はない。これは比較の問題で、明治、大正、昭和と続いた三代の天皇ほどは、という意味である。

ではどうして、明治、大正、昭和の三代の天皇は、異常というほどの蓄財に熱を上げて（このことは逐次書く）、国家を敗北せしめたのか、を追究してみよう。悲しみの試みをするのは少し苦しいところもあるのだが。

私は孝明天皇暗殺説関係の本をたくさん読んできた。アーネスト・サトウの『日本滞在記』、大宅壮一の『実録天皇記』、中川宮の『朝彦親王日記』、中山忠能の「日記」、藤田覚の『幕末の天皇』……。そしてついに疑問点は氷解した。孝明天皇は弑逆《しぎゃく》され、睦仁《むつひと》親王も毒殺されたと信じている。そして、明治天皇は孝明天皇の実子ではなく、長州閥が用意した部落出身の、（南朝系でも北朝系でもない）大室寅之祐《おおむろとらのすけ》であることを確信した。孝明天皇を弑逆した犯人も、大室寅之祐を天皇にすえた犯人も、伊藤博文であったことも確信した。

天皇が部落出身であったがゆえに日本は大きく変わってきた。長州閥はドイツのルビウィッヒ・リースを招いた。リースは「ゲルマン民族優秀単一民族説」をとなえた民族学者であった。彼は、「大和民族は四方を海に囲まれた島国ゆえ、単一民族なり」と指導した。長州閥は一八八九年（明治二十二年）に東大史学会を作った。ここで、私が「四方の海」考で解説したあの明治天皇の御歌が、日露戦争を境にして「八紘一宇」のスローガンに利用されていく。久米邦武や田口卯吉《たぐちうきち》らの『史学会雑誌』によった良心的な歴史学者は学会から追放される。この東大史学会から、宗教としての国家神道が生まれてくる。部落出身の明治天皇を神のごとき存在にするために長州閥が考えた宗教である。

御用学者の加藤玄智《かとうげんち》の『神道の宗教発達史的研究』（一九三五年）の一節を引用する。

> 先に述べた通り、神道には夙に人間崇拝があり、その人間崇拝は、生ける神皇を拝載せる皇帝崇拝となって現はれ、ここに国家と親密に結合した神道即ち国家的神道が生成し来る以上、それが日本的宗教であることは勿論、斯《かか》る国家的神道の中心は神皇教に在ると謂《い》はなければならない。是れ即ち国家神道であって、神道の精と粋、本質と精華は、実に爰《ここ》に在る。

文中、神皇教を天皇教と置き換えても、その意を損なうことはなかろう。

天皇教とは何か？　また、どうして天皇教が生まれてきたかを、加藤は非常に簡単に要領よく説明している。すなわち、部落出身の出自を隠した天皇を、人間崇拝させえない。足軽の下駄番、卒出身の伊藤博文らは、天皇を「生きる神皇」に仕上げることにした。そこでキリスト教を導入した。自らもキリスト教徒に帰依した伊藤は朝廷内部にキリスト教を持ち込んだ。国家神道とキリスト教は驚くほど似ている。

明治の国家体制ができたとき、神社神道と皇室神道が結合し、宮中祭祀を基準に神宮、神社の祭祀を組み立てられてできたのが国家神道であると、村上重良は『国家神道』の中で書いている。

だが、この手の話は全部、デタラメである。長州閥が薩摩閥を組み入れて、勝手に国家神道をデッチ上げたのである。神社は昔から先住民族の守り神で、外来宗教である仏教のために肩身のせまい思いをしていたのだ。皇室は仏教徒であった連中の子息であり、原住民族の〝神〟を「たたらぬ神にたたりなし」と冷たく扱っていた。

明治に入り、突然に異様な〝神〟が出現した。神と、神を支える公・侯・伯・子・男が金儲けに走りだした。この神とこの連中のなしたことが、日清戦争、日露戦争、満州事変、大東亜戦争であった。

私は、明治天皇が部落出身者であったから悪いと書いているのではない。日本人の九十五％は、鉄の兵器を持って中国大陸からやって来た連中のために部落民にさせられた。だからべつに問題はない。ただ出身を隠すために、日本の歴史上、一度もなかった異能の「神」となり、この美しき大和のまほろばを灰燼《かいじん》に帰せしめながら、シャーシャーとしているのが気に入らないのだ。

正木ひろしは敗戦後の一九四五年十一月、『近きより』を出した。私家版の通信だ。

人間は家畜に対して、何よりも自由を禁止する。即ち知るべし、日本人を家畜としたい人間は、日本人に自由を禁止したということを。家畜主は天皇なり。天皇を打倒することによってのみ日本人は家畜の境涯から脱するを得べし。

私は天皇制打倒論者ではない。ただ、家畜のように扱われた過去を持つことを知るがゆえに、その真相を伝えたいと願う、一日本人である。

さて、明治の初期に植木枝盛《うえきえもり》が『民権田舎歌』（天野恵一・加納実紀代編著『反天皇制』所収）を書いたが、その中の一つの詩を紹介し、天皇家の財宝の謎に挑むことにしよう。

自由で生きてこそよけれ
自由が無ければ死んだも同じ
おまえ見んかえあの塩を
しおというのはからいが塩じや

以下の文章を書くにあたり、参考文献を一つ一つ明記しない。不満はあろうと思われるが仕方がない。では書いてみよう。

天皇家が味をしめたのは日清戦争であった。この戦争で清国から奪った賠償金は三億六千五百二十五万円。このうちの二千万円が皇室の財宝となった。天皇家はこの戦争で味をしめた。

一九四五年八月、敗戦となった。「降伏後における米国の初期の対日方針」の中で、「皇室の財産は占領目的の達成に必要なる如何なる措置においても免除せらるることなかるべし」と明記されている。

敗戦後の十月二十二日、宮内省はGHQにより、四十数項目にわたる報告書を要求された。十一月十八日、GHQから覚書「皇室財産に関すること」が出た。GHQは生活費を除くすべての皇室財産を凍結するとの指令を出した。

この年、GHQの財務調査官たちは、昭和天皇の個人資産を一億ドル以上と査定した。財務調査官たちは「戦時利得の除去及び国家財政の再編成に関する覚書」を作成し、マッカーサーの承認を得た。皇室財産も課税計画から除外されないとした。

それでは、一九四五年十月にGHQが発表した皇室財産の内容をみよう。


土地・建物・木材・現金・有価証券（美術品・宝石は含まない）は三十七億二千万円。


当時の財閥の住友吉左衛門は一億一千七百三十八万円、三井高広は九千六百二十八万円。皇室財産は、GHQの公表分であるが日本の財閥の約三十倍。しかし、この数字は正確ではない。天皇も、三井、三菱も、敗戦前にほとんどの金をスイスの秘密銀行に入れたからである。

さて、この皇室財産はその九十%が旧憲法のもとで無償没収され、残りの十%は憲法八十八条の規定により国に属することになった。日本の戦後史を書く学者のほとんどは、皇室財産には触れることがない。井上清がこの程度触れただけである。

では、マーク・ゲインの『ニッポン日記』を見ることにしよう。マーク・ゲインは戦後日本にやってきた記者の一人である。

ある総司令部の専門家が言った。「天皇の財産は五億ドルから十億ドルの間だろう。このひらきは、我々の到着直前に彼の財産のどれだけが隠匿されたかという我々の知らない、また多分将来も知り得ない事実によって生じるものである」

この、「多分将来も知り得ない事実」について、エドワード・ベアは『裕仁天皇』の中で次のように書いている。

皇室はこれらの資産の大半を失ったが、SCAPの厳しい監査の目をのがれて、残された資産もいくらかあったようである。敗色の濃くなった一九四三年、四四年、専門家の助言に従って、海外の仲介人を通じ、日独伊枢軸国に好意的だったスイスやアルゼンチンのようなラテンアメリカ諸国の銀行に資産を移されたとも言われる。一九四八年七月十九日付のSCAPの報告書には、「日本の公的、私的財産は共にSCAPの十分監視の行き届かないラテンアメリカ諸国に流出した」とある。

あるASADの専門家は、戦時中に総額四千百万ポンド〔一九四五年当時の貨幣価値：引用者注〕の皇室財産が大部分、横浜正金銀行を通じて海外に運び出されたと見ている。そのうち、スイスに流れたのは八百五十万ポンド、ラテンアメリカに流れたのは千四万ポンドであった。こうした不明な財産の回収作業を行なわれないまま、一九五一年に占領が終結した。

マッカーサーに関するかぎり、彼は全般にわたって、天皇の海外資産の調査に明らかに弱腰の態度を見せていた。（略）

敗戦直後に宮内省がＧＨＱに報告した皇室財産の総額は約十六億円〔真実とはほど遠い‥引用者注〕。皇居、御所などの建物のほかに、山林面積は群馬県と栃木県の二県の合計に等しく、農地は奈良県の全耕地面積に匹敵するといわれた。この報告書を見たＧＨＱの係官は、皇室は「金銭ギャング」の最たるものだと言ったという。

天皇の財産はどこへ消えたのか。謎は残る。

一九四七年一月二十一日、米国統合参謀本部はＧＨＱに、「日本国の賠償金の原資を確保せよ」との命令とともに一つの文書を送付した。

皇族あるいは、彼または彼女の資産の受取人名義人は、事実上国会の管轄外に置かれてきた。このため当委員会は、降伏時における、皇室、宮内省、および全皇族ならびにその名義人の比較的価値のない純粋な物品または骨董品を除く所有財産すべての品目の詳細且つ完全な目録（売却方法を含めて）の入手を望むものである。

さて、私は日本郵船については書いた。大阪商船の株も皇室は持っていた。この二社の船が、天皇が「火事場泥棒式」で侵略していった地域へ、物資、機械、人間を運ぶのに使われた。三菱と三井のみならず、住友以下の財閥とも皇室は深く結ばれていた。

また、皇室の銀行支配も徹底していた。皇室は日本銀行の四十七％の株を持っていた。紙幣を発行するたびに、公定歩合を調整するたびに、莫大な利益が皇室に流れた。

日銀の他に注目しなければならないのが、横浜正金銀行である。「皇室財産が大部分、横浜正金銀行を通じて海外に運び出された」とベアが書いているのは厳然たる事実である。

ポール・マニングは、『米従軍記者が見た昭和天皇』の中で次のように書いている。

昭和天皇がヨーロッパの金融市場で影響力を持つことができたのは、日本銀行ほど厳しい規制を受けない民間銀行である横浜正金銀行の株を保有していたからである。彼は全発行株数の二十二％に当たる二十二万四千九百十二株を保有する最も重要な大株主であり、二番目の大株主は二万二千株しか保有していなかった。

二〇〇一年八月十三日、共同通信社はスイス政府とスイスの赤十字委員会（ＩＣＲＣ）の一九四五年八月、終戦直前の公文書を報道した。その内容を記すことにする。簡単にわかりやすく解説する。

終戦直前の八月、昭和天皇の皇后（良子）名で一千万スイス・フラン（当時と現在のスイス・フランの購買力を単純に比較しても約三十三億円）の巨額な寄付をするとスイスの赤十字国際委員会（ＩＣＲＡ）に提示した。これに対し、連合国である対日政策決定機関の極東委員会が、この寄付申込みを受け入れるなと赤十字に通達を出した。しかし、赤十字はこの極東委員会の提案を覆し、一九四九年五月に秘密裡に送金を受け入れた。この寄付は横浜正金銀行がスイス国立銀行に保有していた「日本の秘密口座」と呼ばれた「特別勘定」から拠出された。皇室はスイスの国立銀行に秘密口座を持っていたし、現在も持っている。どうして天皇が自分の名前でなく皇后名で横浜正金銀行（戦前は天皇の私有のような銀行であった）からスイスに送金したかは不明である。

しかし、推理してみよう。二〇〇一年の評価額で約三十三億円の金を赤十字に寄付するということは、赤十字と何らかの秘密取引をしたとしか考えられない。寄付の数十倍ないし数百倍の秘密預金を、赤十字の名前を借りるか、その力添えでスイス国立銀行の秘密口座に入れたということであろう。

終戦直前の八月七日、東郷茂徳《とうごうしげのり》（当時外相）が、赤十字の駐日代表に皇后名で一千万スイス・フランの寄付を申し入れた。赤十字は応じた。しかし、スイス政府は八月十六日に米英などとの合意に基づき、日本資産を凍結した。

一九四九年に赤十字が米英による圧力下の日本資産凍結の圧力を覆し、一千万スイス・フランの寄付を正式に認めたということは、横浜正金銀行の天皇の「秘密口座」の資金の凍結を解除するための努力の見返りであったといえよう。正確な金額は把握できていない。前述のマニングは昭和天皇の秘密資産の一部について次のように書いている。

天皇はハイテク電子工業とホテルへの適切な投資で得た推定五千万ドルを公認の手持ち資金として個人的に東京で貯蓄することができた。この投資を可能にしたのが、スイスにある推定三十億ドルの秘密資産である。この秘密資産の一部をさまざまな一流企業に融資した天皇は、投資の機会を得て、かなりの額の利益を得たのである。

一九四九年五月、に注目してほしい。私の『天皇のロザリオ』の中心は、一九四九年五月であった。そしてこの年から朝鮮戦争の準備が始まる。天皇は国際金融資本家たちと何らかの裏工作をしたかとも思われる。一年後に勃発する朝鮮戦争への協力の約束がなされた、と私は考える。

天皇は（表面的には皇后名であるが）、執拗にこの寄付に力をそそいだものと思われる。この紛争は一九四六年六月、極東委員会と連合国軍総司令部（ＧＨＱ）にゆだねられた。極東委員会はこの年の十月、「ＩＣＲＣの主張に根拠はない」として送金禁止を決定した。マッカーサーの決定ですべてが終わったかにみえた。しかし、赤十字はアメリカの弁護士を雇い、マッカーサーに脅しをかけた。マッカーサーは解任の動きを知る。この問題がからんでいると私は推測する。しかし、今のところ確証はない。

そしてついに極東委員会も、この問題に反対し続けた英国政府も、赤十字の工作に敗北宣言を出した。

もう一度推測しよう。天皇を利用する新しい動きが一九四九年から活発になった、と。それは、天皇が九州巡幸の旅に出たときであったと。一九四九年五月の末、スイスが横浜正金銀行の資金凍結を解除したのだ。

天皇が九州巡幸の折に上機嫌であり続けた理由もここにある。赤十字は私たちが考えるようなナイチンゲールの世界ではない。国際金融資本、特にユダヤ資本と深く結びついている。彼らは朝鮮戦争を仕掛けるために、天皇が必要だったのではないのか。天皇は彼らの要望に応えると約束したために、秘密資金の凍結を解除されたと推定しても、そう間違った推定とはならないであろう。

さて、私はこの項を書くためにたくさんの本を読んできた。私はポール・マニングの『米従軍記者が見た昭和天皇』を読んでいる。興味ある読者は是非読んでほしい。もう一度、この本から引用する。今までの私の推理を裏付けてくれそうである。

一九四四年一月、昭和天皇は参謀総長と軍令部総長から結論として太平洋戦争に勝機はないと報告され、木戸内大臣に和平計画を立てるよう指示した。木戸は当然のことながら、この指示の意味は皇室財産を守ることが第一であり、日本を平時の状態にする準備は二番目であると理解したのである。二番目の状況を達成するには時期尚早だったができた。木戸は皇室の財務顧問でもある主要銀行の経営者たちを招集し、会議を開いた。彼らの提案で、天皇の現金が東京から銀行間無線でスイスに送金されたのである。東京にある天皇の銀行口座の残高が事実上ゼロになったが、スイスの銀行の番号口座残高が急激に増加したのだった。横浜正金銀行のスイスの支店は次に、天皇の仮名〔引用者の推測では良子皇后〕による銀行投資にドイツの信用を付け、天皇の流動資産の換金能力をさらに高めた。他の財閥の大企業経営者たちも天皇の現金の流出に気づき、アフガニスタン、トルコ、スペイン、ポルトガル、スウェーデン、朝鮮、香港、満州、フランス、ドイツなどに預金していた現金を引き出し、スイスの銀行へ送金した。彼らはまた、ブエノスアイレスにある銀行の法人や個人口座の数も増やしたのである。

占領期間中、日本銀行が横浜正金銀行の業務を引き受けることになり、この結果、皇室財産の財務上の秘密が継続して保証されたのである。

私が書いた赤十字と天皇の秘密は、このマニングの本で真実であることが理解できよう。日本赤十字社は、現在でも、皇室が支配的立場にあることを知らねばならない。この赤十字の組織が、世界を支配する勢力の一支部なのだ。マニングの本には、天皇がいかに金塊をアルゼンチンに運んだかの詳細な内容も書かれている。

もう少し具体的に、赤十字国際委員会（ICRC、本部ジュネーブ）について書くことにしよう。では、アダム・レボーの『ヒトラーの秘密銀行』から引用する。

赤十字国際委員会が各国諜報機関から、スパイを潜入させる標的として狙われたのは当然のことだった。大戦中でも枢軸国、連合国を問わず自由に越境して、救援活動ができる国際的組織だったからだ。また、情報収集も任務のひとつで、職員たちは双方の捕虜や軍指導者たちに対する質問権を与えられていた。

『ヒトラーの秘密銀行』から、もう一つ引用したい。ナチス資産について書かれているが、ドイツの枢軸国日本の姿もみえてくる。

英米仏三国は一九四五年八月、スイスに預けられているナチスの資産の所有権を主張するもスイス政府の対応ぶりは相変わらずのものだった。三国の主張はどんな法律を根拠とするものか理解に苦しみ、また連合国によるドイツ占領の事実は「ドイツ国境を越えて法的効力を持つことはほとんどない」という言い逃れに終始した、とSNBの報告書は記している。

「スイスに預けられたナチス資金」を「スイスに預けられた天皇の秘密資金」と置き換えるならば、私が書いてきたことが事実であることが理解できよう。『ヒトラーの秘密銀行』には、スイスの銀行について書かれている。日本に関係する記事に触れておこう。国際決済銀行（BIS）がスイスにある。この銀行が、ナチスと日本と戦争中も取引を続けた。では引用する。

BISの総裁はアメリカ人トーマス・マッキトリック、ゼネラル・マネージャーはフランス人ロジェ・オボワン、ゼネラル・マネージャー代理はドイツナチ党員のパウル・ヘクラーだった。大戦中の理事には、ライヒスバンク副総裁で後に戦死とされたエミール・プール、同総裁のヴァンター・フンク、その他ロンドン、ブリュッセル、ローマ、日本から派遣された銀行家たちが顔をそろえていた。（略）ベルリンにとっては好都合なことに、戦時中のBIS総裁は、ナチスの略奪金塊の主要ルートだったスイス国立銀行の総裁エルンスト・ウェーバーだった。（略）第一次大戦の敗戦国ドイツが連合国に対して負っていた賠償金をヤング案に基づいて回収することを目的に、数カ国の中央銀行が一九三〇年五月に設立した銀行だったのである。ニューヨーク・ファースト・ナショナル銀行など世界の主要金融機関が共同出資し、これらの国々および日本が理事を送り込んだ。（略）ＢＩＳの設立資本金は五億スイスフランで、ベルギー国立銀行、イングランド銀行、フランス銀行、ライヒス・バンクという中央銀行五行によって保証されることになった。これに日本銀行の代理を務める日本銀行団〔主として横浜正金銀行をさす：引用者注〕、およびモルガン銀行、ファースト・ニューヨーク銀行、ファースト・シカゴ銀行から成る米国銀行団も参加した。

ここまで書いてきて、戦争というものが、金融と深く結びついていることが理解できたはずである。ＢＩＳとスイス国立銀行は深く結びついている。私の推測の域を出ないが、天皇はスイス国立銀行に「皇后名」で、ＢＩＳに「天皇名または仮名」で、最低二口の秘密口座を持っていたと思われる。マニングの推定「三十五億ドル」以上ではなかろうか。三十五億ドルでは少な過ぎる。

連合国は終戦後、「セーフ・ヘイブン作戦」という枢軸国の秘密資金、秘密金塊の調査チームを作った。日本ではＧＨＱの中にこの作戦チームが置かれた。『ヒトラーの秘密銀行』を再度引用する。

米国務省高官だったルービンは、この国際的な監視作戦の立案に関与したひとりだった。
「私はセーフ・ヘイブン作戦の立案に関わっていました。その目的は、ドイツがおもに中立国に隠していた資金をすべて洗い出し、賠償金として取り立てることでした。作戦の結果、かなりの数のドイツ人名義の口座がスイスの銀行にあることが判明しました。われわれの関心はおもにドイツ人とその預金に向けられましたが、日本人の預金も一応対象に入っていました。とにかく、連合国と迫害を受けた人々に賠償金として支払える金を探したわけです」

日本の作家で井上清の名を挙げた。二〇〇〇年に濱田政彦《はまだまさひこ》の『神々の軍隊』がでた。この本の中で濱田は天皇の秘密資金に触れている。引用する。私のこれまでのストーリーを追認するものである。

皇室は蓄えた資産をモルガン商会を通して海外で運用していたが、金塊、プラチナ、銀塊などスイス、バチカン、スウェーデンの銀行などに預けられていた。(略)中でも国際決済銀行、通称〝バーゼルクラブ〟は、世界の超富豪が秘密口座を持つ銀行で、治外法権的な存在であった。(略)内大臣木戸幸一は、日米英戦争末期の昭和十九年一月、日本の敗北がいよいよ確実になると、各大財閥の代表(銀行家)を集め、実に六百六十億円(当時)という気の遠くなるような巨額の皇室財産を海外に逃がすよう指示した。そこできれいな通貨に〝洗浄〟されたが、その際に皇室財産は、敵対国にばれぬようナチスの資産という形で処理された。スイスは極秘裏にナチスに戦争協力していたので、ナチスの名のほうが安全だったわけである。（略）皇室とバチカンとフリーメーソンの関係をたどっていくと、世界的な闇が明らかになってくると思われる。おそらく戦後の皇室がえらく貧乏にみえるのは、その資産を戦後の日本復興に使ったからなのかも知れない。M資金の闇は深い。

濱田政彦の書いていることは間違いない。ただし、「おそらく戦後の皇室がえらく貧乏に見えるのは、その資産を戦後の日本の復興に使ったからかも知れない」には全く賛成できない。私は、昭和天皇が戦後も、マニングの書いているように蓄財作戦に熱中していたと思っている。天皇家の秘密資産の一部がM資金となり、多くの人々を悩ませたのである。

マーク・ゲインの『ニッポン日記』には天皇の財産について詳しく書かれている。だがここではすべて省略する。初版本に書かれたことが、再版本では省略されているとのみ書く。一九四六年三月二十四日、マーク・ゲインは天皇の埼玉行幸を描いている。

天皇はただ一人で晝食をとった。天皇以外の我々は、冷たい飯と悪臭鼻をつく大根の漬物と、その紡績会社から出された刺身の小片を口に押し込んだ。窓からみると、女工たちが列をなして並んでいたので話をしようと思って戸外に出た。彼女等は恥ずかしそうにクスクス笑うだけで誰も答えてくれそうになかった。が、とにかく彼女等は「十五歳」——最低就労年齢——で、一日九時間半働き、一日三円乃至五円支払われていることを聞き出した。そこへ天皇が出て来たので、彼女等は最敬礼をし、支配人の号令一下、万歳を唱えた。それから彼女等の専制君主を見ようと首を伸ばすのであった。

当時の女性の日給は一日九時間半働いて一日三円ないし五円。一九四五年八月十五日から約半年たっているので、インフレが進んだ後だから半年前はもっと安い。たぶん一円から三円であろう。

計算機を手にして、当時の天皇がどれくらいの金を持っていて、海外の秘密口座に入れたかを計算されよ。そうすれば、その金額の天文学的数字がクローズアップされる。

それでは読者にヒントを一つ与えよう。一九四五年十月にGHQが発表した皇室財産の内容は書いた。「土地・建物・木材・現金・有価証券（美術品・宝石は含まない）は三十七億二千万円」。木下道雄の（元侍従次長）の『側近日記』が昭和天皇の死去の翌年の一九九〇年に出版された。この本の解説は伊藤隆（当時東大教授）であった。彼は次のように書いている。

　ところで終戦直後の天皇家の財産は三十七億五《ママ》千万円だった。日銀物価価格統計により現在の貨幣価値の三百十一倍で換算すると七千九百十二億円である。

この数字の十数倍近くをスイスの銀行に送りこんで終戦工作に天皇は入ったのである。敗戦前の国家予算は百億円を切っていた。天皇は自らの生命を守るためと、このスイスの秘密預金を維持し、さらに殖やすために戦後工作に入るのである。天皇の「キリスト教入信」対策は、この二つの大事なものを守りぬくべく実行された。国民は依然として雑草のような民草であった。

これが大東亜戦争を天皇が仕掛けた第一の原因だと分かるだろう。

それでもあなたは、天皇陛下にむかって「天皇陛下バンザーイ」と叫ぶのであろうか。それとも、広田弘毅のように「天皇陛下マンザーイ」と叫ぶのであろうか。

第五章

天皇とマッカーサーの神学的会見

天皇、マッカーサーに会見を申し出る

一九四五年（昭和二十年）八月三十日午後二時五分、米陸軍機バターン号は厚木飛行場に着陸した。ダーク・グラスをかけたダグラス・マッカーサー元帥は、コーン・パイプを口にくわえたまま降りてきた。その腰にはピストルがなかった。元帥は、百二十名の各国記者団に短いステートメントを読みあげた。

「メルボルンから東京まで、長い道のりだった」

それから、ロバート・アイケルバーカー第八軍司令官の敬礼に返礼し、「やあ、ボブ、映画でよく言うように、これで一件落着だな」と言った。

元イギリス首相のウィンストン・チャーチルは、「今次大戦中の驚嘆すべき行動の中で、私はマッカーサー将軍の厚木着陸を最も勇敢な行為と考える」と賞賛した。ジャーナリストのジョン・ガンサーは「巨大なエゴイストだけがもつ常識的な楽観主義であった」と評価した。サザーランド参謀長は忠告した。「将軍、天皇は現人神と崇められていたのにもかかわらず、暗殺されかけたのです。あなたは、どんなに恰好の目標になるか、おわかりになりませんか」。マッカーサーは答えた。「天皇暗殺の企ては見せかけだけのものである」

このマッカーサーの答えについて、歴史学者のウイリアム・マンチェスターは「その当時、

それが本当にそうなのかどうかは知るよしもなかったが、彼の言ったことは正しかった」と著書『ダグラス・マッカーサー』の中で書いている。

私は、マッカーサーとマンチェスターの意見に賛成する。八月十五日の「日本の一番長い日」は、見せかけの〝芝居〟である。別の機会があれば考証したい。それだけの確実な資料を私は持っている。

アイケルバーカーは「日誌」にその日のことを書きとめた。「ぞっとした。私は日本人がよく統制のとれた国民だとは聞いていたが、たった一人の狂信者のライフルで平和な進駐が懲罰的な占領となる可能性があるとも、わかっていた」

九月二日、横須賀沖合い十八マイルの海上に投錨された米軍艦ミズーリ号で、降伏文書の調印式が行なわれた。かつてペリーの旗艦、サスケハナに掲げられていた星条旗をアナポリスのアメリカ海軍から取り寄せて、ミズーリ号艦上に飾らせた。マッカーサー一流の演出であった。日本側全権は重光葵《しげみつまもる》外相と参謀総長の梅津美治郎《うめづよしじろう》大将、ほか随員を含めて十一名であった。上海の爆弾事件で暴漢に片足をもぎとられたために義足をつけた重光のために、クレーンと籠が用意された。

調印式は午前九時から始まった。アイケルバーカーは「日誌」に、「私は歴史の中を歩いているような奇妙な感じを味わった」と書いている。従軍牧師の祈り。録音された「星条旗よ永遠なれ」が艦のスピーカーから流れた。マッカーサーは、メモを持つ手をふるわせながら語りだした。

……勝者も敗者もわれわれが果そうとしている神聖な目的に益するいっそう高い尊厳のために立ち上がらねばならない。信仰と理解に基ずくよりよい世界――人間の尊厳とその抱懐する希望の実現のために捧げられた世界――が自由と寛容と正義のために現出することこそ、私の切望するところであり、人類の願いである。

マッカーサーの演説の後に二通の降伏文書がテーブルの上に置かれた。重光は足を引きずりながら進み出て、杖と手袋と帽子をもぞもぞととりだした。マッカーサーは「サザーランド、署名するところを教えてやりたまえ」と命じた。重光と梅津がサインし、勝者たちの代表が続き、最後にマッカーサーがサインした。マッカーサーは「手続きはこれをもって終了した。平和がここに回復せられた。願わくば、神がこれを維持し給わんことを共に祈ろうではないか」と言った。午前九時二十五分であった。

それからマッカーサーは、アメリカの人々へ向けて語り始めた。しかし、この長い歴史的な演説は、トルーマン大統領により故意に放送を中止されたため、アメリカの人々は聞くことができなかった。

この戦争は、そのような試練に耐える最後の機会だった。いま、われわれが何かもっと大きい、もっと公正な制度を見出さなければ、アルマゲドン〔世界最後の決戦：引用者注〕に踏み込んでしまうだろう。この問題は基本的には神学的なものであって、われわれがおさめてきた科学、芸術、文学のほとんど比類のない進歩、さらに過去二千年のあらゆる物資的、文化的進歩と並行して、精神の再復興と人類の性格改善が行なわれなければならない。私たちが肉体を救おうと思うなら、まず精神から始めねばならないのだ。今日の私たちは九十二年前の同胞、ペリー提督に似た姿で東京に立っている。ペリー提督の目的は日本に英知と進歩の時代をもたらし、世界の友情と貿易と通商に向かって孤立のベールを引き上げることであった。

タイム紙のカメラマン、カール・マイダンスは本社に電報を打った。「平和と日本人に対するマッカーサーのこの態度を言いあらわす最良の形容詞は、オリンポスの神々のように威厳に満ちたものである。彼は何世紀も先のことを、そして世界の人々のことを考えている」

日本側代表団の一人、外交官の加瀬俊一《かせとしかず》は『ミズリー号への道程』の中で、マッカーサーについてこう書いている。「このミズリー艦上の偉大な日は、史上の最も輝かしい日の一つとして残り、マッカーサー将軍は人類が永続的な平和を求めて行進していくサバクの中の、明るいオベリスクとして記念されるだろう」

マッカーサーは『回想記』の中で書いている。「米国は今、人間の頭脳が宇宙の基本的な秘密を引き出す進化の時代への道しるべとなっている。われわれはいま、新しい生命への入り口にたっている」

加瀬のマッカーサー讃歌の文章は限りなく美文調である。続けよう。

かりに、われわれが勝者であったとしたら、これほどの寛大さで敗者を包容することができただろうか。それは明らかに違ったものとなっただろう。（略）われわれは精神の戦場においてより高貴な理想によって打ち負かされたのである。

天皇は加瀬の文章を何度も読み返した。「あ、そう、あ、そう」と幾度も呟いた。重光外相も加瀬と同じようなことを天皇に語った。それは勝者の示した「敗者への寛大さ」であった。天皇は「あ、そう、あ、そう」と呟くのみであった（重光葵『続重光葵手記』）。

マッカーサーのミズーリ艦上での演説の後に、米国務長官ジェームス・バーンズは、降伏文書の調印式を受けて声明を出した。

日本国民に、戦争ではなく、平和を希望する精神的武装解除を行なわなければならない。（略）過去において圧迫的な法律や政策といった障害をいっさい取り除き、日本に民主主義の自由な発達を養成することである。われわれは日本の学校における極端な日本国民の国家主義および全体主義的教育を完全に一掃する。（略）われわれは、日本に平和的傾向を有し、かつ他の国家の権利を尊重する全国民的な基盤に立つ政府の出現を期待する。

（ジェームス・バーンズ『率直に語る』）

このバーンズの声明のあと、マッカーサーに「対日政策書」が送られる。神道と国家の分離、教育制度の改革、国家主義的人物の公職からの追放、そして軍事裁判……。これらをこのバーンズの声明から読みとることができる。マッカーサーはアメリカ政府の諸政策を行動に移したのであり、彼の独断ではなかったのである。
しかし、敗戦時の日本人は、ただマッカーサーを「解放者」と思い込み、「碧い眼の大君」であり、「異人神」とみなしたのであった。

マッカーサーは一八八〇年、アーカンソー州の兵営で陸軍少佐であったアーサー・マッカーサーの次男として生まれた。ウエストポイント士官学校で、四年間の平均点が九八・一四点で米士官学校史上、前例のない好成績で卒業した。第一次世界大戦では、陸軍最年少の将官として師団参謀長の資格で参加し、フランス戦線を駆けめぐった。二度の負傷によって叙勲を受けた。三十八歳の若さで准将に昇進。三十九歳という史上最年少でウエストポイント陸軍士官学校校長となり、四十四歳で陸軍史上最年少の少将。五十歳のとき、陸軍参謀総長という、軍人最高の地位に昇りつめた。一九三五年には退役し、フィリピンのマニラに移り、エヌエル・ケソン大統領の新フィリピン軍を指揮した。そこは、彼の父アーサー・マッカーサー将軍が軍政長官を務めた地であった。太平洋戦争が始まったとき、六十一歳。マッカーサーはルーズヴェルト大統領により現役に復帰させられた。そして、日本に連合軍総司令官として来たときは六十五歳になろうとしていたのであった。

マッカーサーはミズーリ艦上の演説の中で、かつて黒船で日本に来たペリー提督に触れて、ペリー提督の目的は「日本に英知と進歩の時代をもたらし、世界の友情と貿易と通商に向かって孤立のベールを引き上げることであった」と語った。マッカーサーは自らをペリーになぞらえ、ペリーのごとく振舞おうとした。ペリーの中にマッカーサーが見えてくる。

マッカーサーは厚木飛行場に降り立ってから九日後の九月八日に命令を出した。

わが国の国旗を揚げよ。東京の太陽の下で、栄光溢れる我が旗をなびかせよ。抑圧された人々の希望の象徴であり、正義の勝利の印となるように。

「我が国」とは勿論、アメリカのことだ。「抑圧された人々」は日本人。正義はアメリカにあり、とマッカーサーは宣言した。かくて、アメリカの星条旗が日本中に溢れる。日本の日の丸は悪の象徴ゆえに掲揚禁止となる。

マッカーサーは『回想記』に記している。

私は日本国民に対して事実上無制限の権力を持っていた。歴史上いかなる植民地総督も、征服者も、総司令官も、私が日本国民に対して持ったほどの権力をもったことはなかった。私の権力は至上のものであった。

マッカーサーのもとに国務省から出向した外交官のウイリアム・シーボルト（外交局長であった）は帰国後に『日本占領外交の回想』を書いた。

……これはまことに向こう見ずな権力だった。米国の歴史にはいまだかつて、かくも巨大な、絶対的な権力が、一個人の手にゆだねられたことはなかった。支配機構は、いまや全く完全、不動のものとなり、米国民および連合国の負担にならない限り、運営を妨げるものは何もなかった。運営の仕方は、主としてマッカーサーのみに依存していた。この当時マッカーサーが、巨大な権力と結びつくのは、当然のことと思われていた。大ざっぱにいって、占領はうまく運営されていた。占領の成功は、マッカーサーの人格、経験、自信、想像力――よりよい表現の言葉がないが――彼の天才的な魔術に起因する、といってよかろう。

このような大きな権力を持って、マッカーサーは日本をキリスト教国にしようと意気込んでいた。

ウィリアム・ウッダードの『天皇と神道』の中のマッカーサー像を見ることにする。

マッカーサー将軍は特定の教派の信者ではなかったが、自分流のやり方での宗教者であった。将軍は明らかに、山上の垂訓が重視する偉大な道徳的戒律をこの信仰の本質だと考えていた。マッカーサー将軍は必要なときに神に召されたいという意識と、神はいつも将軍の側に立っているという確信に満ち、いわば、メシヤ・コンプレックスに陥っていたといえる。公式発言のたびに将軍は、神に呼びかけて、尊い導きに対する感謝を述べた。

あるとき、かなり大きな勝利後のステートメント（勝利宣言）を起草したあと、部屋から歩み出て副官を呼び、「神を入れるのを忘れてしまった！」とどなったと言う。ある批評家は、マッカーサー将軍が、教皇がローマ・カトリック教会の最高指導者であるのと同様に、自分はプロテスタント世界の最高指導者だと考えていたに違いないと、いっている。

マッカーサーの『回想記』を見ることにする。

私の職業軍人としての知識は、もはや、大きい要素ではなかった。私は経済学者であり、政治学者であり、技師であり、産業経営者であり、教師であり一種の神学者でもあることが要求されたのである。(略) 私がかつて研究したアレキサンダーやシーザーやナポレオンの生涯を見ても、いずれも偉大な軍人であったが、占領軍の指導者となった時、かならず誤りを犯している。

私は輝かしい経歴をもつ私の父から教わった教訓を、思い起こそうとつとめた。(略) 私がやろうと考えている一連の改革は日本を現代の進歩的思想や行為のレベルに持っていくのに役立つと感じていた。まず軍事力を粉砕する。次いで戦争犯罪人を処罰し、代表制に基づく政治形態を築き上げる。憲法を近代化する。自由選挙を行ない、婦人に参政権を与える。政治犯を釈放し、農民を解放する。自由な労働運動を育て上げ、自由経済を促進し、警察による弾圧を廃止する。自由で責任ある新聞を育てる。教育を自由化し、政治的権力の集中排除を進める。そして宗教と国家を分離する。私は五年以上もの期間、日本改革の仕事に取り組むことになった。私の考えていた改革案は、結局全部実現した。たやすく実行できたのもあれば、中には困難をともなったのもある。しかし、改革が進み、日本大衆の上に次第に自由が行き渡るにつれて、日本国民と最高司令官の間には、お互いへの信頼が生まれた独特の結びつきが出来上がってきた。

マッカーサーの書いた通り、占領軍の改革によって、日本は新しく生まれ変わった。しかし、この中に一つだけ、しかも重要な虚偽がある。それは、マッカーサーの最大の夢であった「日本のキリスト教国化」が実現しなかったということである。彼は「宗教と国家を分離する」という言葉でその無念を表明している。もし、マッカーサーの改革なかりせば、日本は旧態依然の天皇制国家であったろう。

天皇は九月二十七日、マッカーサーの住むアメリカ大使館を訪問した。「二十七日宮内省発表」なるものを見る。

天皇陛下には連合国最高司令官マッカーサー元帥に対し敬意を表せられる特別の思召から二十七日午前九時五十五分宮城御出門、黒塗り御料車には、藤田侍従長陪乗、石渡宮内相、徳大寺侍従、村山侍医、筧書記官、奥村御用掛が一台の供奉車に分乗、警視庁官憲の前駆、後駆を配し極めて簡単な御列にて赤坂区榎坂町の米大使館を御訪問遊ばれた。

シルクハットにモーニングを召された天皇には軍服姿のマッカーサー元帥と御握手を交わされてのち奥村御用掛の御通訳にて三十五分間にわたり御会話あらせられた。

かくて十時四十五分宮城に還御あらせられたが、殊にこのたびは御沿道の自動車、電車はもとより一般通行人の差し止めもなく、御往復あそばされたことは、非公式とは申せ、全く前例に拝さないことである。

この「宮内省発表」の文章の中に一カ所、誤りがある。軍服姿のマッカーサーはノー・ネクタイであったことである。通常の儀礼でも軍人はネクタイを結ぶからである。

さて、読者はまず、天皇とマッカーサーが一九四五年九月二十七日にはじめて会ったときの写真を見ていただきたい。私はこの写真について私自身の気持ちを書く。読者はそれぞれ想像してほしい。

昭和天皇とマッカーサーの初会見

私はこの写真は、アメリカと日本の「見合い写真」ではないかと思う。アメリカは文句一つ言わせず、日本を呼びつける（実際は天皇自ら進んでマッカーサーのもとへ出向いた）。日本は何一つ文句をいいませんと言い、言われるままに見合い写真に収まる。それだけではない。「敗けっぷりのよさ」という献上品まで持参した。「ご自由になさいませ」という持参品であった。ゴッドの代理人のアメリカが、現人神である天皇を代表する日本に傍に来いといって、世にも不思議な見合い写真ができた。

これは結婚写真かもしれない。見合いが成功したからである。そして半世紀すぎても、この強制結婚は続いている。アイケルバーカー第八軍司令官は「日誌」に「あの写真は、日本国民には屈辱の象徴として反米意識の支えになるかもしれないし、米国民にとっては、弱者を圧伏する非キリスト的記録として自責の対象になるかもしれない」と記した。

マッカーサーの『回想記』から始めよう。

ワシントンが英国の見解に傾きそうになった時には、私はもしそんなことをすれば、少なくとも百万の将兵が必要になると警告した。天皇が戦争犯罪者として起訴され、おそらく絞首刑に処せられることにでもなれば、日本中に軍政をしかねばならなくなり、ゲリラ戦が始まることは、まず間違いないと私は見ていた。結局天皇の名はリストからはずされたのだが、こういったいきさつを、天皇は少しも知っていなかったのである。

しかし、この私の不安は根拠のないものだった。天皇の口から出たのは次のような言葉だった。

「私は、国民が戦争遂行にあたって政治、軍事両面で行なったすべての決定と行動に対する全責任を負う者として、私自身をあなたの代表する諸国の裁決にゆだねるためにおたずねした」

私は大きい感動にゆさぶられた。死をともなうほどの責任、それも私の知り尽くしている諸事実に照らして、明らかに天皇に帰すべきでない責任を引き受けようとする。この勇気に満ちた態度は、私の骨のズイまで揺り動かした。私はその瞬間、私の前にいる天皇が、個人の資格においても日本の最上の紳士であることを感じとったのである。

この文章には間違いがある。「百万の将兵」はマッカーサーの秘書であったフェラーズ准将の一九四五年十月二日付、すなわち、天皇との会見から一週間後の「覚書」に出てくるものである。マッカーサーは後に一九四六年一月二十五日付のアイゼンハワー参謀総長宛の手紙で、この「百万の将兵」という言葉を使う。「天皇に帰すべきでない責任」はマッカーサーの詭弁である。アメリカ政府はこの大戦争における天皇の責任を認めていた。しかし、政治的配慮から、天皇を免責することにし、マッカーサーに秘密裡にその由を伝えていたのである。だから、「天皇は少しも知っていなかったのである」は正しい。

トルーマン大統領からマッカーサー連合軍最高司令官に宛てた指令はたくさんある。私は一九四五年十一月三日付の「降伏後における初期の基本指令」の中の「貴官は、合同参謀本部との事前の協議及び合同参謀本部を経て、貴官になされる通達なしに天皇を排除したり、又は排除しようとする措置を執ってはならない」に注目する。

結論を書けば、占領中、マッカーサーは「天皇を排除する権利」を持っていなかったのである。マッカーサーは天皇をいかに有効に利用するかの手段のみをもっていたといえよう。『回想記』はマッカーサーが天皇とはじめて会見してから約二十年後に書かれた。

もう一つ、マッカーサーが天皇をどのように想っていたかを公式に示すものがある。一九五〇年一月の連合軍総司令部編になる『日本占領の使命と成果』である。マッカーサーの公式な天皇観がでている。

マッカーサー元帥は日本に着くとすぐ、天皇を召喚するように幕僚から助言をうけたが、元帥はその助言をうけつけなかった。そのような行動はわざわざ天皇を国民の眼の前で殉教者にするもので、それよりもそのままにしておくうちに、いつか天皇の方から元帥を訪問するだろうと考えたからである。それから三週間もたたぬうちに、天皇はみずから懇望して元帥と初会見をおこない、その後も約半年毎にマ元帥を米国大使館に訪ねた。この数度の会見についてはなんら公式の声明は発表されなかったが、たがいに率直に話し合い、非常に打ち解けたものだったようである。この間天皇はいろいろな時事問題についてつぎつぎと知識を求めた。その結果天皇は代議制民主主義の広範な諸原理をよく理解し、また天皇の道義的な影響はやがて日本国民の考え方をかえさせて、民主主義的な考え方こそ日本を更正させる唯一の途であることをさとらせるようになった。

マッカーサーは天皇を冷静に観察し、最大限に利用し続けていたのである。天皇は、マッカーサーに利用されつつ、日本を軍事国家にすべく動いていく。この本が発表された半年後に朝鮮戦争が起こる。天皇は、朝鮮戦争に賛成する立場をアメリカ側に伝え続ける。

十月二日付「ニューヨーク・タイムズ」はこの会見について報道した。

内務省スポークスマンが、外国記者団に語ったところでは、マッカーサーと天皇は、無事、占領が行なわれたことを喜び、感謝しあった。天皇は、誰が戦争に責任を負うべきかについてマッカーサー元帥が何ら言及しなかったことに、とりわけ感動した。天皇は個人的な見解として、最終的な判断は後世の歴史家に委ねざるを得ないであろうとの考えを表明したが、マッカーサー元帥は何ひとつ意見を述べなかった。それから両者は、占領施策について議論を交わし、天皇は、占領の進捗状態にきわめて満足であるといい、マッカーサーは天皇の助言を歓迎すると述べた。そして最後にスポークスマンは「答礼の訪問」を強調した。

天皇の筋が内務省を通じて、会見の模様をリークしたものであろう。天皇側の希望的な〝観測気球〟の感がある。「答礼の訪問」とは天皇側のお願いであろう。「戦争責任」の話がなかったと天皇側は強調している。

さて、マッカーサーは、彼の『回想記』と同じような内容を一九五五年九月二日、重光葵外相がマッカーサーにニューヨークのホテルで会ったときに「元帥の伝言」として伝えている。「天皇に初めて会ったとき、自分は戦争の全責任をとる、と聞かされ天皇を尊敬するようになった」

では、この『回想記』について、天皇はどう反応しているのであろうか。『回想記』は朝日新聞に一九六四年（昭和三十九年）一月六日から六月二十三日まで連載され、十月二十五日に本となった。

一九六五年八月二十五日、那須御用邸での宮内記者会見で天皇は、「終戦二十年を迎えてのご心境、この二十年のうちで印象の深かったことは」と聞かれ、次のように答えた。

一番印象深かったことは終戦直後、マッカーサー元帥に会ったこと。東洋の思想にも通じているあのような人が、日本にきたことは、日本の国のためにもよかった。一度約束したことは必ず守る信義の厚い人だ。元帥との会見は今なお思い出深い。

一九七六年（昭和五十一年）十一月六日の在位五十年を前にしての吹上御苑林馬亭での宮内記者会でも、天皇は「戦後、マッカーサー元帥を訪問しましたが、元帥は常に秘密を守ることを約束しました。そのために、非常に自由に話ができてよかった」と語っている。

この会見の中でマッカーサーの『回想記』について聞かれた天皇は、「回想記は余り読んでいない。回想記に出たことについて、また直接マッカーサー元帥に会った人たちから、その話を時々聞いています」と答えている。「回想記に間違いはありませんか」の記者の問いに、天皇は「そういうことは、さっき話したように秘密で話したことですから、私の口から言えません」と答えるのみであった。

その後の会見でも天皇は、「秘密」の一言を言い続けたのである。私は天皇のこの「秘密」に迫ってみようと思う。マッカーサーと天皇との秘密会見の中に、「別府事件」の鍵が隠されていると思うからである。

マッカーサーは天皇を礼賛した『回想記』の中に天皇の実像を描いている。天皇教の信者たちはこの部分を故意に無視しているようである。

天皇の権力は、軍部、政府機構、財界を支配する少数の家族によって支えられ、民権はもちろんのこと、人間としての権利すら認められていなかった。支配層は一般国民の財産や生産品の全部あるいは一部を思いのままに取り上げることができ、一般国民は国策に反する思想は私的にもつことも許されない状態にあった。一九三七年から一九四〇年の間に「危機思想」のかどで秘密警察によって投獄された国民の数は六万人を越えている。

マッカーサーは日本人よりも深く、天皇と天皇制を勉強していた。カナダの外交官で日本歴史の研究家のハーバート・ノーマンから天皇について学んだし、日本神道の研究家のD・C・ホルトムの『日本と天皇と神道』も読んでいた。

マッカーサーは天皇を研究し尽くし、天皇と会見し、天皇工作をしたのである。そして数十年後、天皇を非難するより、天皇を喜ばすことが、自分の死後の名声を高めるとの計算の上に立ち、あのような会見記をしたためたのである。

奥村勝蔵の『陛下とマ元帥』（吉田茂『回想十年』所収）を読むと、マッカーサーの高慢さがよくみえてくる（以下は要略）。

「ここに立ってください」とマッカーサーが部屋に入ってきた天皇に言った。天皇は言われるままに立つ。マッカーサーが歩み寄って右側に立つ。「陸軍写真班」の腕章をつけたカメラマンが、二、三枚フラッシュをたいてさっさと出て行った。モーニング姿の天皇は緊張して立つが、マッカーサーは開襟シャツにズボンである。しかも両手を腰のうしろにあてて、いかにも、一年兵を迎えたというようなリラックスした様子を見せつけた。

『回想記』には、「私は米国製のシガレットを差し出すと、天皇は礼を言って受け取られた。私がそのシガレットに火をつけて差し上げたとき、天皇の両手がふるえているのに気がついた」と書かれている。天皇はタバコを喫わない。あるいは喫ったのであろうか。

マッカーサーの召使であった船山貞吉の回顧談が残っている。天皇は出されたコーヒーを飲まなかったという。その後の十回の会談でも、マッカーサーはコーヒーの類を一切出さなかった、と船山は語っている。

マッカーサーは写真を撮った後の、はじめの十五分間は演説をした。天皇は立ったままである。「初めの挨拶が一応済むと、マッカーサーの語調がサッと変わり、演説めいた調子で……」となる。十五分後、天皇はやっと椅子にすわる。この間、「マジェスティ（陛下）」という言葉を一度も使っていない。「テル・ジ・エンペラー（天皇に告げよ）」のみであった。

しかし、玄関まで出ないとの送迎の申し渡しを忘れたかのごとくに、マッカーサーは天皇と天皇の随員たちとともに車の前までやってくる。天皇と握手した後、さっさと引き返したのである。

天皇はこの後、車で帰る途中に藤田尚徳侍従長にしきりに話しかけている。安堵の表情が天皇に見えた。通訳奥村勝蔵は吉田茂外相にこの会見を報告し、御会見録を作成する。

このときに、吉田外相が奥村に「秘密を守れ」と申し渡したのは間違いのないところであろう。藤田尚徳は『侍従長の回想』の中で次のように書いている。

通常の文章は、ご覧になれば、私のもとへお下げになるのだが、このときの文章だけは陛下は自ら御手元に留められたようで、私の元へは返ってこなかった。宮内省の用箋に五枚ほどあったと思うが……。

外務省に保管され、後に児島襄《こじまじょう》が発表した『御会見録』（次の項で詳しく書く）はすでに発表されている。吉田外相は二通作成させたのであろう。一通は、天皇と吉田外相と通訳の奥村勝蔵しか知らない、用箋五枚ほどの御会見録である、これは手記ではなく、速記に近いものであったと思える。もう一つは手記の形式のものである。天皇はこの用箋五枚ほどの速記録を「秘密」にしたままで去った。

この内容に迫ってみようと私は思うのである。

マッカーサーと天皇の会見のときの通訳であった奥村勝蔵の「マッカーサー元帥トノ御会見録」は、児島襄が『文藝春秋』（一九七五年十一月号）の論文の中で発表し、後に単行本となった。二〇〇二年十月十七日、外務省は天皇とマッカーサーの第一回会談の記録を公開した。この記録と児島襄の論文の中の会見記録はよく似ている。ここでは、児島の記録を記すことにする（カタカナをひらがなに改めた）。

この記録は現代史家の松尾尊兊《まつおたかよし》によると、「これこそ日本政府が秘匿し続けている正式の記録に他ならない」となる。正式の記録は別にあると私は書いた。用箋五枚の中にあると。

陛下　この戦争については、自分としては極力之を避けたい考えでありましたが、戦争となるの結果を見ましたことは、自分の最も遺憾とする所であります。

マ元帥　陛下が平和の方向に持って行くため御軫念あらせられた御胸中は、自分の十分諒察申上ぐる所であります。只、一般の空気が滔々として或方向に向ひつつあるとき、別の方向に向って之を導くことは、一人の力を以ては為し難いことであります。恐らく最後の判断は、陛下も自分も世を去った後、後世の歴史家及世論によって下さるるを俟つ他ないでありませう。

陛下　私も日本国民も敗戦の現実を十分認識して居ることは申す迄もありません。今後は平和の基礎の上に新日本を建設する為、私としても出来る限り、力を尽したいと思ひます。

マ元帥　それは崇高な御心持であります。私も同じ気持であります。

陛下　ポツダム宣言を正確に履行したいと考へて居りますことは、先日、侍従長を通じ閣下にお話した通りであります。

児島襄は「天皇は戦争責任を詫びていない」との論を展開している。

現代史家は、この手記をもとにして天皇論を論じている。

『木戸幸一日記』には、「本日マッカーサーと会見の際、マ元帥は『国民及び政界の要人等につき一番御承知なるは陛下なりと信ず。就ては今後も種々と御助言者を得たし』との意味の話あり……」とある。この文章と児島襄の引用文に矛盾はない。『入江日記』も同様である。

私は、この奥村勝蔵の手記に疑問を持っていた。それは単純である。マッカーサーがいろいろなアメリカ人に会って、天皇との会見について語っているのと違う点である。私は升味準之輔《ますみじゅんのすけ》の『昭和天皇とその時代』を読んで「ハッ」と気づいた。彼の文章を引用する（吉田茂はひらがなとカタカナを併用する）。


ところで木戸は、吉田外相に会見内容を問い合わせた。吉田の木戸宛書簡九月三十日付（吉田茂書翰）にいわく「拝啓、過日御訪問のみぎり、マッカーサー将軍より『侍従長を以而御助言云々』の義に付、奥村参事官御通訳之際ハ、閣下御解釈之通、仮令ヘハ侍従長でもその意に了解致候由に御座候、其余ノ御尋ニ対してハ昨日侍従長迄取調差出置候、敬具」

ご会見録は、速記ではなく、奥村の手記である。天皇の尊厳を傷つけないように配慮されていると考えなければならない。それにしても、この破綻のない応酬のほかに、何か重大なことが語られていたかもしれない。

天皇の側近中の側近の木戸幸一内大臣が、外務省でまとめた文書は読んだことは間違いない。それが先に引用した御会見録であろう。それでも、木戸は吉田外相に、「真相を知らせろ」と迫っている。吉田の返事は返事になっていない。天皇とマッカーサーの会見記をまとめたときに、奥村に指示して吉田が平凡なものに仕上げたと木戸は読んだのである。これには天皇の意志が強く反映していると木戸は考えたのであろう。「何かある」と木戸は思った。

木戸は侍従長の藤田尚徳に問うた。「用箋五枚ほどのものを天皇は読んでいましたが、私のもとへ文書は返りません」と藤田は答えたのであろう。木戸が見た御会見録は『高松宮日記』の中にも引用されている。文書は二通り作成されていたのであろう。

粟屋憲太郎の『未決の戦争責任』の中に、天皇の日記に関するものがある。国際検察局の捜査課長のモナハンが一九四七年八月十二日、キーナン首席検事に「天皇の日記」と題する覚書を送ったと記されている。「天皇は十一歳のときからずっと日記をきちんとつけている、という信頼しうる情報があるから、最高司令官を通じて一九三一年から一九四五年までの部分を入手せよ」と求めたという。しかし、この日記を、マッカーサーもキーナンも天皇に要求することはなかった。

もし、万に一はないだろうけれども、後世、昭和天皇の日記が公表される日が来たなら、マッカーサーと天皇の会見も真実が見えてくるかもしれない。吉田茂も奥村勝蔵も用箋五枚ほどの速記録の秘密を隠したままに死んでしまったからである。

「キリスト教徒になりましょう」と天皇は言った

天皇とマッカーサーの第一回会談については、数多くの学者たちが論じている。児島襄が最初に見つけた「御会見録」が、この会談の内容は何であったかについての論争を呼んだ。焦点は、ただ一つ、天皇の戦争責任があったかどうかの一点に集中する。

私が追求するこの会見の最も重要な点は、天皇がマッカーサーに、「御会見録」以外の、何か大事なことを言ったのではないかという点である。

前述の升味準之輔が指摘した「天皇の尊厳を傷つけないように配慮されていると考えなければならない」ということである。この点を検討してみる。あの公表された〝御会見〟はあまりにも平凡すぎるのである。

ジョン・ガンサーの『マッカーサーの謎』の中の天皇の言葉を見ることにしよう。ガンサーは、朝鮮戦争の直前に日本に来て、マッカーサーと天皇に会っている。

わたしの国民はわたしが非常に好きである。私を好いているからこそ、もしわたしが戦争に反対したり、平和の努力をやったりしたならば、国民はわたしをきっと精神病院かなにかにいれて、戦争が終わるまでそこに押しこめておいたにちがいない。また国民がわたしを愛していなかったならば、かれらは簡単にわたしの首をちょんぎったであろう。

ジョン・ガンサーはアメリカ一流のジャーナリストであった。マッカーサーはガンサーと会見後に、ガンサーを天皇のもとへ送っている。彼の本を読んでみると、全て自分で取材して書いている。この一文だけフィクションというのは間違いである。彼の書く本は〝内幕本〟といわれたが、すべてベストセラーとなった。彼が直接の取材を通じて真実を書き続けたからである。大統領、国王、首相、芸能人……彼は世界のトップクラスと直接会えるジャーナリストであった。私は高校時代から彼の本をほとんど読んできた。内容の正確さは知り尽くしている。それゆえ、この天皇の言葉を真実であると確信する。

日本人の一人として、天皇を精神病院に入れたり、ノドを切る者はいない。天皇の作り話であり、マッカーサーへの命乞いである。

日本の神は、自ら非礼を受けた。「神は非礼を受けず」の伝統を天皇は自ら破った。

一九八六年（昭和六十一年）十二月八日付の朝日新聞に、マッカーサーの政治顧問であったジョージ・アチソンの「覚書」（マッカーサーと天皇の会見から一カ月後の十月二十七日）が発表された。天皇の発言は次のごとし。

米政府が日本の宣戦布告を受領する前に、真珠湾を攻撃するつもりはなかったが、東条が私をだました。私は責任を免れるためにこの問題に触れたのではない。私は日本国民のリーダーであり、日本国民の行動に責任がある。

アチソンの覚書を裏付ける資料がある。マッカーサーの側近軍医で、マッカーサー夫人と共にカーテンの後ろに隠れてこの会見の模様を見ていたロジャー・O・エグバーグの『裸のマッカーサー』の一節である。マッカーサーはエグバーグに次のように語っている。

彼らは何も分かっていないんだ。天皇は東条と軍閥のとりこだったんだ。ともかく、天皇なしには、日本の変革は達成できない。天皇はわれわれにとって最も身近な権威者なんだよ。

マッカーサーはエグバーグに注目すべき二つの点を語っている。一つは天皇が東条に欺されたと語ったこと、もう一つは日本の変革、すなわち、日本のキリスト教国化に天皇の協力が得られるとの確信をえたこと、である。

ほとんどの日本の歴史家たち（宗教家も含めて）は、天皇が会見で「戦争責任を言ったか、言わなかったか」の一点に集中して論じてきた。キリスト教に関して論じた者は一人もいない。全く不思議な学者たちである。

レイ・ムーアは『天皇がバイブルを読んだ日』の中で、この会談を神学的立場から検討している。

九月二十五日、米国議会が両院合同決議として、「天皇ヒロヒトを戦犯として裁判にかけることは、合衆国の方針である」との宣言を可決するにいたっては、日本人を驚かせるのに十分であった。

戦争末期には、吉田茂はじめその他の保守的な日本人は共産主義を何よりも恐れていた、とジョン・ダワーは論じている。彼らが恐れていたことは否定しようとは思わない。一九四五年秋には、彼らにとっての当面最大の懸念は、天皇の生命の安全と天皇制の存続であった。この懸念から、皇居での「奇妙な出来事」と、天皇の側近たちによる多くの行動が生まれてきた。そして、これらが日本人をキリスト教に改宗させようとするマッカーサーの政策の発展に、大きく寄与したのであった。

重要なサインの一つは、九月二十七日、天皇がはじめてマッカーサーと会見したとき、天皇自身から出たように思われる。この会見がどのようにしてもたらされるようになったかを見れば、一つのパターンが浮き上がってくる。すなわち天皇が日本の軍国主義の根源であり、象徴であるとする米国側の厳しい見解を和らげるために、天皇の側近は日米のクリスチャンを仲介として用いたことである。彼らはこの過程で、天皇家がキリスト教を受け入れ、日本人を教会へ導くという奇想天外な考え方を、マッカーサーに伝えることに成功した。こういった考え方は、マッカーサー自身の自らの文化に対するおごりと、彼の個人的野心という肥沃な土壌において花開くものであった。

この文章は、天皇がマッカーサーに会見する前に、宮廷側がマッカーサーに「天皇がキリスト教徒になり、日本人を教会へ導く」という奇想天外の考え方を伝えていたこと、天皇もマッカーサーに同じ考えを伝えたことを示している。「このドラマの主役は近衛文磨と井川忠男であった」とムーアは書いている。

またもう一人は、ウィリアム・メレル・ヴォーリスであったとし、彼と近衛文磨の関係について触れている。ここでは省略する。さて、ムーアの『天皇がバイブルを読んだ日』を続けてみよう。

マッカーサーが行った近衛及び天皇との会見の記録についての資料は、不十分である。事実、天皇との会見の記録は、現在も研究者に開放されていない。しかし、二人がなかんずくキリスト教について論じ合ったこと、そして以後何回かの会見の中で「天皇がキリスト教を国家宗教にする意志のあることを内密に表明した」とマッカーサーが理解したことは、周知の事実である。天皇の「人間宣言」（一九四六年一月）は、こうした話し合いや、宗教についてのマッカーサーの強い意見表明によって生まれたのかも知れない。ともかく「人間宣言」はマッカーサーに歓迎され、米国のキリスト教会では、大喝采を博した。

ウィリアム・ウッダードは占領軍の民間情報教育局（ＣＩＥ）の宗教課のスタッフとして、占領期の宗教政策を専門とした。後年、彼は『天皇と神道』を書いた。その中の一節を見てみよう。

マッカーサー将軍が、天皇のキリスト教への改宗の可能性を考えていたことは疑いがない。これは誰かの空想の産物だというのには、あまりにも多くの機会に彼自身がこのことについて語っている。天皇のマッカーサー訪問の際、少なくとも一度は、マッカーサー将軍がキリスト教に触れて発言したとするに信ずるにたる証拠がある。

ウッダードは次のようにも『天皇と神道』の中で書いている。「……マッカーサー将軍は占領の初期においては、もし、彼がそうしようと思えば、天皇もすべての日本人も、キリスト教徒に改宗させることができただろう」。そして、ウッダードはある宗教教団の幹部の話を伝えるのである。

将軍は、「自分がもっている権力を行使しさえすれば、天皇と七千万人の日本人を一夜にしてキリスト教徒にしてしまうことができるだろうが、それは悲劇的なことだと認知している」と述べ、「そうしないのは、それが日本におけるキリスト教の終末にほかならなくなるからだ」と説明したとのことである。

天皇とマッカーサーの会談が神学的なものであるのを伝えるデータを続けよう。

コートニー・ホイットニーはマッカーサーの側近で、GHQ内ではマッカーサーに次ぐ地位（民政局長）にあった。彼の『日本におけるマッカーサー』を見る。

それにもまして天皇は、初めから日本の精神的更正を図る上で、マッカーサーの主要な同盟者となった。今日、当時を振り返ってみて、マッカーサーが戦艦ミズーリの後甲板上で行った、おごそかな宣言に盛られた占領のあの崇高な目的の実現に、天皇が大きな貢献をしたことをマッカーサーは認めている。

「初めから」とは、天皇とマッカーサーの第一回会見と見るのは当然であろう。そのとき天皇は、精神的更正を、自ら率先して果たしたのであった。そう、「キリスト教徒になりましょう」と申されたのであった。私はこのホイットニーの本を読んで、九月二十七日以降の天皇は〝かくれキリシタン〟ではなかったか、と思うようになったのである。

アメリカ最高の伝道師といわれるビリー・グラハムは一九五二年に来日し、旧国技館で集会を開いた。数万の聴衆が館外にまで溢れた。後年、彼はマッカーサーの住まい（ニューヨーク・ウォルドーフ・ホテル）を訪れた。彼は自伝『ジャスト・アズ・アイ・アム』の中で次のように書いている。

グラハムにマッカーサーは、「天皇が内密に『キリスト教を国教にする用意がある』とこっそり打ち明けた。しかし、自分は黙っていた」と語った。グラハムは「どうして天皇がキリスト教徒になるという申し出を断ったのか」とマッカーサーに問うた。マッカーサーはグラハムに答えた。「自分はいかなる宗教でも、それを国民に押し付けるのは間違っている」

グラハムは一九一八年生まれだから、日本に来たときは三十四歳の青年であった。マッカーサーは、強制的に日本人に押し付けるのではなく、自然発生的にキリスト教徒に日本人がなっていくのを確信していたのであった。しかし、歴史が証明するごとく、彼の期待は裏切られる。

グラハムは「チェース・マンハッタン銀行」の秘密口座からいつでも多額の資金を引き出すことができる。グラハムを支持する人脈の中に、マッカーサー支持で有名な新聞王のウィリアム・ランドルフ・ハーストがいる。このルートでグラハムは日本に伝道に来たものと思われる。

一九四九年の秋、グラハムはロサンゼルスで八週間にわたる集会を成功させた。彼は「キリスト十字運動」の中心人物となり、以来今日にいたるまで、アメリカ・プロテスタントにおける、アメリカの〝法王〟の地位にある。

グラハムは、アイゼンハワー、ブッシュ、クリントン大統領の就任式に、国家を代表する司祭として出席した。現在は高齢のため、子息がその任を代行している。アメリカ人の尊敬する人物の世論調査では、一位がそのときの大統領、二位はローマ法王、三位か四位にグラハムが入るのが普通である。彼はベトナム戦争を「聖戦」といい、ブッシュ大統領のイラク攻撃を正義とみなし、ホワイトハウスで共に祈った。

天皇とマッカーサーの会談を通訳した奥村勝蔵は当時を回想している。「マッカーサーは、長広舌を三十分も続け、後の対話は十分か十二、三分であった」と書いている。

マッカーサーは床の上を歩き廻りながら、人差し指で風を切る。そして立ち止まっては、無数のマッチをすって、やっとパイプに火をつけて一吹きする。彼の語彙《ごい》は両意語から始まって大膽《だいたん》な慣用語にまで及ぶ。そして、すべてはキリスト教へと集約される。天皇は、かの時、間違いなく三十分の間じゅう、マッカーサーの説くキリスト教の福音を聞き続けていたはずである。マッカーサーと単独ないし複数で三十分以上面談してきた人たちは、一人の例外なく、この事実を語っているからである。

かくて天皇は、マッカーサーのペロレイション（長広舌）を聞き続けた後に、「キリスト教に改宗したい」と申し出たものであろう。

マッカーサーは、人差し指で繰り返し風を切る動作を止めて天皇を凝視する。「テル・ジ・エンペラー」。そして話題を替えた。しかし、天皇の言葉が骨のズイまでマッカーサーをゆり動かしたのである。

ウッダードの『天皇と神道』の中に、マッカーサーと天皇の会見後のことが記されている。

　占領の初期に、マッカーサー将軍が「現津神《あきつかみ》たる天皇」について発言したことが知られているのは、一回だけである。それは、ある日、アメリカ大使館の公邸から第一生命ビル内の総司令部まで行く車の中でのことであったといわれている。それは、天皇が総司令部にマッカーサー将軍を初めて訪ねた（九月二十七日）後であったか、あるいは、マッカーサー将軍が、ボナ・フェラーズ准将が提出した天皇に対する日本人の姿勢を説明した報告書（十月二日付）を読んだあとであった。いくぶん物思いに沈みながら、また相手の返事を期待するようでもないようすで、マッカーサー将軍は、「もし天皇がみずからの神格を否定したら、一体どんな事態が起こるのかな」といったとのことである。

この一文をみても、マッカーサーと天皇の会見が神学的なものであったことが理解できよう。

マッカーサーは天皇がキリスト教徒となると申し入れたので、現津神のままでいいのかを考え始めるのである。

一九四六年七月十日、当時の海軍長官で、後の国防長官のジェームス・フォレスタルがマッカーサーと会見した。フォレスタルはその模様を「日記」に記している。

マッカーサーは「自分の最も重要な使命は、アジアをキリスト教のために確保し、マルキシズムに対しては、これを拒むことである」と語った。「キリストは磔刑に処せられたが結局は勝ったのである。私もこのキリストのように勝つことにより、慰めを見出したい」と語った。元帥はまた、こうも語った。「天皇はキリスト教への改宗の許可を求めてきた。天皇のキリスト教への改宗を許可することを幾分考えたが、その実現には、かなりの検討を要する」

天皇とマッカーサーの二回目の会談は一九四六年五月三十一日。フォレスタルは、第二回目の後にマッカーサーと会見している。

私は、ホイットニーの文章や、レイ・ムーア、ウッダードの文章から考察して、第一回目の会見で天皇が、マッカーサーに改宗を申し出たと思うのである。

なお、このフォレスタルの「日記」の中に、マッカーサーの天皇の批評が記されている。

天皇は欧米で言えば、育ちが良くて、お金持ちの若い社交クラブの会員のような人で、軍部に操られた人形として利用された。

なお、フォレスタルはカトリック教徒であり、一九四八年のイタリア総選挙では、ピオ十二世に資金援助するために裕福なイタリア系アメリカ人たちに献金を求めている。フォレスタルは海軍長官の身分を利用して、アメリカ・カトリック教会の要請を受けて、マッカーサーと会談した可能性もありそうである。

当時のトルーマン政権の閣僚のほとんどがプロテスタントであったことを考慮すれば、カトリックにとって、フォレスタルは貴重な〝財産〟であった。彼はトルーマン後の有力な大統領候補の一人でもあったのだから。

かの日、日本は精神的に敗北した

週刊新潮編集部による『マッカーサーの日本』（一九七〇年）に、クラックホーンと天皇との一九四六年九月二十四日の会見記が載っている。

モーニング姿の天皇は、通訳を通して、戦闘服を着て会いに来た外人に一フィートの距離から「力をこめて」言葉をかけた。

「お前はどこからきたのか」

「日本の事情を、外国に正確に報道するように望んでいる」

クラックホーン氏は「努力しましょう」と答えながらも、観察を続けた。

「天皇の手は堅くこわばって体の両側にあった。（略）この小男が、すっかり神経質になって、私の前で体を揺らしているこの男が、全日本人の死命を握っているのだと思うと、何か特別の感情が私の中に湧くのだった」

会見は十分で終わった。侍従はまず天皇に深々とオジギをし、天皇と従軍記者は会釈を交わして別れた。

提出しておいた質問状に対する回答は、帰りに宮内省から渡された。

クラックホーンと天皇の会見を演出したのは近衛文麿である。クラックホーンと九月十一日に面談した近衛は木戸幸一と協議する。重光葵外相はこの会見が、天皇の開戦責任の回避であることを知る。重光は『重光葵手記・続』の中に次のように書いている。

若し過去の指導者にして単に責を他に嫁し、自ら責を免れんことに汲々たるに於いては、国内は分裂し、感情は激化するに至るべく、若し、夫れ、陛下御自身真珠湾攻撃に責なきことを公然言明せらるるに至らば、国体の擁護は国内より崩壊を見るに至らんことを恐るるに至れり。

天皇は自らの戦争責任をしっかりと取るべきであり、東条らの軍人にその責任を転嫁すべきでないと重光は近衛や木戸に語った。しかし、天皇と宮廷派は重光の論を斥《しりぞ》けた。重光は外相を辞任した。

ニューヨーク・タイムズの九月二十五日付の一面トップに、「会見に応じたヒロヒト、卑劣な急襲で東条に非難を浴びせ、現在は戦争に反対していると言明」との見出しでクラックホーンと天皇の会見記が出た。

この中で「天皇は、東条が真珠湾への攻撃開始のために用いたような仕方で戦争の詔書が使用されることを意図していたのか」という質問に、「天皇は、東条が使ったようなやり方で戦争の詔書が使用されることは意図ではなかった」と答えている。

天皇とマッカーサーの会見については、ニューヨーク・タイムズは次のように報じた。

前代未聞のヒロヒトのマッカーサー訪問。アメリカ大使館で四十分の「打ち解けた」会話の主題は未公表。天皇はシルクハットを着用したが、将軍はネクタイも勲章もなしの略装。（略）日本の歴史において天皇のほうから宮城を離れ外国人を訪問したのは最初である。

天皇がマッカーサーと会見した翌々日、天皇は木戸幸一に次のように語っている。『木戸幸一日記』を見ることにしよう。

午前十時、御召しにより拝謁す。天皇に対する米国側の論調につき頗る遺憾に思召され、之に対し頬被りで行くといふのも一つの行方なるが、又更に自分の真意を新聞記者を通して明にするか或はマ元帥に話すといふことも考えられるが如何と、との御下問あり。

「頬被りで行くといふのも……」というように語る天皇が、自分の戦争責任をマッカーサーに告げたとは思えない。この日記の中では「自分（天皇のこと）が恰もファシズムを信奉するが如く思はるることが、最も堪え難きところなり……」とも天皇は語っている。天皇はファシズムを信奉すると思われたので、進んでマッカーサーに「東条に欺された」と言ったのであろう。天皇が「東条に戦争責任を押し付けよう」とした例は数え切れない。もう一つの例をあげる。

一九四六年一月二十九日付でイギリスのジョージ・サムソン卿に宛てた「天皇のメッセージ」である。英王室に宛てたものと思われる。東条に関する部分の長文の一部を記す。

私は断腸の悲しみをもって、宣戦詔書に署名を致しました。当時の首相東条大将に、自分は英国での楽しい日々を思い出しつつ、誠に残念、かつ不本意ながら、余儀なく署名するのだと繰り返し述べたものです。

（田中伸尚『ドキュメント昭和天皇（第八巻）』）

『木戸幸一日記』には、真珠湾攻撃の後で、天皇が木戸幸一に向かって大喜びする様子も書かれている。天皇は大本営を皇居に移し、自ら参謀たちに戦争の指示を与え続けた大元帥であった。

木下道雄の『側近日記』で、天皇が東条について発言している。木下は、一九四五年の末から一九四六年の春にかけて侍従次長を務めた。一九四六年二月十二日の日記である。

……東条はそんな人間とは思わぬ。彼程朕の意見を直ちに実行に移したものはいない。（略）東条は一生懸命仕事もやるし、平素云っていることも思慮周密で中々良いところがあった。（略）組閣の際に、条件をさえ付けて置けば、陸軍を抑えて順調に事を運んでいくだろうと思った。

東条は天皇のロボットのような存在であった。

戦後、GHQはNHK放送で『真相はこうだ』という番組を流し続けた。太平洋戦争の実態を日本人に知らせるというのが、GHQの目的であった。

「リンカーンは言った……」という文句ではじまる「真相箱」は、軍閥の犯した罪悪を暴露し続けた。たくさんの人がこのラジオ放送に耳を傾けた。一九四六年五月五日の放送は、マッカーサーと天皇の第一回会談であった。この放送はマッカーサーの意向を無視してできるものではない。ニュース・ソースはマッカーサーか、マッカーサーに近い筋からのものであるに違いない。

「なぜあなたは戦争を許可されたのですか」の元帥の問いに天皇は答えた。元帥の顔を見つめながら、ゆっくりと。「もし、私が許さなかったら、きっと新しい天皇が立てられたでしょう。それ〔戦争の承認：引用者注〕は国民の意思でした。事ここに至っては、国民の望みに逆らう天皇は、おそらくいないでありましょう」

マッカーサーは「平和天皇」を必要とした。だからこそ、戦争を起こしたのは「国民の総意」でなければならないとした。

では、天皇が「東条が欺した」という点を追及しなければならない。マッカーサーは進駐の第一日の八月三十日に、ソープ准将に口頭で命令した。「東条を捕えよ。そしてほかのA級戦犯のリストを作れ」

九月十一日、CIC要員が東条の世田谷の私邸におもむいた。東条はコルト拳銃で自決を図ったが失敗した。そのときCICの要員により、応接間にあった書類の一部が押収された。一九九五年三月十九日付の毎日新聞は、半世紀ぶりに公表された押収文書の一部を掲載した。その中に「天皇の東条宛の勅語」があった。以下は英文からの再訳となっている点に注意して読んでほしい。

あなたは（大本営陸軍の）参謀総長として、困難な戦局の下、私の戦争指導に加わり、十分にその職務を果した。今（参謀総長を）解任するにあたり、ここにあなたの功績と勤労を思い、私の深い喜びとするところである。時局はいよいよ重大である。あなたはますます軍務に励み、私の信頼にこたえてくれるよう期待する。

東条がこの天皇の勅語を受け取ったのは、東条が内閣を総辞職した二日後の一九四四年七月二十日の朝十時二十分に天皇に拝謁したときである。英文からの再訳ゆえに「私の戦争指導」となっているが、原文は間違いなく「朕の戦争指導」のことである。天皇が公的に「私」を使用するのは、一九四八年になってからである。

あの戦争は「国民の戦争」でなく、「朕の戦争」であった。「東条に欺された」という天皇の言葉は偽りである。マッカーサーはこの東条宛の手紙を読んでいるにちがいない。なぜなら占領期、マッカーサーは見知らぬ多くの日本人から寄せられた手紙を英訳させて読み続けていたからである。自殺を図った東条のもとには、たくさんの書類や手紙があり、マッカーサーはこれらを読み、天皇との初会見に臨んだのであった。山田朗の『昭和天皇の軍事思想と戦略』（二〇〇二年）の中から一部を抜粋したい。

「昭和天皇はあくまで政・戦略の統合者として世界情勢と戦況を検討し、統帥大権を有する大元帥として統帥部をあるときには激励、あるときには叱責して指導した」

「天皇の判断、行動どれをとっても、大元帥としての自覚と軍人としての豊富な知識に支えれていたものであったといえよう」

「天皇が受ける報告は、統帥部自体の情報蒐集、審査判定能力の欠如から、戦果に関しては、しばしば不正確、過大であったが、少なくとも自軍の損害については、天皇は最も正確に知りうる立場にあった」

山田朗は右のように書くために、膨大な資料を提供している。彼は、天皇の戦争責任について書いて結びとしている。

ところで、天皇の戦争責任とはいっても、詳細に検討すれば、実にそれは複合的な内容をもっている。つまり、天皇の戦争責任とは、

（1）国務と統帥（軍事）を統轄できるただ一人の責任者としての責任
（2）唯一の大本営命令（軍事命令）の発令者としての責任
（3）統帥権の実際の行使者としての責任（統帥部を激励あるいは叱責しての積極作戦を要求

したり、「御下問」「御言葉」を通して作戦指導、戦争指導を行ったことにともなう責任）などから構成される。これからもわかるように、天皇の戦争責任はまさに国家の戦争責任の中核をなすものである。つまり、天皇の戦争責任をあいまいにすることは、国家の戦争責任をうやむやにすることである。そして、それは、歴史を歪曲することであり、教育、マスコミ報道を通じて、日本人の歴史認識、国家認識をゆがめ、ひいては国際的な批判、反発を招き、結局は日本人に跳ね返ってくるのである。

天皇は終戦工作に入る。その間に広島と長崎に原子爆弾が落とされる。都市は爆弾の雨を浴びる。多数の死者が、日本国土の中でもあふれる。どうして終戦が遅れたのか。答えはただ一つ、天皇制護持（国体とも言うが）のためである。天皇の免罪と延命のためであった。どうしてあのような悲惨な敗北で終わったのか。天皇が「殺し、殺させる」殺人装置をもっていたからである。天皇が神として民族的使命を日本人に強制的に納得させていたからである。

一九四五年九月、栃木・日光湯元のホテルに疎開していた皇太子明仁に、父の天皇から手紙が届いた。

戦争をつづければ、三種神器を守ることが出来ず、国民も殺さなければならなくなったので、国民の種をのこすべくつとめたのである。

天皇は、はっきりと、「国民も殺さなければ」と書いている。その国民を殺させない理由は、

「国民の種をのこす」ためであると明言している。
有山輝雄の『占領期メディア史研究』には次のように書かれている。

天皇側近は、天皇の戦争責任潔白、アメリカの占領政策への協力をアメリカ政府及び世論に表明することによって「国体擁護」をはかる方向に密かに転じていたのである。それは日本政府内部でも「媚態」という批判があったが、占領軍と連絡をとりあい、占領軍の意向を取り入れていたと推定できる。こうしたアメリカへの依存とそのための世論工作を劇的に示すのが、天皇のアメリカ人記者会見であり、マッカーサー元帥訪問であったのである。

この文章を読むと、天皇の工作が理路整然とかかれている。「媚態」と思ったのは、アメリカ人のみならず、日本政府部内にもあった。しかし、重光葵外相が去り、吉田茂が外相となり、この「媚態」思想は遠ざけられていったのである。こうして「敗けっぷりのよさ」が主流となっていくのだ。

一九四五年の秋から一九四六年の春にかけての天皇の心をよく表わしている文章がある。木下道雄侍従次長の『宮中見聞録』の中に、一九四六年春の天皇の心が描かれている。

陛下は新聞をよくお読みになるから、これらの論説の横行はよく御存知であるが、どういう訳か、天皇の戦争責任に関する論議だけは、一言もおふれにならないで、避けよう、避けようとなさる。何かのはずみで、話題は天皇の責任論に近づく様子が見えると、すぐ話題をかえておしまいになる。

天皇とマッカーサーの会談についての覆しえない証拠がある。一九四六年一月二十九日、極東諮問委員会の一員として来日していたニュージーランド代表のベレンセンがマッカーサーと会見する。以下、その一部を引用する。

マッカーサー元帥は、詔書によって戦争を終わらせたと同様、開戦を禁じることも可能であるとなぜ考えなかったのか、理由を説明するよう天皇に迫りました。天皇の答えによれば、戦争を終わらせたのは天皇ではなく、天皇を法律上の道具として利用した助言者たちであり、天皇は開戦に賛成ではなかったものの、彼も(また、たとえ他のいかなる人物が天皇であったとしても)、戦争開始当時の政界の声や世論の圧力に対して有効に抗することはできなかったであろう、というのでした。

マッカーサーがベレンセンに語った天皇との第一回会談の内容とほぼ同じものが、天川晃の『占領政策と官僚の対応』の中にも登場する。イギリスの歴史家サー・ジョージ・サムソンがマッカーサーから聞いた次のような話である。

サムソンとマッカーサーは真珠湾攻撃について語り合っていた。このとき、マッカーサーは天皇との会見の模様を語りだしたのである。「なぜ、そのとき大臣に真珠湾攻撃などをしてはいけないと話されなかったのですか」と尋ねると、天皇は「私は立憲君主なのです。首相や他の関係から、これこれをしろと言われれば、たとえ私自身が嫌なことでも、やらざるをえないのです。もし、反対していれば、間違いなく、私は喉をかき切られたでしょう」と答えた。これを聞いて、マッカーサーは「愕然とした」とサムソンに語ったのである。

毎日新聞の宮廷記者の藤樫準二は一九四六年、宮内大臣の石渡荘太郎の依頼を受けて、出版費用まで宮廷が出して、『陛下の人間宣言』なる本を出版した。この出版にいたる経緯を藤樫は、一九八五年（昭和六十年）、死の直前に告白した。

天皇教の信者たちは〝人間宣言〟という言葉を嫌う。しかし、〝人間宣言〟なる言葉は、天皇自らが創造した可能性が大である。この本の出版が契機となって、〝人間宣言〟についての論議が始まるからである。そう、天皇自ら、人間であると宣言したのである。天皇が藤樫を通じて書かせた文章を見よう。天皇の弁明である。

ポッタム宣言条項にある「日本国本土の完全なる破壊」の一歩手前で、あの聖断によって、一億粉砕が免れ、民族の滅亡が救われたのである。当時陛下は国体護持も、天皇の地位も毛頭考えられることなく、ただただ「国護る」という一念のみで、あの大冒険を敢行されたのであった。

マッカーサーと天皇が第一回会談で語った戦争についての内容は、ベレンセンの報告書とサムソンの話が忠実に伝えていよう。この藤樫の『陛下の人間宣言』の内容は、天皇が進んで藤樫に書かせて国民に発表したものである。雲泥の差があるとは、このことをさすのである。

この本の中で、天皇は自身がどれだけ戦争に反対したかを述べ続けている。読むに忍び難いほどの悲しみが私の心に迫ってくる。これほどまでに、朕の戦争を他の臣下へ転嫁せんとする天皇とは、どんな人物、否、どんな〝神〟であったのであろうかと思うのである。

かくて、天皇は〝人間宣言〟をし、平和天皇として民衆の中に入って、巡幸をし、その地位を不動にし、占領期、キリスト教徒にならんとした過去を、占領が終了すると完全に封印しきったと思っていたのである。

一九七五年（昭和五十年）十月三十一日、日本記者クラブの代表との会見の席で天皇は「戦争責任」について聞かれ、「そういう言葉のアヤについては、私はそういう文学方面はあまり研究もしていないので、よく分かりませんから、そういう問題についてはお答えができかねます」と答えたのである。また、「広島の原爆投下の事実」について聞かれて天皇はこう答えた。


原子爆弾が投下されたことに対しては遺憾に思っていますが、こういう戦争中であることですから、どうも、広島市民に対しては気の毒であるが、やむを得ないことと思っています。

この「戦争責任」と「原子爆弾投下」の天皇の答えをよく読んでから、私の天皇論を検討してほしい。そうすれば、私が書く「天皇とマッカーサーの神学的会見」の意味がよく理解できるようになろう。

マッカーサーの「日本をキリスト教国にしたい」という思いは大戦中からあった。

一九四四年三月、マニラを訪れたルーズヴェルト大統領特使のロバート・シャーウッドは『ルーズヴェルトとホプキンス』を後に書いた。その本の中で彼は、「マッカーサーが、日本の軍事力を破壊すれば、天皇の神性の概念が失われて、そこに精神的な空白が生じ、民主主義やキリスト教精神が入り込むチャンスがあると語った」と書いている。

天皇＝マッカーサー会談から一カ月後の十月中旬、トルーマン大統領から中国経済復興の命を受けて中国に行く途中で東京に立ち寄ったエドウィン・A・ロックは、マッカーサーと会見し、その模様をトルーマン大統領に報告した。

　元帥は、東洋人は劣等感に悩んでおり、それ故、戦争に勝てば、幼児的残虐性を剥きだしにし、敗ければ、奴隷のように服従し、殺されようが、面倒を見てもらおうが、それを運命として自らの征服者の手に委ねると語った。元帥は、この態度が日本中に広まることを望んでいない。

マッカーサーは日本を支配してほんの二カ月の短期間で、日本人にかくも失望していたのである。私は、この発言はマッカーサーの「天皇評」とみる。

吉田茂は九月十七日、重光葵の後を継いで外相になった。その三日後にマッカーサーを訪れた。一つは新任の挨拶であり、もう一つは天皇の訪問問題であった。吉田の意見を聞いたマッカーサーは、「天皇と会見できるのはこの上なく喜ばしい。天皇に恥ずかしい思いをさせたり、傷つけるようなことはしたくない」と述べた。そして会見場所をアメリカ大使館に指定した。

リチャード・フィンは『マッカーサーと吉田茂』の中で、「この吉田との会見でマッカーサーは『民主主義の力と良き指導者が必要だ』と力説してやまなかった」と書いている。「民主主義の力」とは「キリスト教の力」と同意味の言葉である。また「良き政治家」とは「民主主義とキリスト教を普及せしむる政治家」を意味する。吉田はマッカーサーより二年早い一八八七年（明治二十年）生まれ。その老獪《ろうかい》な眼識でマッカーサーを操る手法を見抜いたものと思われる。彼は熱烈なるカトリック信者である。自らの時代が到来したことを知ったはずである。

吉田はマッカーサーとの会見の模様を天皇に報告し、何をマッカーサーとの会見で話すべきかを天皇と検討したと思える。

「東条が私を裏切った」という天皇の発言は、吉田の「東条に戦争責任をすべて被せよう」という主張とダブって見える。吉田は敗戦直後から東条主犯論を、親しい政治家や外交官、皇族たちに説いていた。

私はここで一つの推論をしようと思う。それは、マッカーサーが熱心に説くキリスト教を天皇に伝えて、「キリスト教に改宗する用意がある」と天皇に発言するよう、吉田が天皇に忠告したのではないかということである。

いずれにしても、敗戦後のシナリオを書いたのはカトリック教徒の吉田茂外相であった。彼は日本を擬アメリカにすべく行動を開始したのである。

九月十七日、連合国最高司令部は日比谷の第一生命ビルに移った。皇居のすぐそばである。この同じ日に、皇族の東久邇宮首相は外相を重光葵から吉田茂に替える。占領軍とも他の閣僚とも折り合いが悪いというのが理由とされる。これに対する重光の反対理由はすでに書いた。重光は、天皇のマッカーサー訪問は日本の〝恥〟と見たからであった。

後の章で書くことになるが、東久邇宮首相はキリスト教徒の賀川豊彦《かがわとよひこ》を内閣参与にして、「一億総懺悔《ざんげ》運動」を日本中に広めようとする。

この時期（八月十五日から九月下旬）に、東久邇宮は天皇と連日のように会っている。天皇の弟宮の秩父宮は静養先の御殿場から八月二十四日に赤坂の表町御殿に戻った。秩父宮は弟の高松宮や三笠宮、そして母の貞明皇太后にしばしば会っている。

九月十五日、秩父宮は天皇と会う。午後三時四十五分から午後五時半まで、一時間四十五分に及ぶ会見である。この会見の二日後に吉田茂が突如、外相に任命される。

吉田茂は、この九月十七日夜遅く、古びた茶色の靴を、他人から借用した正式な黒靴に履き替えて、天皇の認証を受けるべく皇居に向かったのである。この日から、外に向かっては賀川豊彦が、「天皇はすでに皇太子としてロンドン訪問のときにＹＭＣＡに入っている」という情報を流すようになる。また、内に向かっては吉田茂が、マッカーサーと天皇の会見の準備工作に入るのである。

終戦後に「天皇がＹＭＣＡに入っている」というニュースが世界中に流れたのに、天皇も宮廷も内閣も全く否定しなかったのである。すでに、天皇は、マッカーサーと会見する前から、キリスト教徒であらせられていたのかも知れないではないか。
フランク・ギブニーは『太平洋の世紀』の中で、ある日本人が若かりし日を回想して語った言葉を紹介している。

マッカーサーは自然の力のようだった。流れる川、あるいは吹く風、というか、彼を敵ととらえる日本人はほとんどいなかった。新しい天皇がやってきたようだったよ。

袖井林二郎は『占領した者とされた者』の中で、占領とは何かを追及した。

占領の目的は、軍隊という暴力装置を通じて戦勝国が、その意志を敗戦国に強制することである。だから、そこで最大の比重を持つのは、占領を行っている国の国家利益であり、敗戦国の国家利益でないことは言うまでもない。

一九四五年九月二十七日の意味を問うべし

敗戦から一年後の一九四六年（昭和二十一年）八月十日の毎日新聞に、降伏時の首相であった鈴木貫太郎の「日本の降伏について」が載った。この文章を吉田茂はマッカーサーに送っている。鈴木はこのように書いている。

武士道は日本の独占物ではない。世界の普遍的な道義である。いったん軍門に降った以上は、これを味方として保護することは正しい武人の行動である。私はマッカーサー将軍の個性を知らなかったが、私も武人の一人として、この心理を固く信じていた。（略）陛下は人も知るように決して人を疑うというお気持がない。敵を信頼し、全てを開放せよとさえ仰せられたほどである。

マッカーサーは吉田の行為と鈴木の手記に感動したのであろう。このときの吉田書簡と鈴木の手記を『回想記』に載せている。

鈴木が武士道を、「世界の普遍的道義」と言ったことに注目したい。キリスト教徒が「世界の普遍的道義」という場合は、間違いなくキリスト教そのものをさす。したがって、鈴木が天皇から聞いたという「敵を信頼し、全てを開放せよとさえ仰せられたほどである」とは、「日本の神道、武士道などを捨てて、キリスト教に帰依すべしであるとさえ仰せられた」と解釈することができよう。敗戦直後から天皇は、キリスト教に改宗する意向を持っていたことがこの文章からも読みとれよう。天皇教護持こそが大事であり、その他のことはすべて第二次的であった、と思えてならないのである。

だからこそ、私は、この天皇とマッカーサーの会見を「神学的会見」とみるのである。マッカーサーにとって、天皇の戦争責任論は大きな問題ではなかった。それはマッカーサーの意向を超えたワシントンですべて決定されたことであった。マッカーサーは天皇を利用して日本を支配し、この国をキリスト教国化することに夢を懸けていくのである。情報不足の天皇は、マッカーサーに「すべてを開放する」ことにより、身の保全、「天皇教護持」を狙ったのではなかったか。

福沢諭吉の『脱亜論』にあるように、日本人は外交を、無条件の尊敬か、無理押しの二つで進めてきた。したがって戦後の外交は、無条件の尊敬をもって進められた。天皇は皇室外交をかくなる方法で続けたのである。ああ、なんと殺風景な外交であることか……。

二〇〇二年（平成十四年）十月十七日、外務省は、昭和天皇とマッカーサーの第一回会談の記録を公開した。この記録には天皇の戦争責任に対する言及はない。勿論、キリスト教に関する記録もない。その内容は作家の児島襄が一九七五年に明かしたものとほぼ同じ。

この記録公開と同じ二〇〇二年、松尾尊兊が『戦後日本への出発』の中で、天皇とマッカーサーの第一回会談について詳説している。しかし、キリスト教に関する一行の記事もない。すべての現代史家はただ一つ、天皇の戦争責任の発言があったかどうかに関心を示すだけである。史的視野は限りなく狭く、複眼的発想が欠けていると私は思う。

猪瀬直樹が『ミカドの肖像』の中で、ムーアの『天皇がバイブルを読んだ日』の一部を引用している。「天皇家がキリスト教を受け入れ、日本人を教会へ導くという奇想天外な考え方をマッカーサーに伝えることに成功した……」という数行を引用している。だが猪瀬は、何らの批評もしない。彼の本から伝わってくる印象は、「奇想天外な考え方」については寸評の価値もないということであろう。

ボナ・フェラーズというマッカーサーの軍事秘書に日本人のクエーカー教徒がまとわりつき、平和天皇をさかんにアピールした。このクエーカー人脈が天皇を戦犯から救った、という趣旨の本がかなり出ている。だが私は、あえてこのデータを無視した。後の第六章のなかで「天皇はいかにして戦犯免責を受けたか」を書いただけだ。

フェラーズもクエーカー人脈も、戦犯問題とは無関係であった。ワシントン（ホワイトハウス）内部で、「天皇は戦犯にせず、殺さず、ただ利用すべし」と決定していたのである。

どうしてなのだろう？　日本の現代史家は、フォレスタルの日記や、ウィリアム・ウッダードの『天皇と神道』や、ホイットニーの本や、ビリー・グラハムの発言などの、天皇とキリスト教とが結びつくデータはすべて無視して、天皇の戦争責任の話があったかどうかだけに的を絞る。

まさに、現代史家（宗教学者も含めて）たちは、江藤淳の言う「閉された言語空間」の中に自ら閉じこもっていると言わざるをえない。それゆえ、現在も占領軍にやられっぱなしとなっている。「閉された言語空間」から、読者よ、進んでいでよ。そうすれば「別府事件」の意味が理解できるようになるだろう。キリスト教とは何か、アメリカとは何かを、自己の心に問うがよい。

重光葵前外相は天皇のマッカーサー訪問が日本政府側の申し入れであったことを知って激怒した。そして自身のノートに「日本流の媚態であり浅はかな企図であり、皇室の威厳と国家の権威を自ら放棄したに等しい」と記した。

「日本の将来は魂なくして建設し得るのか。気魄《きはく》を失っては第二の比島〔フィリピン〕人になるだけであろう」

重光は、天皇とマッカーサーの会談の内容は知る由もない。しかし、鋭い時代感覚を持つ頭脳は、この会談の内容を正確に把握するのである。「第二の比島人」とは、マッカーサーの父アーサー・マッカーサーによって自国の精神たる母国語と宗教を失った人々である。重光は、日本がキリスト教国になるのではと悲しんだのだと私は思う。

何事が起ころうとも、天皇は皇居の中にいて、マッカーサーの総司令部と堂々と対峙すべきであるというのが重光の考えであった。

天皇と東久邇首相は重光に替えて、「マ元帥と話の出来る外相」を選んだ。マッカーサーよりも二歳年上の老人、吉田茂をである。このカトリック教徒の老外相は早速、ニューヨーク・タイムズの記者のクラックホーンと天皇の会見を演出し、そして、マッカーサーに天皇の会見を申し込んだ。

一九四五年十月、天皇との第一回会談から一週間が過ぎていた。マッカーサーは俗に「人権指令」といわれる指令を出した。「基本的人権に関する宣言」である。政治、民事、宗教に関する制限を撤廃し、政治犯を釈放し、特別高等警察（特高）を解散した。最も重要なことは、天皇と政治に対する言論の自由を保障したことである。もし、日本が戦争に敗けてなかったら、言論の自由は永遠に訪れることはなかったであろう。天皇は特高を使い、すべての人権を圧殺する自由をもっていた。かくて、治安維持法は消えていった。

この指令により、四百三十九名の政治犯が釈放された。そして、特高の職員四百八十名が全員解雇され、内務大臣の山崎巌も解任された。あの九月二十七日のマッカーサーと天皇の〝見合い写真〟の新聞掲載を、山崎巌は禁止しようとしたからである。占領軍は多くの日本人から歓迎される。天皇と臣下の者たちが日本人に課していた束縛を断ち切ったのは、マッカーサーの占領軍であったからだ。

天皇は〝裸〟の現人神となる。かくて、天皇はキリスト教への信仰を深くし、マッカーサーに助けを求めるのである。


マッカーサーと天皇との第一回の会見の模様を語る様子は年を経るにつれて変化する。

二十年の月日が流れる。一九六一年（昭和三十六年）、天皇はマッカーサーに旭日桐花大綬章を授与した。この綬章は、外国人に与えられる最高の栄誉である。一九六四年、マッカーサーは『マッカーサー回想記』を出版した。この年四月五日、マッカーサーはこの世を去った。

マッカーサーは天皇の授けた最高の栄誉に応えるべく、一九四五年九月二十七日の会談を『回想記』の中で最高に美化して見せたのである。

真実はかくて隠蔽されたのに、天皇教徒たちは今日でも、『マッカーサー回想記』にのみすがっている。ジャーナリストでカトリック教徒の徳岡孝夫は『大いなる父の死』(文藝春秋編『大いなる昭和』所収)の中で次のように書いて真実に眼をつぶった。

天皇陛下が戦争犯罪人？　当ッたり前だ。記憶力を使え、御本人がそう言っておられる。マッカーサーの前で「全責任を負う者として」と切り出されたのは、戦争責任を認める宣言ではなかったか。四十年以上も経ってから、何をオタオタ騒ぐのか。

物知らぬ者が物知る人を馬鹿にし、嘲笑しているが如し、ではないか。

読者よ、記憶力を使って、天皇の一九四五年九月二十七日の一日を思い出されよ。オタオタとせず、天皇教徒たちに挑戦されよ。

昭和天皇に対する評価は大きく分けて二つある。一つは、アメリカ人が天皇に会見したときの印象である。彼らのほとんどは「非常な小男で、体をこきざみに震わせ、神経質に唇を動かして物を言う男」と感じ、天皇との会見記の中でそのように書いている。

もう一つは、天皇教の信者の日本人の天皇に対する感動的な発言である。それは一言で表現すれば、「天皇は無私のお方」というわけである。彼らの天皇観を理解するのに役立つ本がある。菅野覚明は『神道の逆襲』の中で次のように書いている。

神をあるがままに受け入れる正直なありようは、いいかえれば、その場面において神だけを相手にし、すべての振舞いが純粋に神とのやり取りだけになっているありようでもある。そのように振舞っている人は脇から見れば、神を祭る人だけの、他を排除して閉じられた親密な行為関係として、いわば日常の風景から浮き上がった異質な空間にいるように見える。

簡単に表現するならば、天皇教の人々は神なる存在（天皇）の手のひらの上にのって遊ばされているということである。天皇を無私の人と思う人に、つける薬はない。

それでも、もう少し天皇教徒のことを考えてみる。現代の政治学者や歴史学者のほとんどが、戦後期の学者たちと違い、天皇を追及しようという気概がなくなったのには理由がある。一つは江藤淳が指摘した「閉された言語空間」の中にいるためである。それは自由な思想を拒絶する大学の中で育ち、そこを生活の場としているからである。また、批評家、執筆家としての生活をしようにも、「閉された言論空間」がどこにもあるからである。

その世界での悲しみの情が〝もののあわれ〟を誘う。彼らは天皇についての情報を見ようとする心さえ閉ざし、時の栄光の権威が認めたマッカーサーの『回想記』のみを信じる心だけを持つにいたったのであろう。

天皇との出会いを持った人々は、すべてといっていいほどに天皇教の信者となった。歴史を闇の中に封印すべきではない。時の栄えの権威がいかに逆襲してこようとも、である。

日本は今日においても、政《まつりごと》の世界の中にいる。天皇の支配という政《まつりごと》の様式の中で、それ相応に服従することが正しいというわけである。

雑誌『世界』一九九九年九月号に掲載された「ホイットニー文書」は、この雑誌に寄稿したジョン・W・ダワーの「天皇制民主主義」の附記の中にあった。ダワーはその寄稿文の中で、「両政府は、当面の政治的ならびに思想的目的に役に立てようと、イメージ操作し、資料を破棄、秘匿してきた。その結果、日本の選ばれた象徴の独自性は非常に曖昧なままとなった」と書いている。したがって、天皇とマッカーサーの第一回会談も謎のままである。

私はたくさんの史料を引用した。その史料を解釈してきた。歴史の真実は、多くの史料を自由に動かすなかから見えてくるはずである。マッカーサーは『回想記』の中でだけ、天皇との第一回会談についてを語っていない。

私たちは、歴史家（現代史家を含む）たちの言葉をそのままに信じてはいけない。彼らの知性の欠落を見極めなければならない。そう、自らが歴史哲学の知性を磨いて、現代史の一コマを見るべきなのである。そうしなければ、目に見えぬ演出者の政治的意思のままに心を操られるのである。

同じ敗戦国でも、ドイツへの占領政策は穏便であった。ドイツの政治体制は崩壊したけれども、戦前の教育システムや社会制度の多くがそのままに温存された。

マッカーサーはトルーマン大統領に朝鮮戦争の戦略をめぐって解任された後、アメリカの上院軍事委員会と外交関係委員会との合同公聴会に出席し、演説をした。

もし、アングロ・サクソンが、科学、芸術、神学、文化などの分野において四十五歳だとすると、ドイツ人は我々同様十分成熟している。しかし、日本人は歴史の長さにも拘らず、まだまだ勉強中の状態だ。近代文明の尺度で測ると、我々が四十五歳であるのに対し、日本人は十二歳の子供のようなものだ。勉強中は誰でもそうだが、彼らは新しい手本、新しい理念を身につけ易い。日本人には基本的な思想を植えつけることが出来る。事実、日本人は生まれたばかりのようなもので、新しい考え方に順応性を示すし、また、我々がどうにでも好きなように教育できるのだ。

マッカーサーのこの発言は屈辱的である。マッカーサーは彼が相手とした天皇や政治家たちに、気骨のある人間を発見できなかったからであろう。天皇、政治家、宗教家たちは、天皇制護持のためのみに汲々としていただけではなかったか。「敗けっぷり」のよさのみをマッカーサーに示し続けた結果であろう。この発言を見ても、マッカーサーは天皇を尊敬していないことが分かる。吉田茂は『回想十年』の中で次のように書いている。

元帥の演説の詳細を読んでみると「自由主義や民主主義政治というような点では、日本人はまだ若いけれど」という意味であって「古い独自の文化と優秀な素質とを持っているから、西洋風の文物制度の上でも日本の将来の発展は頗《すこぶ》る有望である」ということを強調しており、依然として日本人に対する高い評価と期待を変えていないのがその真意である。

日本の首相であった吉田茂のこの文章は全く意味不明である。詭弁としかいいようがない。マッカーサーは、天皇も吉田茂も自分の好きなように教育してきたと喋っているのである。待てよ、天皇と吉田茂は日本人ではないのであろうか。

半世紀を過ぎた今日でも、マッカーサーの『回想記』の中の天皇に対するマッカーサーの評価、「骨のズイまで感動した」を疑いもせずにいる。マッカーサーいわく、「我々はどうにでも好きなように教育できるのだ」

その通り。アメリカの政治家たちは、二十一世紀の今日でも、マッカーサーの演説が正しいと信じている。

「ジャップの野郎をおとなしくさせようぜ」

マッカーサーの亡霊がアメリカや日本中をさまよっているのに、日本人は気づこうともしない。

私は一方的に書いているのかもしれない。

マッカーサーは絶対的権威を維持しつつ、無謬性《むびゆうせい》を誇示しつつ、占領政策を遂行した。そのマッカーサーの最大の夢が日本のキリスト教国化であった。その夢が破れた。その無念さが、マッカーサーの「日本人十二歳説」になったと私は思う。このマッカーサーの言葉の中には無常感がない。栄華必衰の理《ことわり》がない。日本人を徹底的に馬鹿にしきっている。彼は職務を解かれた瞬間であるのに、自らの人生を肯定的にみている。まさに、神の如き人として、全アメリカの上・下両院の議員の前に立ち、日本での業績を語ってみせた。

マッカーサーは大覚醒運動を日本で試みた。精神的に霊的に高揚した日本人が、万物の創造主であるゴッドを唯一者として受け入れると確信していた。彼は信仰の自由を日本人に認めた。しかし、ゴッドは多神教の神々を決して認めない。マッカーサーが多神教の神々を旧約聖書に記してあるごとくに、殺害しようとしたのは当然であった。マッカーサーは殺害しそこなったのである。本書は、マッカーサーが多神教の神々をどうして殺害しそこなったかを追究する本となる。

『回想十年』の中で吉田茂は、天皇とマッカーサーの会見について書いている。

日本進駐後最初の陛下との会見において、如何なるお話がありしかは知るよしもないが、元帥は陛下の御人柄には深く打たれるものの如く、元帥の対日観における平素の所信を一層確固たらしめたと思われる。元帥は私に対しても陛下の仁徳を称え、「斯かる純真無垢にして私心なき方に出会したることなし」とまで、口を極めて賞賛したこと一再ならずあったのである。

思うに元帥は我が天皇陛下と会談を重ねる毎に、陛下に対する敬愛の念を増したるものの如く、しかもこのことは自然に対日占領政策に影響せるところ少なからざりしを私は信ずるものである。

この吉田茂の文章に、私は、一字の批評も書かない。読者の判断にまかせることにしたい。雑誌『東洋経済新報』の一九四五年九月二十九日号は、連合国最高司令官官房により既配本分の一切を押収された。論説「進駐米軍の暴行、世界の平和建設を妨げん」が、総司令部の意にそむいたからである。その論文の終わりに近い部分を抜粋する。

米国はただに我が国の有形的武装解除を行ふのみならず、又、精神的武装解除を行ふべしと称している。彼らは日本に平和思想を植え付ける使命を果たそうと云ふのである。併しそれには米軍及至米国自体が其の使命に応はしき行為者たることが肝要だ。さもなくば何らして彼らは他国民の精神にまで立ち入り得ようか。

この文章は、マッカーサーの精神大革命論に対する真正面からの反論である。しかも、マッカーサーと天皇の第一回会談の二日後である。この文章の筆者は間違いなく、当時の東洋経済新報社社長・主幹であった石橋湛山《いしばしかんざん》である。

石橋湛山は後に吉田内閣の蔵相になるが、公職追放処分となる。GHQが彼を恐れたからである。マッカーサーの「日本人十二歳説」の中には彼は入っていない。石橋湛山は、マッカーサーが日本をキリスト教国にしようとする計画を知り、この計画に警鐘を鳴らしたのである。だが日本は、石橋の懸念どおりになっていく。「精神的武装解除」は見事に成功した。日本はキリスト教を国教とすることにはならなかった。しかし、その精神は粉砕された。

石橋湛山は占領終了後の一時期、首相になったが、病気に倒れたために短命内閣の首相で終わった。

ここまで、マッカーサーと天皇との神学的会見について多角的に検討してきた。この会見については別の面から見る必要もある。江藤淳の『閉された言語空間』は前に紹介した。この本の中に、マッカーサーと天皇の記念写真（私は「見合い写真」と書いた）とクラッホーンのインタビュー記事を、東久邇宮内閣の意を無視して国民の前に触れさせたことに関しての批評が出ているので紹介したい（傍点は江藤淳本人）。

　これによって新聞とその発行者および新聞社員は、「いかなる政策ないしは意見を表明しようとも」決して日本政府から処罰されることがないという特権的地位をあたえられたからである。（略）その代わりに、新聞は、連合国最高司令官という外国権力の代表者の完全な管理下に置かれ、その「政策ないし意見」、要するに彼の代表する価値の代弁者に変質させられた。検閲が、新聞以下の言論機関を対象とする忠誠審査のシステムであることはいうまでもない。かのごときものが、あたえられたという「言論の自由」なるものの実態であった。それは正確に、日本の新聞の言論機関に対する転向の強制にほかならなかった。このとき以後、日本の新聞は、進んで連合国の「政策ないし意見」を鼓吹する以外に、存続と商業的発展の道を見出し得なくなった。

日本人は今日においても、かのときの「言論の自由」の枠の中で生活している。
江藤淳は「昭和二十年九月二十七日午前十時三十分を境にして、日本の言論機関、なかんずく新聞は、世界に類例を見ない一種国籍不明の媒体に変質されたのである」と書いている。
私も江藤淳に倣い、次のように書く。

「昭和二十年九月二十七日午前十時三十分を境にして、日本国はアメリカに精神的に敗北した。日本国の精神的伝統は破壊され、アメリカの精神を植え付けられたのである」

日本人は一人一人、九月二十七日の意味を正直に心に問うべきである。そうして、天皇教について、心の思いを口に出すがよい。

アメリカの検閲に関する江藤淳の批判は厳しい。しかし戦前の天皇の治政下におけるような、新聞雑誌の発行禁止、発売禁止などの処置はなかった。執筆者、編集者、発行者に対する処罰規定もなかった。統合参謀本部指令でも「軍事的治安の維持とこの指令の定める必要な最小限の範囲で郵便……の民間のコミュニケーション統制と検閲を確立する」となっていて、必要最小限の統制と検閲であったと思う。戦前の日本では、天皇の治政に逆らう者は獄中に入ったのである。

江藤淳は純粋な天皇教徒である。天皇を崇めるために真実から眼を遠ざけている。「日本の言論機関、なかんずく新聞は……」と江藤は書く。しかし、戦前も戦後も、新聞は言論報道の統制に適応しようとしているだけではないか。新聞に天皇批判論は全く登場しない。ただただ、天皇は「無私な人」という思想を国民に伝えようとするだけである。

言論の自由を楯にとり、占領期、検閲に挑んだ新聞はなかった。それゆえ、新聞は平和天皇の姿を伝え続けた。二十一世紀の現在においても、一度たりと、平和天皇の姿は偽りであると書いた新聞があったか。与えられた自由を自由と思うほど悲しいことはない。

「天皇が無私な人である」という天皇教の信徒に反駁《はんばく》しておきたい。アメリカの神道学者のD・C・ホルトムは『日本と天皇と神道』の中で「無私」に触れている。

国民の情緒的な生活において天皇と結びつけるために利用されてきた神聖という絆は慈愛の観念と密接に結びついている。国民生活において主として強調された方面は、天皇が公平無私で犠牲的な徳さえ具《そな》えているということである。これは政府の思想統制の主要な手段の一つであった。

ホルトムは戦前の日本の天皇について書いている。現在においても、政府の思想統制が続いているといわねばならない。天皇教徒たちは、「無私なる天皇」を楯にして、一般の人々と天皇を区別する。貴種信仰が日本の闇をより深くしているのである。

ホルトムは「天皇と国民を結びつけるものは相互的な信頼とか愛情などといったものからは、およそ遠い。財閥と何ら異なるところのない通例の資本主義的搾取の機能であった」と書いている。ホルトムの思想をマッカーサーの総司令部は採用して、天皇工作の〝バイブル〟としたのである。

天皇の秘密工作

東京裁判の資料を集めていた国際検察局（ＩＰＳ）の極秘の情報提供者の一人に寺崎英成がいた。寺崎はＩＰＳのモーガン捜査課長の求めに応じ、陸海軍人や、「枢軸派」といわれる外交官たちの内部資料を極秘裡に提供していた元外交官であった。

柳田邦男の『マリコ』に、マリコの父であった寺崎英成が描かれているが、この点は伏せられている。寺崎の死後、彼の遺した記録が発見され、『昭和天皇独白録』（一九九五年）として発表された。一九九七年六月にはＮＨＫスペシャル『昭和天皇二つの「独白録」』が放映された。その翌年、東野真《ひがしのまこと》による同名の本も出版された。しかし、寺崎がＩＰＳの極秘情報提供者であった事実は巧妙に隠蔽されている。

一九四六年一月二十四日、寺崎は吉田茂外相により天皇の御用掛に推薦された。幣原首相も異存なく、天皇もこれを認めた。寺崎の二月二日の「日記」を見ることにしよう。

いろんな人間に会ふ。モーガンと近藤と会ふ。色々話す。サケット大佐、マーチン少佐、ネーソン、モーガンよし。

この中の「モーガンよし」に注目してほしい。モーガンとの間に秘密の約束ができたことを示している。

この日、寺崎はもう一人の重要人物であるマッカーサーの軍事顧問の一人、ボナ・フェラーズに会う。シカゴ・サン紙の記者マーク・ゲインは、フェラーズを「政治分析家、ないしは政治哲学者」と評している。フェラーズはマッカーサー好みの理想家であったが、たんなる副官の一人であり、日本の占領政策にほとんど関わっていない、と私は思っている。しかし、どういうわけか、日本の占領史研究家たちは「フェラーズ文書」(寺崎の家から出た天皇独白録と同じようなものがフェラーズの家からも出た)について延々と書き、疑う気さえ持たない。フェラーズが自らマッカーサーに渡したメモが、マッカーサーを動かし、天皇が戦争責任からまぬがれたのだとする。一九四六年一月にマッカーサーが陸軍参謀長アイゼンハワーに極秘電報を送ったが、フェラーズのメモを元にマッカーサーが書いたのだとする。そしてメモの内容と極秘電報を併記し、これで天皇の戦争責任は一件落着とする。この点は後章で詳述することにしよう。

天皇の戦犯免除は、マッカーサーや陸軍参謀長アイゼンハワーの力をはるかに超えた「高レベル」の政策決定者たちのなせるもので、フェラーズがごとき一副官とはなんら関係がなかった。しかし、天皇も、天皇の御用掛の寺崎も、敗北当時はそのことは何も知らなかった。だから、天皇も宮中の人々も、さまざまな工作をGHQの高官たちに仕掛けるのである。

さて、モーガンが二月十八日付で作成した「寺崎英成の陳述」は一週間後の二十五日、首席検事ジョセフ・キーナンに出されたレポートとなる。この点から見ても、東京裁判がいかに八百長臭いものであったかが分かる。粟屋憲太郎の『未決の戦争責任』を見る。

一九四六年の四月十三日に来日したソ連の検察陣も四月十七日の参与検事会議で五人の新たな被告を追加するよう提案したが、その中に天皇は含まれていなかった。事実、同席したニュージーランドのウイリアム検事は「ソ連では新聞などが、天皇訴追を要求しているにもかかわらず、ソ連検事がこの席で天皇追訴のための何の行動も起こさなかったことに他のメンバーも驚いた」と記している。

天皇の戦争責任が回避される過程は後章でくわしく追究することにして、まずはモーガンと寺崎の関係に戻ろう。

「いかなる人物も捜査課長〔モーガン〕の承認なしに寺崎と接触してはならない」（IPS文書）

天皇とモーガンのみが、承認なしに、神の従僕にして、国民と国家を裏切ることが赦された寺崎に無条件で接触できると、IPSの文書は語っているようではないか。寺崎はこうして犯してはならぬ神の領域に一歩足を踏み入れたのであった。かくて、寺崎御用掛は、天皇および天皇一族から用意された日本の戦争責任を具体的に示す事件とその首謀者の名前を、モーガンに渡すのであった。また、寺崎御用掛は、モーガンから渡されたIPSの秘密書類を宮中深くに持ち込むのであった。

同様にして、寺崎御用掛はこれもまた秘密裡に、マッカーサーに知られることなく、マッカーサーの副官のボナ・フェラーズと接触する。マッカーサー関係の重要書類がフェラーズから寺崎御用掛の手に渡される。フェラーズがクエーカー教徒であることを知ると、自らもクエーカー教徒にならんとする寺崎御用掛は天皇にお伺いを立てた。天皇は大いに嘉《よ》みし給い、「あ、そう」の一言を発する。かくて寺崎御用掛は自らクエーカー教徒（以下、クエーカーと記す）となり、多くのクエーカー人脈を総動員し、それぞれがルートを使い、ＧＨＱ高官にアタックするようになった。彼らの決まり文句はただ一つ。

「天皇は昔も今も平和主義者でございました。軍人どもが、天皇の意に反して戦争を仕掛けたのでございます」

このクエーカーが次に説明するときに、いつも犠牲になるのが東条英機元首相であった。彼らは二の言をつげるのであった。

「日本の開戦は東条に欺されたからです。終戦は天皇の御聖断でございました」

クエーカーとは何であろうか。敗戦直後の文部大臣前田多門《まえだたもん》（クエーカー）の娘で、美智子皇后と深い関係にあった神田美恵子《かんだみえこ》（彼女もクエーカー）は、クエーカーについて次のように解説している。

キリスト教の極左派の一派で、礼拝するとき、霊感を感じるあまり、ふるえることから、クエーカー（ふるえる人の意）という別名がついた。（略）沈黙を主体とし、何か霊感を感じた人は立って、なるべく短くそれを話す。その内容については討論する者はいない。これがクエーカーの沈黙礼拝であり、（略）徹底した平和主義で、戦時には良心的兵役拒否もした。

天皇の御用掛・寺崎英成

かくて、平和主義者クエーカーが天皇を平和主義者と認めたので、まず、なにはともあれ天皇は平和主義者になっていく。そして、クエーカーたちはマッカーサーの意を十分に理解し、天皇もキリスト教信者にしようと工作を開始する。したがって、天皇がクエーカーのヴァイニング夫人を皇太子（今上天皇）の家庭教師に迎え、皇太子を一時的なクエーカーに仕上げたのは理に適っている。偶然ではない。

天皇は東京裁判工作に大本営の存在を極力隠し、陸軍、海軍の工作を中心にモーガン検事に軍人名を密告し続ける一方で、「天皇の密書」の作成に入った。その「文書」はマッカーサーの側近中の側近（フェラーズとは全く格がちがう）のコートニー・ホイットニー（民政局長）の私物の中にあり、彼からマッカーサー記念館に寄贈された文書（一九七八年に寄贈された）の一部である。

一九四六年三月から六月の間（天皇が側近たちに『独白録』を書きとめさせた時期）、寺崎はこの『独白録』を自宅に移し、英訳の一部をフェラーズに渡した。その間の一時期に、日本にいた国務省員（誰であるかは特定できないが、ジョージ・アチソンの可能性あり）が、宮廷とGHQの仲介者（たぶん寺崎に間違いなかろう）から、天皇の言葉を直接に聞くか、文書で貰うかして、ホイットニーに提出したものである。ホイットニーからマッカーサーは見せられ、読んでいるにちがいない。これは天皇のマッカーサー宛て「天皇の密書」である。この文書の一部は、秦郁彦の『昭和天皇五つの決断』にも登場する。

『世界』（一九九九年一月号）に掲載されたジョン・ダワーの「文書」から引用する。

> 天皇は、日本人の心にはいまだに封建制の残滓がたくさん残っており、それを根こそぎするには、長い時間がかかるだろうと感じている。天皇は、日本人が全体として自らの民主化に必要な教育に欠けており、また、真の宗教心にも欠けており、そのための一方の極端からもう一方の極端へと揺れやすいという、封建的特徴のひとつは、すすんで従おうとする日本人の性格であり、日本人はアメリカ人のように自分で考える訓練を受けてないという。
>
> （「ホイットニー文書」）

一六一三年（慶長十八年）、徳川家康の江戸幕府は「伴天連《ばてれん》追放令」によってキリシタンを完全に排除した。その理由の一つに採用したのが、日本が神国であり、その序列の頂点に天皇あり、である。三代家光の時代から仏教化政策がとられ、綱吉の代には、寺社奉行の強化をはかり、反仏派を弾圧した。仏教を信じない連中は、「橋のない川」の除地《よせち》（部落）に強制的に入れられた。そして明治時代、神祇省を明治政府はつくり、逆に仏教を弾圧した。それから国家神道をつくり、この宗教を信じないものを治安維持法、不敬罪で拘置所に入れた。昭和天皇は自ら神を宣言し、この神の存在を認めない草は棄民とされたり、牢獄に入った。

その天皇の、戦後の民草に対する御言葉である。天皇が戦後においても民草を雑草のように思っていたことが、この文書から分かる。

「一方の極からもう一方の極へと揺れやすい」とは天皇の常套語である。天皇の思想回路は、ほぼ、この一点のみといえる。天皇は両極の中心の静点にいるから、日本国の至上であると認識している。天皇の側にいて、天皇のこの言葉を聞かなかった者はおそらくいまい。

天皇は自ら、マッカーサーに宣言しているにひとしい。「日本人はアメリカ人のように自分で考える訓練を受けていない」。天皇は、うまく時代の波の上を泳ぐ技にはたけていた。自分の財産の増大のために日夜努力はした。しかし、国民のために何をなすべきかの技を磨くのに努力した形跡が全く見えない。

「封建的特徴のひとつは、すすんで従おうとする日本人の性格であり」の言葉をマッカーサーは、天皇の行動に見ていたのである。

かくて天皇は辱《はずかし》められた民族の代表として、マッカーサーの前で命乞いするだけの、跪拝するだけの悲しき存在となった。次の文章を読んでほしい。日本の悲劇が描かれている。これほど悲しい文章があろうか。

天皇は神道を宗教とは考えていない。彼は、それは儀式に過ぎず、合衆国では過大評価されてきたと考えている。しかし、たいていの神道信者は超保守的で、彼らおよび神道と超国家主義を同一視していた復員兵ならびにその他の者は、しっかりと結びつく傾向をもっているので、依然として危険な面がある。政府は、信教の自由に関する命令の下にそれを厳守する立場にあり、いまは彼らを取り締まる手段を持っていないだけに、こうした状況は危険なのだ。神道を奉じる分子とその同調者は反米的なので警戒を要すると、天皇は考えている。

（「ホイットニー文書」）

ジョン・W・ダワーは『天皇制民主主義の派生』（『世界』一九九一年一月号）の中で、この「天皇の密書」（「ホイットニー文書」）を紹介して次のように書いている。

自己省察を全く欠いた人間の見解なのだろうか。なぜ天皇はこのような強い意見を決して日本の軍国主義者や理論家に向かって伝えなかったのか。

ダワーは戦争期の天皇を知らなすぎる。右翼の理論家は宮中にできた大学寮の中から育ったのであり、天皇の擁護者であり続けた。彼らの誰一人として、反天皇的理論を展開した者はいない。軍国主義者のすべても親天皇であった。あの二・二六事件の叛乱兵たちは、あまりにも天皇の思想に近かったのである。

「自己省察を欠いた人間の見解」というダワーの論に、残念ながら私は同調する。ではどうして天皇は「自己省察を欠いた人間」になってしまったのか。天皇は自ら進んで〝神〟になろうとし、ある時代に、そのような神になったからである。神は自己省察をするであろうか。民草の上に全能の存在としていますゆえにこそ、神なのである。自己省察の必要性が全くないのである。

後章の「歴史線上の野坂参三」の項で詳述するけれども、天皇がこの密書をマッカーサーの元へ送ったころ、治安維持法の廃止がなされていた。「不敬罪」の廃止は少し先になる。

天皇が「民衆の天皇」と姿を変え、クエーカーや他のクリスチャンの希望を一身に浴びて、行幸を始めようとするころに、この「文書」が出た。この文書は、マッカーサーの日本キリスト教国化の推進を援助するために書かれたものに相違ない。「神道信者は超保守的で……」と書く天皇は、神道を破壊すれば、必然的にキリスト教が広まる、とマッカーサーに語っているように思える。そのためにもう一度、治安維持法を復活してほしいという天皇の希望がみえるのである。

かつての国家神道の祭司王はいまや、その宗教の長たる地位を捨て、ひたすらマッカーサーに命乞いをしている。天皇の命令の「赤紙」一枚で、海外の戦地に多くの民草が駆り出された。その多くは戦死した。辛うじて故郷の地を踏んだ兵士を、「危険な存在である」と天皇は言う。

どうして危険なのか？　答えは明白である。天皇は戦犯になるのではと恐れていた。身の潔白を証明するために、寺崎御用掛を使い、多数の軍人たちを罪ありと告発していた。

粟屋憲太郎は『未決の戦争責任』の中で、「日本側の最も秘密の告発ルートは二つで、その一つは天皇、もう一つは吉田茂であった」と書いている。天皇は宮中にたくさんのキリスト者をまねき、聖書の講義を受ける準備に入っていた。もし、天皇が正式にキリスト教に改宗すれば、神道信者、超国家主義者、復員兵が叛乱を起こす可能性があると天皇は語っているようにみえる。「マッカーサー、どうか私に力を与えて下さい。あの治安維持法を復活させて下さい。そうすれば、私はキリスト教に正式に改宗しましょう。そして不穏分子を治安維持法のもとで取り締まってみせましょう」と語っているようにみえるのである。

では、この「天皇の密書」を読んだマッカーサーの立場はどうであったか。

天皇が改宗の申し込みをしているので、これを認め、天皇に改宗宣言をさせ、「日本は神道を捨てた。キリスト教国となった」と発表させるのはやさしい。しかし、天皇が心配したように、神道信者、超保守主義者、復員兵……かつて天皇を支え続けた人々を裏切ることになる。また、共産主義者の反天皇制運動が燃え上がることにもなる。したがって、この「天皇の密書」を読み、好機の到来を待つことにしたのであろう。それで口答ないしは文書で、その由を天皇に知らせたのであろう。口答ならば、マッカーサーと天皇との第二回目の対談の日、一九四六年五月二十一日にちがいない。なぜなら、すでに記した通り、この年の七月十日、海軍長官ジェームス・フォレスタルがマッカーサーとの会見のときの模様を「日記」に記しているからである。

「天皇はキリスト教への改宗を求めてきた。天皇のキリスト教への改宗を許可することを幾分考えたが、その実現にはかなりの検討を要する」

天皇はマッカーサーに、「信教の自由を国民に与えないほうがよかった」と説明している。「政府は、信教の自由に関する命令の下にそれを厳守する立場にあり、いまは彼らを取り締まる手段を持っていない」に注目しなければならない。天皇は信教の自由という意味を理解できない。人間に自由がある、ということが理解できない。こんな天皇と二人だけで会談をし続けたマッカーサーはきっと疲れはてたであろう。日本国民のためになるようなことは喋らず、ひたすら自己保全のみを哀願し続ける天皇であったから。しかも、この猫背で、口をもぐもぐいう天皇は、民衆の間に入ると〝神〟のごとき存在であったのだから。

戦後、日本の神道の指導者となり、神社本庁を組織化し、「神社新報」を世に出した葦津《あしず》珍彦《うずひこ》は『近代とは何だろうか』（鶴見俊輔編）の中で、天皇への想いを語っている。

占領中にアメリカは、陛下をキリスト教に改宗させようとして、ひじょうにつよい工作をしたのです。しかし、陛下はキリスト教の勉強をよくなさったけれども改宗はされなかった。陛下の神明に対する祭祀・厳修のまじめさというのはひじょうなものです。

葦津は「改宗」という言葉を使う。彼は天皇が「改宗」の危機にあった瞬間を知っているにちがいない。しかし、天皇の「神明に対する祭祀と厳修のまじめさ」で、その改宗の危機をのり切ったと語っているのだ。葦津はたぶん、「天皇の密書」を読んではいまい。読んでいたら、天皇に対する恋闕《れんけつ》の情はどうなっていただろうか。もう一度、「ホイットニー文書」を続けよう。天皇は意気衝天の情を語る。

彼は、天皇が自分の治世に与えられた名前――昭和あるいは啓発された平和――もいまとなっては皮肉なように思えるが、自分がその名称を保持することを望み、真に「煌めく平和」の治世になるのを確実にするまでは長らえたいと何度も述べたと語った。

天皇に退位問題が、国内のみならず海外からも聞こえだした頃である。天皇ははっきりと退位を否定している。天皇は在任中、退位の意志表示が一度もなかったと私は思っている。『木戸日記』にそれらしい発言がみえるが、戯言に近い。

このホイットニー文書と同じような発言を、天皇はマッカーサーとの第三回会談（一九四六年十月十六日）でしている。これは、国立国会図書館の幣原平和文庫の中に収められていたものを長沼節夫が発見し、『朝日ジャーナル』（一九八九年三月三日号）で発表したものである。天皇の発言に注目したい。

日本人の教養未だ低く且つ宗教心の足らない現在、米国に行はれる「ストライキ」を見て、それを行へば民主主義国家になれるかと思ふ様なものもすくなからず、これに加ふるに色々な悪条件を利用して為にせんとする第三者ありせば、国家経済再建の前途はまことに憂慮に堪へぬと申さねばなりません。

マッカーサーは労働者の組合形成、ストライキ権などを認めた。それに対する天皇の反対表明である。天皇は労働者が団結して組合をつくることでさえ理解することができなかった。同じ内容の発言が「ホイットニー文書」の中にも見出される。引用する。

かなり闇雲に従うという本能によって、日本人はアメリカ的な考えを受け容れようと目下熱心に努力しているが、たとえば労働者の状況を見れば、彼らは自分本位の権利ばかりに集中し、本分と義務について考えていない。こうしたことの理由は、ある程度まで、長年にわたる日本人の思考と態度における氏族性に求められる。

文中最後の「長年にわたる日本人の思考と態度における氏族性に求められる」に注目したい。氏族性について書いてみる。『令義解《りょうのぎげ》』の中に氏族の解説がある。「氏の中の賤しきものは財産となす一般の私奴の例には入らぬ。家人や家の子とよばれる血の繋がった者のみが、その隷属する奴婢を従えて宗家の許へ転入することができる」

これはやさしく解説すれば以下のようになる。

私有奴隷は氏族にとけ込むこともある。しかし、宗旨（宗教）を異にする集団としての氏族（氏奴）は、永遠に被差別の対象となる。天皇が氏族性という言葉を使うのは、この「永遠に被差別の対象」である氏奴のこと、賤なる氏族をさしている。

明治天皇は部落民であったと私は書いた。『朝彦親王日記』の中に、「先帝〔孝明天皇〕、昼夜ともに新帝〔明治天皇〕にばかり鐘馗のような亡霊となり、御見上の由、さてさて困り候ことの由伝え承り候なり……」とある。また、明治天皇を生んだ中山慶子の父の中山忠能の『日記』には、泣きべそで病いがちな皇太子の姿が描かれている。その明治天皇が東京に入り、宮城につくやいなや、剛健な体躯の天皇として登場する。そして白馬にまたがって疾駆するのだ。

大室寅之祐の写真が現存する。この写真と明治天皇は同一の顔立ちをしている。孝明天皇と似たところは全くない。昭和天皇は、父たる大正天皇についての発言が皆無に近い。父のことを全く喋らず、明治天皇についてのみ語る、世にも珍しき人物である。その明治天皇が、部落の出身であることを知っていたにちがいない。

昭和天皇が「長年にわたる日本人の思考と態度における氏族性」と語る以上、昭和天皇と氏族性について考察してみよう。

もう一度、明治天皇の「四方の海……」の歌を別の角度から見てみよう。この歌の中の〝同胞〟という言葉である。〝はらから〟と読む。〝はらから〟とは同母兄弟姉妹の意である。これが同母がとれて兄弟姉妹となり、後に自国民をさすようになった。明治天皇は自国民の意で、この歌を詠んでいるのであろうか。

「はらは借物」という言葉がある。これは「はらからより」という意味がこめられている。宿った母親の腹は一時の借物で、生まれた子の貴賤は母よりも父によることだ。簡単に書くならば、〝はらから〟という言葉そのものが賤しい言葉として使われた時代があったのである。八切止夫の『庶民日本史辞典』から引用する。

それまで日本の最高権威だった徳川家を倒してのけた新政府は、あらひとがみにおわすと皇国神観のはしりをもって象徴化し、改めて日本全国のこれまでの神社に位階をつけ、維新の功労者を神に祀るように施政方針を変えた。つまり祟り除けに避けるものでなく、拝むものとなったのです。そして、この新政を義務教育によって普及させたので、幕末までの「宗旨違い」の総人口の半分も、一見同じみたいにされてしまったのは、足利時代に転向者に阿弥を名のらせ、坊主にさせてから、「彼らもまた同胞の内に入る」と「同朋衆」と称したのと同じような政策といえないでしょうか。

八切止夫は『野史辞典』の中で「同朋衆」について書いている。

同朋は「四海同胞」の意味である。室町時代の中期以後に区分制度が入ってきて実施されだしてからの所産。まず前体制の北条の残党を各地で押しこめ、次に創業足利尊氏の邪魔をした新田、楠木、足助、名和の一族郎党の子孫をこれまた別所、散所とよばれる区域へ閉じこめてしまい、全人口の七割近くを差別してのけた後、それでも体制側に仕えたいと欲する者には仏教転向を条件に髪を剃らせナムアミダの百万遍を義務づけ、その名をアミとした。つまり区別した者らは非人としたが、転向した者らは同胞なみに扱うというのがその命名の起りである。

八切止夫の二つの本からの引用で分かるように、被差別部落の人々が転向したときに「同胞なみに扱う」とされたのである。

「同胞は『四海同胞』の意味である」と八切は書いた。この二つの引用文を読んで、同胞の意味を考えてから、明治天皇の御歌の内容をみてみよう。以下は私の意訳である。

やっと私たちは苦しかった時代を終えて四海同胞なみに扱われるようになった。部落の世界から解放された。西郷隆盛がその最大の功労者であった。それなのに彼は死んでしまった。また、この四海に波が立つ。どうしてなのか……

この歌は賤なる氏族の解放の歌でもある。明治天皇は心の中に、大室寅之祐であった時代のことが忘れられない。それで同胞になれなかった青年時代を思い出し、やっと同胞になれた喜びと、西郷の死を悲しむ心をかさねたと私は思っている。私は「『四方の海』の歴史的考察」の中で、「はらからのむつびをなしてまじらはば　とつくに人もへたてざるらむ」の歌を紹介した。この歌も大室寅之祐の心の歌であると思っている。

八切は『日本古代史』の中で「スイスの銀行で日本御三家と呼んでいるのがある。かつては、一位が岸信介、二位が宮内庁だった。だけどいまシノガラ〔部落民、八切はとくにサンカを指している：引用者注〕が多いんです」と書いている。この三者は「長州黒手組」という秘密結社でつながっていると私は思っている。

また、八切は、「現在の共産党の不破兄弟が各大学の成績優秀なのに共産党の金を回していますと書いている。俗にいう「シノガラ資金」である。ここにも、天皇と共産党幹部たちの闇の関係が見え隠れする。だが八切は出所を明らかにしていない。さらには、大室寅之祐と戦後の数人の宰相との血縁についても仄めかすだけで断定的には記していない。私は、八切が秘密を知っていたが書けなかったと思っている。

天皇に戦争責任があると数多くの識者たちが証拠を挙げて追及してきた。しかし、天皇にはその認識がなかった。一九七五年（昭和五十年）十月三十一日の記者会見で、天皇は戦争責任について質問されて前述のようにこう答えた。

　私はそういう文学方面にあまり研究をしていないのでよくわかりませんから、そういう問題についてはお答え出来かねます。

天皇は幼いときから文学（特に和歌）を勉強してきた。歌会始めの選者を務めた岡野弘彦によると、天皇の歌は年に二百首、その歌は二万首を超えるという。天皇の戦争責任に関する答は、文章のあやを知り尽くしたうえでの発言であった。

私は「ホイットニー文書」を読み、日本に漂う闇の世界をみた。ジョン・W・ダワーはそれを「天皇制民主主義」という言葉で表現した。

対日理事会の英連邦代表（オーストラリア）のマクマホン・ボールは一九四六年六月二十五日、マッカーサーと会見し、「日記」にしたためた。その要略をオーストラリア外相宛てに送った。マッカーサーは五月に二回目の会談を天皇とし、「ホイットニー文書」を読み、いくぶん、従来の天皇観を修正したらしい様子が読みとれるのである。

マッカーサーによれば、天皇は憲法草案を強く支持しているそうだ。天皇は自分の立場は危いものであり、天皇としての権限を民主主義の原則に相容れるようなかたちに修正し、イギリス国王と同じような立場になることが、天皇であり続けるために最良の道であると、悟っているという。にもかかわらず、マッカーサーは、個人的な意見として、日本において民主主義が次第に高まるにつれて、天皇の地位は確実に弱められていくだろうと述べた。それゆえに、連合国が天皇を追い出すという急進的な策をとる必要がない。なぜなら、日本人は自分たちの手で天皇を政治的には無能な存在におとしめようとしているからだ、と彼は結論した。

ここに書かれているように、マッカーサーの天皇観は冷静そのものである。マッカーサーは天皇を突き放して観察していたのである。占領史家の竹前栄治《たけまええいじ》は、この時代を「異民族による支配という屈辱感と、戦争や天皇制権力からの解放感とが複雑に交錯した時代」と表現した。

このボールの『日記』に、マッカーサーがボールに語った戦争放棄についての話が載っている。

幣原（首相）がマッカーサーに「どのような軍隊なら保持できるのですか」と尋ねた。マッカーサーは「いかなる軍隊も保持できない」と答えた。幣原は「戦争放棄ということですね」と言った。マッカーサーは「そうです。あなたがたが戦争を放棄すると公言すれば、そのほうがあなたがたにとって好都合だと思います」と答えた。

幣原喜重郎は『幣原喜重郎』（幣原平和記念財団編著、一九五五年）の中で、「天皇制を維持し、国体を擁護するために、此際思い切って戦争を廃棄し、平和日本を確立しなければならない」と書き、憲法第九条が天皇制護持の立場から採用されたことを認めている。

ピーター・フロストの『日本占領における「逆コース」』から引用する。

憲法第九条は一九四六年危機に対する天皇の現実的な対処としての交換代償であり、第九条が自衛軍あるいは、警察予備隊を許すかどうかは二義的な問題であり、天皇自身が安全かどうかが、はっきりしてから考えればよいことであった。

まことに、「天皇自身が安全かどうか」で憲法第九条が決定されたのであった。天皇は自らが安全かどうかを考えて、キリスト教徒になろうとし、憲法第九条も、象徴天皇制も認め、軍人たちを戦犯にすべく密告し続けた。その一方で、敗北寸前にスイスに隠した「秘密口座の資金」の凍結解除を狙った工作もしていた。天皇の秘密工作の最大のものは、「民象の天皇」として全国各地を行幸することであった。

憲法第九条が国会で審議されたとき、吉田が戦争放棄について説明をした。天皇の守護者の一人、日本共産党の野坂参三が、執拗にこの第九条の破棄を迫った。このことも読者は考えてみなければならない。

第六章

変貌し続ける天皇教

天皇はどうして戦犯免責をうけたか

一九四五年（昭和二十年）十月二十四日から二十八日までの四日間、駐ソ・アメリカ大使アヴェレル・ハリマンとソ連首相スターリンは、コーカサス地方にある黒海沿岸のソチで、二人だけの会談をした。戦後世界の新しいデザインがここで完成したのである。

二人が最初に行なった討議の問題点は、戦後日本の対策を協議する十一カ国による極東委員会に関するものであった。ハリマンはスターリンに、「委員会での意見の一致ができない場合には、最終権限をマッカーサーが持つことを了解されなければならない」と説明した。

これは、アメリカの日本に対する優位を徹底してソ連が認めることを、スターリンに決断せよとせまるものであった。スターリンは「これは認めよう、しかし、ルーマニアとブルガリア、その他の東欧地域でのソビエトの支配的地位に対し、アメリカが反対するのを止めさせるべきだ」とハリマンに反論した。

こうして、スターリンとハリマンは、ソチで、日本問題と東欧諸国を中心に話し合い、一応の合意に達した。スターリンとハリマンが、戦後世界のデザインを決定する権限と権威をもっていればこそ、この合議は成立したし、また二十世紀後半の諸問題の大半はここに大方の決着をみた。

ハーバート・ファイスは『ニッポン占領秘史』の中でこの会談の意義を強調している。

ハリマン・スターリン会談から何ら決定的な態度の変化も、双方の政府の戦術や条件について直接の調整も生まれなかったが、それが序幕となって交渉が続けられ、後にみるように、その結果として少なくとも合意らしいものが出来上がったのである。

十月二十八日。ハリマンはスターリンに、「マッカーサーの指揮下に入るという条件のもとで、ソ連および、英連邦、(蔣介石の)国民政府の軍隊を対日占領に参加させたい」とアメリカ側の意向を伝えた。スターリンは、「マッカーサーの行動の自由を保つためには、たぶんアメリカ以外の国の軍隊はまったく日本に駐留しないほうがいいのではないか」と答えた。ソ連軍の日本駐留はこの二人の会談の結果、なくなった。マッカーサーがソ連軍を締め出したというのが通説になっているが、マッカーサーにそのような権限は与えられていなかった。マッカーサーの『回想記』の伝説が今も生き続けている。

ソチでの会談が終わると、ハリマンはバーンズ国務長官宛に十月三十日付の無電で会談の内容を伝えた。その中でハリマンは、日本に対するアメリカの方針について一文を付け加えた。「日本を大掃除し、リベラルな傾向を促すべし。占領政策は、共産主義の宣伝を横取りし、ソ連をじらすべし。なぜなら、ソ連は基本的にリベラリズムと競争するために、反動勢力の撲滅を唱えるからだ」

当時の国務次官のディーン・アチソンはハリマンの忠実な部下であった。また陸軍次官補で天皇戦犯問題を、国務省、陸軍、空軍の三省での会議をリードした陸軍次官補のジョン・マックロイもハリマンの部下であった。日本を民主化するということは、遠くモスクワからのハリマンの指導によるところが大きい。国務省、陸軍省、海軍省の三省調整委員会（SWNCC）のマッカーサーへの指令SWNCC－50－4と、統合参謀本部の指令JCS－380－15によって、徹底的に日本が民主化されていくのであるが、ここにもハリマンの「高レベルの政治判断」が見えるのである。

一九四五年十二月六日、ジョセフ・B・キーナンを長とするアメリカ検事団が極東国際軍事裁判のために東京行きの飛行機に乗り込んだ。キーナンはワシントンでの記者会見で、「裕仁天皇は確かに裁判に立つ覚悟をされている」と語った。彼ら検事たちは天皇を裁判にかける決心をしていた。そのとき、トルーマン大統領からの一通の手紙がキーナンのもとへ届けられた。トルーマンは「天皇も皇族も審問してはならない」と内々に命令したのである。

ハリマンとスターリンのソチでの合意をうけての最終決断のときがきたのである。「見えざる世界権力」の人々が〝最終決断〟を下したのだ。キーナンが飛行機に乗り込む寸前という、最終段階での決定であった。

一九四五年十二月、モスクワで、米、ソ、英による三国外相会談が開かれた。ファイスはこの会談によって、ブルガリアとルーマニアがソヴィエトへ、ギリシャがイギリスへ、日本がアメリカへ、それぞれの優位権が認められた、と書いている（『ニッポン占領秘史』）。外相会談は、ハリマンとスターリンの四日間のソチでの会談で決定したことを承認する、一種の〝儀式〟のようなものにすぎなかった。スターリンは三国外相会談をモロトフ外相にまかせたままで、アメリカの国務長官バーンズとは会見しようとすらしなかった。バーンズをあまりにも小物であると思っていたからである。バーンズが去る直前にすこしだけ会見するのだが。

しかし、バーンズは十二月三十日の全米向けラジオ放送で、「われわれは、最初から日本の管理を連合国の責任にしようとしたのだ」と演説した。トルーマン大統領は、許可を取らずに一方的に演説したバーンズに腹を立てた。これが一つの原因となり、翌年バーンズはその職を去ることになる。ハリマンはスターリンとの会談の内容を国務省に逐一、極秘電報で伝えていた。彼は、バーンズとトルーマンの顔を立てることを忘れなかった。

ソ連政府機関紙イズベスチヤは「モスクワ会議の決定によって、新たな連合諸国の協力を発展させる措置が取られた」と報じた。ソ連共産党機関紙プラウダは、四カ国対日理事会の「大きな意義」を強調した。しかし、これはソヴィエトの単なるお世辞にすぎない。

ルーマニアとブルガリアでの優位権を手に入れたソヴィエトは、ハリマンの入れ知恵によって、ポーランドとチェコスロバキアをあっという間に手に入れてしまう。それはハリマンが、駐ソ大使館で使用してきた外交官のジョージ・F・ケナンに命じて仕掛けた「封じ込め政策」によるものであった。私たち日本人は、世界史の視野から日本史を見るということをなかなかしない。したがって、日本の戦後史にはハリマンの名前すら登場しない。

なお、『ニッポン占領秘史』を書いたファイスは著名な歴史学者であるとともに、国務省と陸軍省の双方に籍をおいた高級官僚であり、ユダヤ人でもある。彼は陸軍省でスティムソン陸軍長官のために働き、大戦前、ハリマンに誘われて、アチソン国務次官補のもとで、日本を真珠湾攻撃させるためのプロジェクトに関わった。戦後はハリマンの力添えで国務省や陸軍省などの未公開資料を手に入れて、数々の歴史書を発表した。戦後、ハリマンから事務所と給料を提供され、ハリマン・プロジェクトのリーダーとなり、反ルーズヴェルト大統領寄りの歴史家たちの追放に乗り出した。

日本の学者は、ハリマン・プロジェクト寄りの本を書いて「よし」としている。さてもう一度、天皇の問題に移ろう。

一九四六年一月二十三日、ハリマンは駐ソ大使を辞任し、アメリカに帰ることになった。ハリマンはスターリンと最後の会見をした。ハリマンは「天皇について、どう思うか」とスターリンに尋ねた。スターリンは「連合国も、日本国民も、天皇を必要としないと信ずる。連合国が日本に民主主義が育ち、軍国主義の影響が除かれるのを見たいならば、天皇制を廃止すべきである」と答えた。さらにハリマンがマッカーサーについて質問すると、スターリンは次のように答えた。「最高司令官が、日本の軍事指導者を逮捕した行動は良いことだと思うが、日本の民主主義がどう進められているのかも知らないし、日本の戦争潜在力が本当に弱められているかどうか、情報もない」

この最後の会話から伝わってくるスターリンの日本に対する態度には、すっかり興味を失くした問題に、今さら答えても仕方がない、というものが見えてくる。ハリマンはモスクワからの帰路、中国の国民政府の置かれている重慶《じゅうけい》に入り、蒋介石と会談した。そして、日本に来てマッカーサーと会見した。

話を一九四五年十月六日に戻そう。この日、国務省、陸軍省、海軍省の三省調整委員会（SWNCC）は、「日本国天皇裕仁の身柄の処遇」なる決定を行なった。結論は、「裕仁は戦争犯罪人として逮捕、裁判、処罰を免れない」というものであった。この決定の「SWNCC－55－3」は、最終的にはWARX第85111号となり、マッカーサー宛統合参謀本部極秘通達として十一月二十九日にマッカーサーのもとへ送られた。その中に、天皇の戦争責任についての「証拠の収集は、証拠そのものが、あるいはそのような証拠が収集されているという事実が発覚しないよう、厳重な秘密保持のもとに行なうことが望まれる」とあった。

マッカーサーはどのように答えていいのか分からなかった。このSWNCC－55－3に対し、空軍担当陸軍次官補のロバート・A・ロベットが反対の意見書を提出した。その中でロベットは、「裕仁を戦争犯罪人として裁判にかけるかけないの決定は、たんに米国だけでなく、むしろ共同行動をしている連合諸国によってまず第一に行なわれるべきではないか」との反論で締めくくった。

マッカーサー宛には「天皇の戦争犯罪を調査しろ」という統合参謀本部からの指令が届いた。しかし、SWNCC－55－3はロベットの反論により反故《ほご》にされた。

これには深い理由がある。ロベットの父親のロバート・スコット・ロベットは、ハリマンの父親エドワード・ハリマンの会社の総合顧問であった。ロベットは幼いときからハリマンを兄のようにして育った。ハリマンがブラウン・ブラザーズ＆ハリマンという銀行を設立すると、その銀行に勤め、ブラウン家の娘を妻とした。ロベットはハリマン一族なのである。一介の空軍担当陸軍次官補の発言ではなく、駐ソ大使にして、アメリカの巨大財閥であるハリマン財閥のオーナーであり、国際金融資本家の代表たるハリマンの発言であった。このロベットの発言の後に、ハリマン＝スターリン会談が開かれ、天皇問題のすべてが話し合われたのである。

戦後、国務次官（次に国務長官）となったディーン・アチソンも青年時代、とくにエール大学での二年後輩として友情を深めて以来、ハリマンとは昵懇《じっこん》の仲である。ハリマンとアチソンはエール大学内の結社「スカル＆ボーンズ」の一員として、フリーメーソンの〝死と再生の儀式〟を体験した仲である。

ＳＷＮＣＣ－55－３作成の中心人物となったジョン・Ｊ・マクロイは、貧しい家に育ち、ユダヤの国際資本家、ウォーバークのもとで働き、ウォーバークとともに国際政治をリードしたハリマンの援助を得て、少しずつ出世の階段を昇った男である。

アチソンとマクロイは、天皇を戦争犯罪人として法廷に出すべきだとして動いていた。ハリマンはロベットからその情報を知らされ、ロベットに反論を書くよう指示を与えた。アチソンとマクロイは、ボスの命令に従わざるをえなかった。天皇免責をマッカーサーに知らせるなという ハリマン指示にアチソンとマクロイは同意し、二人はマッカーサーに主要戦犯裁判の実施権限を与えた。二人のマッカーサー宛の文書には「アメリカ以外の国から検事や判事の推薦を受けて任命しろ」という内容が書かれている。この天皇問題に、トルーマン大統領も、バーンズ国務長官も全く関わっていない。これが政治の真実である。

さて、マッカーサーとハリマンの会談について書くことにしよう。ハリマンは前年（一九四五年）十月のソチでの「スターリン＝ハリマン」会談の覚書をマッカーサーに読んで聞かせた。

その後に司令部の高官たちとの会見の席でも読んで聞かせている。マッカーサーの高官たちは、マッカーサーの上に、否、トルーマン大統領の上に、アメリカの権力を真に握る男を発見したのである。

ハリマンはマッカーサーに「在日ソ連軍司令官（在日理事会のソ連代表も兼任）のデレビヤンコ将軍が一点の家具のように扱われており、自分としては、これが我慢ならないことである」とのスターリンの伝言を伝えた。マッカーサーはハリマンに反撃しようとした。ハリマンはマッカーサーに「ソ連政府がその役人の個人的見解の表明を許したことのないのを知っておくが良い」と忠告した。マッカーサーはスターリンの恐ろしさを、ハリマンの意とするところを即座に悟った。

マッカーサーは占領期間を通じて、ソヴィエトとか、ロシアとかいう言葉を、悪意の意味で、朝鮮戦争のときまでは極力使わなかった。ハリマンの忠告が何を意味するかを熟慮したうえでのことであった。ハリマンは、スターリンに注意しろと重ねて忠告したうえで、「デレビヤンコとの議論を駐モスクワ米大使館に詳しく知らせ、スターリンが正確な情報を受け取れるようにしろ」と言った。ハリマンはマッカーサーの独断的な行動で対ソ関係に亀裂が入るのを恐れたからであった。それからハリソンは次のように語って、マッカーサーを喜ばせるのである。「君が日本の支配者だ。何人《なんぴと》も君の権力を奪う者はいない。私はスターリンを説得し、納得させた」

マッカーサーはこのハリマンの言葉を待ち続けていた。もし「対日理事会」とワシントンの「極東委員会」の決定がマッカーサーの権力を超えることがあるのなら、いさぎよく彼は日本を去ろうと決心していた。ハリマンはマッカーサーの疑問を完全に打ち消した。

スターリンとハリマンのソチでの四日間での会談で世界のデザインがほぼ完成したことを、マッカーサーとその副官たちは知ったのである。もちろん、マッカーサーは彼らに沈黙を守るようにと言った。

イギリスのチャーチルが首相の地位を選挙で失ったそのころ、世界のデザインを描けるのは、スターリンとハリマンだけとなった。マッカーサーはハリマンに数カ月にわたる日本統治について詳しく説明した。そして、ハリマンに「フィリピンの司令官山下奉文《やましたともゆき》を死刑にする文書に署名したとき、とても酷いことをしてしまった、と思った」と言った。そのとき、マッカーサーの眼から涙が流れ落ち、頬を伝うのをハリマンは見た。ハリマンはそのマッカーサーの涙を決して忘れることはなかった。


統合参謀本部が一九四五年十一月二十九日にマッカーサーに打電していた「天皇の戦犯容疑に関する情報と証拠を集めよ」に対し、マッカーサーは返事を保留していた。しかし二カ月遅れの一九四六年一月二十五日、マッカーサーは陸軍参謀総長アイゼンハワー宛に返事を極秘電報で送った。ハリマンは一月二十三日をもって退任する由、そして、その他の準備を終え次第、東京に行くという電報をマッカーサーに打った。私は、この電報の中でハリマンが、マッカーサーが一番気にしていた「天皇戦犯」に関する情報を教えたと見るのである。これは私の推測にすぎないかもしれないが。

一九四六年一月二十一日、オーストラリアの国連戦争犯罪委員会代表がロンドンで、天皇を戦争犯罪人として告発するよう訴えた。この声明が国際的な反響を呼び、天皇戦犯問題は一気に表面化した。それゆえ、ハリマンは、「天皇を戦犯にかけない」ということをマッカーサーに知らせる必要を感じたのであろう。ハリマンはアメリカに帰国後、アチソン次官に、天皇戦犯に関するオーストラリア案を握りつぶすよう指令した。イギリス外務省もオーストラリア代表を説得した。やがて、オーストラリア作成の戦犯リストから天皇ははずされた。こうした中で、マッカーサーの極秘電文がアイゼンハワー陸軍参謀総長宛に送られた。

この中に、マッカーサーが天皇を戦犯にかけるとしたら「最小限に見ても、おそらく百万人の軍隊が必要となり、無期限にこれを維持しなければならないだろう」という有名な文章がある。この極秘電文をもって、「マッカーサーが天皇を救った」と日本の学者たちの見解はほぼ統一されている。しかし、この極秘電文は、最終の部分にこそ大きな意味があるのに、誰も注目しようとはしない。

天皇を戦争犯罪人として裁判に付すべきか否かの決定は、高いレベルでの政策決定を要するものであり、したがって、小官が勧告を行なうことは妥当ではなかろうと考える。

この最後の文章は、ロベットの意見書の中の「裕仁を戦争犯罪人として裁判にかける、かけないの決定は、たんに米国だけでなく、むしろ共同行動している連合諸国によって……」に酷似する。これはたんなる偶然ではない。マッカーサーは、ロベット文書を読み、ハリマンから、「高いレベルでの政策決定」を知らされたうえで電報を打ったものと思われる。この年の一月の末に、ワシントンから日本の状況視察に来た極東委員会の代表たちを前にしてマッカーサーは演説をした。以下は、カナダ外交部のハーバート・ノーマンの本国への極秘文書である。

天皇――マッカーサー元帥に対する指令は天皇の処遇について、当面の政策に関するかぎり、つまり、どの程度まで天皇を利用、もしくは無視するかに関するかぎり、彼の自由裁量を認める。天皇の最終的な運命は、連合国首脳しか決定できない。また、のちに彼が指摘したように、歴史的に見れば、日本国民しか決定できない高度の政策の問題である。

マッカーサーは極東委員会の代表たちを前にして、アメリカから指令が来たこと、そして、天皇を戦犯にかけるかどうかは、自分の権力外であり、「高度の政策の問題」であると言っている。この「高度の政策の問題」を解決するのは、マッカーサー自身でも、極東委員会のあなた方でもないのだと、彼は主張したのである。

ジョセフ・キーナン（東京裁判首席検事）は裁判終了後の一九四八年十一月に東京を去るにあたり、UPの支局長に語っている。

天皇を裁判から除外するということは、連合諸国が政治的見地から決定したことであった。この決定にはスターリン首相ですら不本意ながらも同意したのである。

スターリンがハリマンの説得に応じて、不本意ながら同意したというのは歴史的真実である。

「連合諸国が政治的見地から決定」したというのは解説を要する。アメリカが、天皇を戦犯にかけないように、連合諸国の国別に要請した。しかし、オーストラリアだけは応じようとしなかった。アメリカはイギリスを動かしてやっと承諾させたのであり、「高いレベル」とか、「高度の政策」とかは、ハリマンとスターリンの会談をさすのである。

一九四六年六月十七日、東京裁判中に、キーナンはワシントンに呼び戻された。キーナンは、ワシントンで記者会見し、「天皇ヒロヒトを戦犯として裁判にかけることをしないということが、高度の政治的レベルにおいて決定した」と語った(ニューヨーク・タイムズ一九四六年六月十八日付)。

天皇を戦犯にしない、というアメリカ政策の決定は、日本の政治を根本的に変革すべしとした当初の計画を放棄するものとなった。「高度の政治的レベル」のメンバーが、世界戦略を立てていくうえで天皇と実業家たちを戦犯から除外し、逆に利用しようとするものであった。日本の「現代史」家のすべてに、この「高度の政治的レベル」から日本の現代史の真実を追究するという視点が欠けている。

キーナンはロードアイランド州の出身で、東京に来たときは五十七歳であった。若いときから民主党を支持し、ルーズヴェルト大統領とハリマンの友人であった。一九三〇年代の初期、「マシンガン・ケリー」を監獄にぶち込み、リンドバーグ誘拐法を立案した。また、アル・カポネを獄に送り込んだアメリカンヒーローの一人でもあった。フーバーFBI長官のもとで働き、司法長官補にまで出世していた。その男もギャングたちとはちがい、「高度の政治的レベル」のメンバーには全くの勝ち目がなかったのである。

H・E・ワイルズは一九五四年に『東京旋風』という本を出版した。GHQの中で働いた経験をもとに書かれたこの本は、マッカーサーの真実を見事に描写している。

日本占領はマッカーサーの協力者の一部の者が、その首領を持ち上げようとして、一般をして信じさせているように、ことごとく元帥の頭から生み出されたものではない。また、その占領活動の最盛期において、全体としてはむろん、大部分ですらも、マッカーサーの個人の計画ではなかった。

NHKがモスクワで入手した資料の中に、一九四六年三月三十日付のスターリンが署名した「日本人主要戦犯に対する裁判のための東京国際軍事法廷、ソヴィエト代表への指令」がある。この中でスターリンは次のように書いている。「被告人の中に、天皇を含めることは問題にしない。しかし、他国の代表者がこの提案を出した場合には、それを支持すべきである」

スターリンはハリマンに条件を提示し、次のように語ったのである。「他国が天皇を戦犯として法廷に出せと主張する場合は、ソヴィエトもこれに同調せざるをえないんだ。後は君にすべてをまかせよう。さて、ハリマン君、天皇はそんなにアメリカにとって価値があるのかね」

一九四六年五月三日、いよいよ東京裁判が始まった。天皇が戦争の「共同謀議」に加わっていないという前提が立てられたために、開戦を決定づけた「御前会議」は否定された。したがって、宮中に設置された「大本営」も否定された。

天皇は大本営で、陸軍参謀長や海軍軍令部総長らと作戦計画、遂行のプログラムなどを練りあげ、これらをすべて認めていた。天皇が不起訴になったため、平和工作をし続けた重光葵元外相や、東郷茂徳元外相らの外交官が起訴された。大本営の指令を受けて部下たちを戦場に送り込んだ将軍たちが戦犯となった。天皇の命令を忠実に実行した「マレーの虎」山下奉文将軍は、軍事法廷で死刑となった。山下裁判が始まった直後、ニューヨーク・タイムズは「山下司令官のように階級のある軍人が、部下が犯した残虐行為のために問われた例はいまだかつてない」と論評した。

東京裁判は山下裁判の延長線上にあった。命令した者は問われず、命令に従った者のみが問われた。これは、世界ではじめて、そしておそらく最後の〝八百長裁判〟であった。

天皇はハリマンとスターリンとの共同謀議により、戦争犯罪人から免れた。

日本はこのとき以降、ハリマンを祭司王とする金権教の世界にどっぷりと浸ってしまう。日本があの戦争で戦争犯罪をなしたかどうかは別として、戦争をリードした者たちが罪に問われず、従った者のみが問われたということに、大きな道義的な問題が生まれてきた。この道義なき行為の結果、金と権力を至上とする風潮が日本全土を襲っていくのであった。

さて、話題を替えよう。私は、資本主義は、資本主義教という名の宗教であると思っている。金権主義教といったほうが理解しやすい。

金権主義教から主義を取って、金権教と呼びたい。金はゴールドとマネーの両方を表わす。権は権力と権威を表わす。すなわち、ゴールド、マネーと、権力、権威を至上の価値とする宗教を金権教と呼びたい。マックス・ウェーバーは、「人間の行動を規制するものはエトス（精神）であり、エトスを動かすものはすべて宗教である」と主張する。金権教はそういう面から検討しても、立派な宗教である。しかも、〝神〟をさえ持っている。神の名は金権神である。しかし、金権教は秘密の宗教である。信者は、公的にも、組織的にもこの神を主張しない。だが、それゆえにこそ、この神はほとんどの人間の心の中に入り、ヤドカリのように、寄生虫のように棲《す》みついてしまう。

この宗教の最高の姿は、テレビや新聞や雑誌などでいつでも見ることができる。それは金と権力により出世し、富を築き、権力者としての力を得て、権威者としての名声を博し、賞賛を浴びている人々の中に姿を現わす。この宗教が日本人の心を侵蝕し、ほぼ独占状態の域に達しているのが現代である。現代は金権教の時代だといっても過言ではない。私も熱烈に金権教に憧れ、信者になりかけた過去を持つ。しかし、今は少しだけ遠ざかったと思っている。だから私にはよく理解できる。この宗教を捨てることは、この世を捨てるほどに恐ろしいことである。

日本占領史は、この金権教の祭司王と祭司たちの手により見事に完成したといえる。

私はアヴェレル・ハリマンのことを書こうと思う。どうして、世界の恐怖の魔王、自国民を四千万人以上も殺した男、スターリンと対等に、否、それ以上の立場から交渉できるのであろう、と私は考えた。そして結論なきままに、いろんな分野の本の狩人となり、数年を費やした。そして、なんとなくこの男を理解しえるようになった。ハリマンは第二次世界大戦のとき、駐ソ大使としてモスクワに行き、スターリンに数十億ドルの武器を貸与した。また、大統領や国務長官に相談もせず、ドルの印刷機をソヴィエトに送らせた。この二点を見ても、彼がアメリカの政治を支配したことが分かるであろう。

没落の時代の後には勃興の時代がやってくる。破壊された後には創造の時代がやってくる。その繰り返しの中で、大いなる利益を得ようとすることを金権教は〝至上の目的〟とする。

金権教の祭司たちは、真・善・美なる価値が、すべて特定の時代の特定の諸条件によって左右されることを知りぬいている。敗戦により、日本の従来の価値観が根元から覆されたが、その演出者は彼ら祭司たちであった。

金権教の祭司たちは、マッカーサーの唯一ともいうべき野心「日本キリスト教国化」に全面的な支援をし続けた。「奴のすることには気にくわないことが多いが、キリスト教国に日本をしたいというのは結構なことじゃないか」というわけである。彼らは時代は絶えず流動し、すべての価値観さえも流れて消えていくという醒めた炎の歴史観を持つ。たえず微調整を繰り返しつつ、マッカーサーに少しだけの自由を、それも見せかけの自由を与えて、日本支配の芝居を演じさせた。

ハリマンは東京でマッカーサーに、「スターリンを怒らせるなよ」と忠告した。それはまた、別の意味を持っていた。「この俺を怒らせるなよ」という意味でもあった。だが、ついにマッカーサーは朝鮮戦争のときにハリマンを怒らせてしまう。マッカーサーが朝鮮戦争の本当の原因を知り、トルーマン政権とは反対の方針を打ち出したからであった。その原因を語ることは長い物語となるだろう。

私はこれ以上、アヴェレル・ハリマンについては書かないことにしよう。ただこの男が「二十世紀のファウスト」であったとのみ書くに留めたい。近い将来、『二十世紀のファウスト』

という本を出版したい。その中で、私は、金権教の祭司王ハリマンとその仲間たちが第二次世界大戦や朝鮮戦争を仕組んだ物語を読者に提供しようと思う。そのとき、読者は日本が金権教の祭司王のハリマンが築いた世界の支配下に置かれた現実を見るであろう。

ＮＨＫテレビで一九七八年二月二十三日に、『日本の戦後』が放映された。朝鮮戦争に深入りしたマッカーサーを説得するハリマン（当時、朝鮮戦争担当のトルーマン大統領特別補佐官）の姿が描かれている。この放送の後に、日本放送出版協会から『日本の戦後』なる本が出た。

この本には、ハリマンの経歴が以下のように書かれている。

ウィリアム・アヴェレル・ハリマン（一八九一年〜　）
アメリカの実業家、政治家、外交官。富豪の息子に生まれた。若くして財界の大物になったが、ルーズヴェルト大統領に認められて官界入りし、駐ソ、駐英大使をへてトルーマン大統領のもとで商務長官、移動大使などを歴任した。のちにニューヨーク州知事、ケネディ大統領の国務次官、ジョンソン大統領の時のベトナム和平交渉代表などをつとめた。

ハリマンは印象派の絵画をアメリカで広めたり、作曲家ジョージ・ガーシュウィンらを世に出したりもした。政治と経済のみならず、文学・芸術の面でもアメリカをリードした。パン・アメリカン航空の創設者はハリマンである。

ハリマンを語ることは、世界を語ることになる。この男を中心にして、二十世紀は動いたのである。「大統領はいつも私の言葉に同意するだけであった」とハリマンは語っている。ルーズヴェルトもトルーマンも、ハリマンに逆らえなかったのである。大統領や国務長官がアメリカの政治を支配しているのではない。

ハリマンは一九八六年に生涯を終えた。

歴史線上の野坂参三

第二次大戦前の中国を見ることにする。

ニューヨーク・タイムズ、ニューヨーク・ヘラルド・トリビューンなどの国際金融資本家の勢力下にある新聞は、中国共産党と友好関係にある人々の著書を好意的に紹介した。特に、ニューヨーク・タイムズの日曜版は、中国共産党をほめちぎった。中国に関する本が出版されると、オーエン・ラティモアやエドガー・スノー、セオドア・ホワイトたちが書評を書いた。彼らは中国共産党をすこしでも非難する本が出ると酷評するか無視した。なかでも、エドガー・スノーはニューヨーク・タイムズの〝輝ける星〟であった。

一九四五年三月、ハリソン・フォーマンの『共産主義中国からの報告』が出た。スノーはこの本の批評の中で、中国共産党を賛美しつくした。同年、ガンサー・スタインの『延安一九四四年』が出た。「ニューヨーク・タイムズ・ブックレヴュー」は熱狂的な賛辞を呈した。

どうしてニューヨーク・タイムズを舞台にして、共産主義賛美者が活躍できたのか。ロックフェラー、モルガン、デュポン、メロン、そしてハリマンらの財閥が、朝鮮戦争直前の一九四九年中期（中国共産党の政権が出来る）まで、彼らを支え、援助し続けたからである。この共産主義擁護のリーダーがオーエン・ラティモアであった。一九四七年六月、ラティモアはイズラエル・エプスタインの『未完の中国革命』をニューヨーク・タイムズで書評した。

エドガー・スノーの『中国の赤い星』に始まり、セオドア・ホワイトとアナリー・ジャコビーの『中国の雷鳴』に至る著者たちをリスト・アップしてみると著名な人ばかりである。イズラエル・エプスタインもこうした著名な人々の仲間入りをしたことは疑いがない。

太平洋問題調査会（IPR）という組織を国際金融家たちが資金を提供してつくった。目的は、中国共産党の実現と日本の太平洋戦争への誘導であった。日本に真珠湾攻撃させるプランもこのIPRで練られた。もう一つの主要な問題が、共産主義の国に中国を仕上げることであった。オーエン・ラティモアが中国問題の最高指導者となった。ラティモアを中心に数多くの学者たちが集い、主としてニューヨーク・タイムズを利用した。もう一人の重要な人物がいた。フィリップ・ジュサップである。IPRで働いた後、国務省に入り、極東地域の移動大使の役割を演じた。

このラティモアやジュサップは国際金融家グループの回し者であり、彼らはすべてを承知で、中国を共産主義の国家とすべく暗躍した。この男たちと同じような役割を演じた男が、日本にもいた。それが野坂参三《のさかさんぞう》である。私が野坂を「歴史線上の人物」と考えるのは、彼がその生涯を複雑怪奇な影を残して終えたからである。

野坂参三を知るのに都合のよい資料がある。小林峻一《こばやししゅんいち》と加藤昭《かとうあきら》の『闇の男　野坂参三の百年』である。この本の中の解説座談会に出席した立花隆《たちばなたかし》の発言に注目したい。

戦後のあの状況下で、野坂にとって何がいちばん大切だったかといえば、ソ連との関係もさることながら、それは占領軍との関係ですよ。占領軍が日本を支配していたんだから。その占領軍といい関係をつくるということが、彼の当時の自己保身にとって最上の策でしょう。要するに占領軍好みの共産党にするほかないでしょう。その結果は、スターリンがカッカ怒るようなものにいっちゃう。

ガンサー・スタインが書いた『延安一九四四年』をニューヨーク・タイムズが激賞したことはすでに記した。この本の評をコロンビア大学のナサニエル・ペファー教授は次のように書いている。

共産主義中国の際立った特徴は、イデオロギーにあるのでもなければ、政治的ないし、経済的な側面にあるのでもない。それは心理的な面にあるのである。共産主義中国には、想像力をかきたてる何かがある。感情的な急進派、客観的な知識人、中立な特派員、外交官、軍人、誰もが皆、熱狂的なとまではいわないが、熱心な擁護者となって延安から戻ってくる。

スタインは一九四四年（昭和十九年）、延安で、岡《おか》野進《のすすむ》こと野坂参三と会っている。かなりのアメリカ人がスタインの本を通じて野坂参三を知ることになった。中国共産党とセットの形で、野坂はアメリカで大きく評価されていたのである。一九四九年（昭和二十四年）、中国共産党が中国に統一国家をつくると、アメリカ人の憎悪の対象になる。私たちは一九四九年のある時点まで、アメリカにおいて（日本でも勿論であるが）、野坂が大きく評価されていたことを知る必要がある。野坂参三は立花隆の発言にあるように、アメリカにとって都合のよい政治家であったことを知るべきである。

ジョン・エマーソンという外交官が延安に足を踏み入れた。「ディクシー・ミッション」とよばれたアメリカの正式な外交使節の一人として延安に入ったのである。日本語を流暢《りゅうちょう》にあやつるエマーソンは野坂と親友になった。野坂は延安で「日本工農学校」を組織し、周恩来のもとで働いていた。では、どうして、「ディクシー・ミッション」なる外交団が延安に入ったのかを知る必要がある。

ルーズヴェルトは死んだ。しかし、ルーズヴェルトの計画である延安軍事計画は生きていた。アメリカは秘密裡に蒋介石の国民政府を敗北させ、中国共産党に統一国家をつくらせる計画を進めていた。ハリマンとハリマンの血閥のドノヴァン将軍が、この延安軍事計画の主役であった。ドノヴァンは諜報組織ＯＳＳ（戦略情報局。ＣＩＡの前身）の長官だった。ドノヴァンは重慶政府（国民党政府）の実力者、戴笠中と対決し、次のように言い放った。

中国にいるＯＳＳは私の指図で動くんだ。きみの指図は受けない。これから、私はどんどん重慶にＯＳＳの要員を送り込む。きみがそいつらを一人ずつ殺す気でいることも知っている。いくらきみが重慶のＯＳＳを暗殺する計画を立てても、ワシントンのＯＳＳ本部の決意は絶対に変わらないのだ。

ＯＳＳは共産主義国家をつくるために活動していた。重慶政府の実力者が抗議したが、ドノヴァン将軍は拒否した。ドノヴァン将軍は一九四三年、「三人のジョン」グループ、ジョン・エマーソン、デービスとサービスの三人を延安に外交使節団として送り込んだ。後に、もう一人の〝ジョン〟が加わった。ハーバード大学の中国研究所所長となるジョン・フェアバンクだ。「四人のジョン」が延安に入った。

ドノヴァンＯＳＳ長官は米軍輸送機Ｃ47によって大量の物資、機材を延安に運んだ。米軍輸送機は荷物をおろすと、機翼を休めることなく重慶に引き返し、また延安へと飛び立った。

中国共産党が大戦後に、中国を統一するという確信を野坂が持ったのは、アメリカの中国共産党への援助のすごさを知ったからであった。中国共産党が国民政府軍を破り、北京に入城したとき、アメリカの軍服を着てアメリカの銃を持ち、アメリカの戦車に乗っていたのは、アメリカがすべてを提供していたからである。かのとき、毛沢東、周恩来、劉少奇らの連中はアメリカとともに生きると信じていた。信仰はいつでも裏切られる。

以上が前書きである。こうした中で、野坂参三（岡野進という変名を使っていた）はジョン・エマーソンに天皇論を語ったのである。エマーソンは『回想録』の中で野坂参三について書いている。

コミンテルンのテーゼは、共産主義者の綱領の大前提として、天皇制の廃止を要求したが、野坂はこの立場を修正して、もし、日本人民が望むならば、天皇の存在を認めることにした。彼は、日本人の大部分が天皇に対して、簡単には消えない愛情と尊敬を抱いていると考えていた。そこで彼は天皇制打倒という戦前の共産党のスローガンを慎重に避けて、平和回復後の皇室に関する決定については用心深く取り組む道を選んだ。しかし、同時に天皇は戦争責任を負って退位すべきであるとも主張した。

それでは、エマーソンに野坂が語った内容を彼の演説の中にみることにしよう。彼が延安で語ったものである。

天皇を封建的専制的独裁政治機構〔天皇制のこと：引用者注〕の首長としての天皇と、もう一つの天皇、すなわち「現身神」、宗教的な役割を演じてきた天皇とにわけた。天皇制としての天皇は「即時撤廃して民主的制度が実現せねばならぬ」。しかし、「現身神」としての天皇は「われわれは用心深い態度をとらねばならぬ」。過去七十年間に一般人民の心底に植えつけられた天皇または皇室に対する信仰は相当根深いものがある。(略)われわれが天皇打倒のスローガンをかかげない場合には、当然われわれの陣営に来り投ずる大衆も、このスローガンをかかげないことによって、われわれから離れ、われわれは大衆から孤立する危険がある。(略)天皇は現在の戦争の責任者の一人であり、反動政治と復古思想の表象である。(略)しかし、人民大多数が天皇の存在を要求するならば、これに対して、われわれは譲歩しなければならぬ。それゆえに、天皇制存続の問題は、戦後、一般人民投票によって決定されるべきことを私は一個の提案として提出するものである。

この野坂の演説は今日においても通用する。日本人の天皇観を見事に先取りしている。小泉信三の子分にして、天皇の支配する横浜正金銀行から金を貰い続けていた男の思想が見事にみえてくる。

エマーソンは延安からアメリカに帰り、国務省で極東問題の担当官となる。この野坂の天皇観を下敷きにしてエマーソンは天皇対策論を書き、マッカーサーのGHQに送る。GHQの高官たちが野坂を、並みの政治家を超えた存在としてあつかったのは、ここに理由がある。

この野坂の天皇論は、「日本革命の二段階論」と国務省ではいわれた。エマーソンの「延安報告」は国務省内の政策決定機関である極東小委員会で検討され、親委員会すなわち、極東委員会（SWNCC）において若干修正されたうえで正式の政策となった。

アメリカ政府はGHQに「日本革命の二段論」の修正案を送った。それは、国民の世論を調査せよということであった。天皇を必要としない国民が多い場合は、その方向で日本を民主化しろというものであった。結論はすぐに出た。「天皇ヒロヒトハイマダ神デアル」

野坂は「社会主義は軍国主義の破壊を通してブルジョア民主革命を達した後に得られる」という二段階理論を展開していた。これが修正され、マッカーサーの政治改革の中心となっていく。野坂理論、すなわち、農地改革による寄生地主の土地買上げと、その結果としての小作人への土地解放、巨大資本の政府コントロール後における中・小企業の育成と労働者の賃金上昇、私有財産は没収せず、賃金の上昇と富の分配による国力の増強……これらの野坂の理論がマッカーサーを動かしていくのである。この理論は小泉信三の理論と同じだ。

野坂は延安で、エマーソンに、戦後日本復活の具体的なビジョンを示した。彼は、民主化された日本は高度に工業化された国家へと変貌すべきであるとエマーソンに説いた。そのために日本の軍事工業を破棄すべきではない。日本は軍事産業を育成して軍隊を持ち、その工業力で工業一般の発達を促すとした。

「経済の全面的な統制の下で、巨額の軍事費を制約し（全面的カットなどとは言っていない）、もって大資本の戦時の利潤を没収する。よって、独占資本の経済を国営または国有にする。この工業化のための資本を高率累進税制と土地制度の改革で調達する……」

この野坂理論がエマーソンによって国務省で検討され、一部の修正を加えられたうえでマッカーサーの元へ送られた。財閥解体は途中で国際金融資本家たちの反撃に遭うけれども、日本の民主化は野坂の「日本革命二段階論」で進んだのである。野坂は共産主義者ではなかった。ただ、時代が彼に共産主義者のレッテルを張っただけなのだ。

エマーソンは、もう一つの重要な文書「日本軍国主義者に対する心理作戦のために、在外日本人を組織する計画書」を国務省に提出した。この中でエマーソンは、「法と秩序を立て直すためには、すべての勢力が協力することが日本で重要である。われわれは戦後出現するであろう占領協力者、ないし『穏健派』のみに依存すべきではない」。さらには、「共産主義者野坂参三を戦後改革に協力させるべきである」と書いたのである。

エマーソンの主張は通った。自由党や民主党、社会党の代議士はGHQの高官から無視されたが、野坂だけは自由にGHQの本部に入り、ケーディス、エマーソンらの高官と政策論議をしていたのである。立花隆は表層的なものの見方をする評論家ゆえに、仕方がないのだが、「その占領軍といい関係をつくるということが、彼の当時の自己保身にとって最上の策でしょう」とぐらいしか野坂参三を見ていない。多重スパイゆえの悲劇のみを立花は見ている。

GHQの若い高官たちは、新しい未来の日本に焦点をあてていた。そんな彼らに、日本の政治家の中で、野坂しか具体的なプランを持った政治家はいなかった。エマーソンが書いているように、ほとんどの政治家が「占領協力者」か「穏健派」だった。

一九四四年五月、エマーソンらが中心となり、極東地域委員会で起草された文書に「軍国主義の根絶と民主化プロセスの強化」がある。この中にすでに、野坂理論を採用し、優秀な人材を登用するとある。その代表として、キリスト者賀川豊彦をリーダーとするとある。戦中のこの時点でアメリカは、野坂参三とキリスト者賀川豊彦を日本の最も優秀なる人物と認めていたのである。吉田茂、片山哲、芦田均がごとき政治家は、アメリカ占領軍のたんなる〝イエスマン〟にすぎなかったのだ。この三人が占領期、日本のために役に立つ政策を立案し、マッカーサーを動かして実行したものがあったかを問えば、この三人の政治家の気量がわかろうというものである。

延安への逃亡者・野坂参三が日本に帰ったのは一九四六年一月十二日であった。野坂は帰国直後の歓迎集会で、「資本家の一部を取り込み、反ファシズム、反軍国主義者の民主勢力を含めた、リベラリスト、社会主義者、共産主義者を結集し、新しい民主人民政府を作ろう……」と叫びかけた。また、次のように大衆に訴えた。

天皇制と天皇個人を区別しなければならない。天皇制は軍部によって利用されたので悪いけれども、天皇やその家族を国民はとても尊敬しているので、その事実を認めなければならない。

読者よ、理解されよ。野坂と天皇の深い結びつきを。

私たちは、「マッカーサーが天皇を戦犯から救った」と教えられてきた。私はその考えを否定し、「ハリマンらのアメリカの国際金融資本家たちが、のちのち天皇を利用するために戦犯にせずに温存した」と書いた。これは厳然たる事実である。しかも、国務省における天皇についての分析のうえに成り立っていることを知らねばならない。天皇の戦争責任は別として、天皇を存在させるべく、動いた男こそ野坂参三その人であった。国務省の極東委員会が野坂の「日本革命二段階理論」を認めたからこそ、天皇の存続を、ひいては天皇の戦争責任を問わない、という方向に向かったのである。

野坂は、天皇を追放することが日本の戦後の再建に大きな混乱をよぶことを憂えていた。日本共産党の最高実力者の徳田球一《とくだきゅういち》は野坂の考えに猛反対した。しかし、日本人は、天皇の真の姿——火事場泥棒式に戦争を仕掛け、その財のほとんどをスイスの秘密口座に入れていた——を知ることがなかった。野坂は天皇の退位を要求しつつ、天皇個人の存在を認めた。野坂の力が大きく世相を動かした。反天皇論は鳴りをひそめ、人々はその日、そして明日、食べる米や野菜をもとめて働きだした。革命の炎は燃え上がることはなかった。吉田茂や芦田均や片山哲が持ちえぬ力を野坂は持っていた。

野坂帰国の翌日（一九四六年一月十三日）、朝日新聞は大きく野坂帰国の記事をのせた。ここではすべて省略し、記事の最後に書かれている彼の経歴を紹介する。

野坂氏は本年五十五歳。大正五年慶応大学理財科卒業後、鈴木文治氏の友愛会加入。同八年渡英。ロンドン大学で経済学を学ぶうちに共産主義運動に加わったため英国から追放されてソ連に入り、同十年のイルクーック極東会議も出席。翌十一年帰朝して母校慶大の講師となったが、これは日本共産党の結成準備のためで、荒畑勝三（寒村）、堺利彦、山川均、佐野学、徳田球一らと国際共産党日本支部たる日本共産党を組織し、翌十二年第一次共産党を組織し、翌十二年第一次共産党検挙に遭ったが病気のため執行停止となった。（略）一九三五年の第七回コミンテルン大会には故片山潜氏に代って執行委員に選ばれた。彼が延安に入ったのは支那事変勃発後六年目の昭和十八年である。

野坂の経歴書のほんの一部を記した。しかし、野坂を書くには一冊の本が最少限必要である。ここではすべて省略しよう。前記の『闇の男・野坂参三の百年』も、野坂百年の生涯の一部分しか書いていない。

徳田球一、志賀義雄を説得し、野坂は「愛される共産党」というスローガンを掲げる。一九四六年二月四日から二十六日にかけて、日本共産党五回大会が開かれた。その宣言文の中に野坂の影響が大きく出ている。

日本共産党は、現在進行しつつある、わが国のブルジョア民主主義革命を、平和的に且つ民主主義的方法によって完成することを当面の基本目標とする。（略）党は暴力を用ひず、日本における社会の発展に適応せる民主主義的人民共和政府によって、平和的教育的手段をもってこれを遂行せんとするものである。

野坂は妥協的な思想を駆使しつつ、未来のあるべき姿を追い求めていた。竹前栄治の『日本占領』で、ＧＨＱの中での最高実力者の一人であったケーディスが野坂について次のように語っている。

野坂参三さんはたいへん頭の切れる人でした。こんなエピソードがあります。私がいまでも覚えているのですが、ウイリアムス〔国会担当責任者：引用者注〕が、来日中の使節団長の陸軍次官ドレーパー氏を国会に案内し、国会の有力議員たちと会議を開いたことがありました。ドレーパーは議員たちに、「日本経済にはどんな問題があり、アメリカはどのような援助をなし得ると思いますか」と尋ねたところ、いろいろな答えが返ってきました。その中に野坂さんの答えがあったのです。彼の発言が終るやいなや、ドレーパーは、「あの方はだれですか」とウイリアムスに尋ねました。ウイリアムスは「野坂さんです」と答えると、ドレーパーは「たいへん有能で頭が切れる方ですね。彼を首相にしたらどうですか」と言いました。驚いたウイリアムスは「彼はコミュニストですよ。あなたはコミュニストを首相になさるつもりですか」と言い、彼が戦時中、延安で人民解放連盟の指導者として活躍していたこと、戦後、アメリカ占領軍の援助によって朝鮮から日本に帰って来たことをつけ加えました。

日本経済を救った男は、このドレーパー陸軍次官である。ドレーパーは日本復興プランを心に秘めて日本にやってくる。「野坂参三を首相にしろ」と彼が語ったのは、たんなるジェスチャーではない。野坂だけが、一九四八年当時の日本を救うビジョンをもっていたのである。野坂はドレーパーに具体的な復興策を語ったのだ。

「ドレーパーさん。今、日本を救う確実な方法が一つだけあります。マッカーサーを説得して下さい。占領軍の兵士を削減するように説得して下さい。その費用がいくぶんでも下がるように説得して下さい。その差額の占領費でアメリカの綿花を買えるようにして下さい。まず、繊維産業を復活させて下さい。それから、鉄の輸入をさせて下さい。日本の企業に夢を与えて下さい」

ドレーパーは野坂の意見に協力した。マッカーサーの説得に成功した。それでも綿花を仕入れるドルは不足していた。ドレーパーは奇策を思いつき実行した。日本銀行に金やダイヤモンドが入った「黄金の壺」が保管してあるので、綿花の仕入れの決裁は可能だと綿花業者を説得した（実際は天皇が敗戦前にすべて、アルゼンチンに潜水艦で運び去り、もぬけの空だった）。

こうして綿花が輸入され、日本は復興していった。野坂の業績を語り継ぐ者は誰もいない。彼がコミュニストで、多重スパイだといわれるからであろう。野坂は戦後、コミュニズムを捨てていたと私は思っている。政策立案もできず、非現実的なことばかり喋っていた宮本顕治《みやもとけんじ》とその子分たちは、純粋の共産主義者である。この世に何一つ、建設的な立案もなかったではないか。平成の今日においても。

野坂は現実主義者であった。延安での「日本革命二段階論」が、戦後の日本の計画書となった。ドレーパーに語った繊維産業復活案が日本の経済復活の起爆剤となった。野坂は共産党員にして共産主義を実質的に捨てていたからこそ、スターリンから批判され、やがて野望のかたまりの宮本顕治に、共産党籍のみならず、その輝かしい業績まで捨てさせられるのである。

和田春樹《わだはるき》は『歴史としての野坂参三』の中で、野坂がソヴィエトから極秘裡に資金援助を受けていたと書いている。これも本当のことである。吉田茂も岸信介《きしのぶすけ》も、池田勇人《いけだはやと》も佐藤栄作も、CIAの〝キャンディ資金〟を貰っていた。

『闇の男・野坂参三の百年』では、野坂がソ連の秘密警察NKVD(内務人民委員部)のスパイであったと詳しく論じている。これも正しい。日本のあの時代の首相たちは、キャンディをなめまくったCIAのスパイだった。社会党の幹部連中もみな、NKVDから闇資金を貰って遊んでいた。総評の幹部の岩井章《いわいあきら》も、太田薫《おおたかおる》も、NKVDのスパイだった。

かつて野上弥生子は『迷路』の中で昭和初期の青年群像を描いた。

富んでいるとか、貧しいとか、よく稼ぐとか、怠けるとか、もしくは運と不運とかで素朴にかたづけられていた。これらの問題を、彼らに科学的にはっきり分析して見せたのは、経済学のいわば新しい聖書となった、一人のドイツ人の著作である。青年たちははじめて人体の解剖図のまえに立たされた子供たちと同じく愕然と眼を見張った。

マルクス教は大正、昭和の前半期の若者たちを大きく惹きつけた。皇太子（今上天皇）の教育掛の小泉信三も、かつてはマルクス教の信者だった。この信者から、野坂参三はマルクス教を学んだ。師はこの宗教を捨てて、天皇教の信者となった。弟子はこの宗教を捨てきれず、アメリカ、イギリス、ロシア、中国と流れ者のごとく流れて生きた。そして、この宗教の恐怖を身をもって体験した……と一般には信じられている。しかし、小泉信三はその生涯において野坂参三と結ばれていた。日本共産党を最大限に利用して、反天皇教徒の拡大を未然に防ぐためであった。

一九四五年九月二十七日、マッカーサーと天皇が第一回会談をした数日後、ロイター通信東京特派員ロバート・リュベンが、山崎巌《やまざきいわお》内相とのインタビュー記事を米軍機関紙のスターズ・アンド・ストライプス（「星条旗」紙）に書いた。山崎は「政治形態の変革者、とくに天皇制の廃止を主張するものは、すべて共産主義者です。治安維持法によって逮捕する」と語った。占領軍はここで、治安維持法の存在とその恐ろしさを知り、獄中にある政治犯の即時釈放や思想警察の廃止と同時に、この法律を廃止した。

しかし、天皇教を支えてきたもうひとつの特別法である「不敬罪」が残っていた。この不敬罪があるかぎり、反天皇的行動をとる輩はいつでも逮捕できることになっていた。

一九四六年五月十九日の皇居前広場で開かれた労働戦線統一世話人会主催の「飯米獲得人民大会」のデモの途中で事件が起きた。

「詔書、国体はゴジされたぞ　朕はタラフク食ってるぞ　ナンジ人民飢えて死ね　ギョメイギヨジ」

このプラカードを掲げてデモに参加した、田中精機工場の社員松島松太郎（三十歳）は逮捕された。東京地裁は天皇に対する「名誉誹毀損罪」にあたるとして、被告を懲役八カ月に処した。第二審の東京高裁は、一九四六年十一月三日の日本国憲法の公布にあたっての大赦令により、不敬罪を犯した者に対する赦免が行なわれたことを理由に免訴を言い渡した。

一九四六年八月二十四日、衆議院本会議において、憲法改正案が可決された討論で、野坂は次のような演説を行なった。

主権在民の羊頭を掲げて、主権在君の狗肉を売らんとするのがこの憲法である。（略）もし、不敬罪が存置されるならば、過去におけると同様に、これが警察による人民弾圧の武器となることは極めて明らかであります。このことは現に行なわれている東京地方裁判所における一労働者のプラカード事件をみてもはっきりしている。不敬罪のごときは、言論の自由を要請するポツダム宣言の明らかな違反であると断ずることができる。

野坂が国会で「不敬罪」廃止を求める演説をした後の十月初旬、新憲法草案が国会で採択された直後、天皇制を批判したとして不敬罪の適用で被疑者となっていた徳田球一らを含む五名を東京地方検察庁が不起訴にした。その後、マッカーサーが声明を出した。野坂とＧＨＱの高官たちが、不敬罪について検討したものと思われる。野坂は堂々とＧＨＱ本部に入っているからである。

「天皇」は新憲法のもとで、生まれながらの政治的権力を持たないところの、国家の象徴となったのであるから、日本人は男子も女子も政治的尊厳をもった新しい地位にあげられたのであり、日本の支配者となるのである。（略）国家の象徴としての天皇に与えられた保護は、個々の市民に与えられている保護より多くも少なくもあってもならないのである。

また、マッカーサーは一つの声明（十月十日、朝日新聞朝刊に掲載）を出した。

天皇でさえも、普通の人には拒絶されている法的保護を与えないということである。それは新国民憲章の崇高な精神を真に理解しはじめたことを示している。

私はマッカーサーのこの見解はすばらしいと思う。ここに天皇教は「不敬罪」という大きな砦を失った。もし、「不敬罪」があれば、今日の言論の自由はない。共産主義国家のすべてが、「不敬罪」と同じような法を擁して国民の自由を奪ってきた。野坂は時代に先がけた自由主義者ではなかったか。

吉田茂はこの年の十二月二十七日、「不敬罪の復活を願う書簡」をマッカーサーに送る。マッカーサーは二カ月をかけてこの書簡を検討し、吉田の申し入れを拒絶した。

天皇がマッカーサーのキリスト教国に日本をせんとする野心を見抜き、日本をキリスト教国にせんと積極的に動いていったのも、マッカーサーに「不敬罪」の復活を願う下心があった、と私は思っている。そうすれば、日本が独立を果たした後、たんなる象徴である立場を捨てて、もう一度、絶対専制君主になれるからである。

吉田茂が首相であり続けたとき、十日に一度、吉田と天皇は会見し続けた。その内容は知るよしもない。しかし、吉田がマッカーサーに執拗に「不敬罪」の復活を願っているのである。そして、共産党を非合法化しろと迫っている。吉田首相はマッカーサーが解任されて東京を去るときも、「不敬罪の復活の宣言を出してくれ」と哀願している。リッジウェイが後任の総司令官になると、同様の哀願を行なっている。日本人は知るべしである。野坂が国会で不敬罪を追及し、ここにはじめてマッカーサーがこの罪に気づいて廃止にもっていったことを。

大日本帝国憲法の第三条に「天皇ハ神聖ニシテ侵スヘカラス」とある。民草（日本国民は「草」とよばれた）は、天皇一族に対し、深々と伏し拝まねばならなかった。「御真影《ごしんえい》」（写真）に向かっても、伏し拝まねばならなかった。もし、それを怠ったり、拒否するだけで不敬罪という汚名と罰が無条件で待っていた。戦後期も〝臣茂〟と自ら名のった天皇教の下僕が、この罪の復活を最後まで訴えた。天皇裕仁は吉田の死後に、最高の位を授けた。

熱烈なる天皇教徒として天皇を賛美する本を書き続けた司馬遼太郎は、『手掘り日本史』の中で、「日本史に拒否権の思想がないということ、そのことを考えると、日本の歴史の姿に溜息が出る思いがする」と書いている。「拒否権の思想」を民草に持たせないようにして出来たのが治安維持法であり、不敬罪であったことを、司馬遼太郎は知らないらしい。

野坂が国会で演説したとき、刑法の不敬罪は生きていた。一九四七年十月二十六日、不敬罪規定を削除する刑法改正が公布された。

吉田茂と天皇は、「不敬罪」の復活を願って別の方向からマッカーサーに迫っていった。それは、日本をキリスト教国にするという〝餌〟をマッカーサーに与えつつ、「不敬罪」の復活を狙うという作戦だった、と私は思っている。しかし、この作戦は失敗する。吉田は野坂ほどの人物ではない。スケールが小さい。別の視点から読者は日本の戦後史を見られよ。私の説に一理あることが分かろう。

近現代史研究会編の『実録野坂参三』から引用する。

八月二十七日（一九一九年）、野坂参三は五十三日かかってロンドンに着き、小泉信三の連絡で横浜正金銀行・ロンドン支店の幹部の人に迎えに来てもらい、入国手続きや、さしあたっての生活準備をしてもらう。横浜正金銀行は、主に日本の皇室の財産を管理する銀行である。ここで、天皇支配体制の守護者である小泉信三、横浜正金銀行、野坂参三が天皇支配国家体制を守るという点で一致した関係であるとみることができる。

小泉信三の父信吉は、横浜正金銀行の支配人であった。

私はこの三つの守護者の体制が、戦後も続いていたとみている。小泉信三こそは日本共産党の真の設立者であり、佐野学、野坂参三たちを操って日本の言論を抹殺した人物であったにちがいない。小泉信三が野坂を背後で動かし、先手を打って「不敬罪」の追及を野坂にやらせたのである。どうしてか。「愛される共産党」が天皇制護持につながったからである。「民衆の天皇」、「平和の天皇」の演出も、小泉、野坂、横浜正金銀行の天皇体制の守護者による演出であろう。そして、天皇をクリスチャンに仕上げようとするのだ。あの野坂の「二段階革命理論」も、小泉と野坂の合作の臭いがする。

「人間宣言」は「キリスト教宣言」への道であった

一九四五年（昭和二十年）十月、「アメリカ教会連合会議」のD・ホートン、C・ベイカー、W・ヴァンカー、J・シェファーの四人からなる使節団がトルーマン大統領からの親書を携えて、マッカーサーと正式会談を持った。彼らは三週間にわたり、名古屋、京都、大阪、福岡、仙台、札幌の都市を訪問した。マッカーサーとは二度、天皇とも一度、会見した。彼ら四人に対し、マッカーサーは次のように述べた。

戦争と敗北により、日本人は価値観を喪失しており、これによりキリスト教徒は絶好の機会を与えられている。日本人の精神的真空を満たせ。諸君がそれをキリスト教で満たさなければ、共産主義で満たされることになる。ただちに千人の宣教師を私のもとへ送り込むのだ。

四人の代表団は、戦争中も日本に残留していた二、三人のアメリカ宣教師の話から、皇族がキリスト教に興味を抱いているという示唆を得た。彼らは近衛文麿、東久邇宮とも会見した。彼らの一人のシェファーは、一九四五年十月十三日付のジャパン・タイムズに一文を寄せた。

天皇制の打倒は日本社会を根底からくつがえし、長期にわたる混乱と暴力の口火となることを恐れる。天皇制を打倒すべきではない。

シェファー一行は天皇と会見し、キリスト教への帰依をすすめた。天皇は彼ら四人に、戦前の日本におけるクリスチャンの働きに対し、明確な感謝の意を表明した。そして、戦後の活動に対しても歓迎の意を伝えた。

レイ・ムーアは『天皇がバイブルを読んだ日』の中で、「彼ら〔シェファー一行〕はキリスト教に対する天皇の暖い賛辞から、日本をキリスト教国に改宗させようとする宣伝運動を天皇自ら承認しているという印象を受けたのであった」と書いている。天皇とその側近たちは、マッカーサーのキリスト教広布の情熱に迎合するという手段を通じて、天皇教を護持しようとしたのである。

一九四五年十一月に、マッカーサーは総司令部の民間情報局に宗教課を設置した。事務所は東京内幸町の放送会館に置かれた。その任務は次のようなものであった。

一、信教の自由の確立と保全を促進し、且つ日本国民をして信教の自由を希望するよう助長すること。

二、神道に関する日本政府の保証、支援、保全、監督及び弘布を禁止すること。

三、軍国主義的且つ極端な国家主義的組織及び運動が、宗教の美名のもとに隠れないよう絶えず警戒すること。
四、最高司令部の情報及び教育目的を宗教団体が理解し、且つそれに協力する事を保証する為に宗教団体との連絡を保つこと。
五、宗教的物件及び宗教建造物の保護、保存、賠償、救出その他の措置に関する問題について、最高司令官の勧告を援助すること。
六、キリスト教宣教師に関する政策を規定することについて援助すること。
七、すべての日本の郵便切手と通貨の新発行に際し、その図案を認可すること。

この任務の中の（六）に注目してほしい。マッカーサーは、宗教課の任務の重点をキリスト教の広布においていた。宗教課のメンバーはマッカーサーの指示に従わざるをえなかった。一九四五年十二月二十九日、日本占領から四カ月が過ぎた日、マッカーサーはワシントンの統合参謀本部に長文の電報を送った。

本官は実現可能な最多数の宣教師の日本への着任を許可する方針である。本官は戦前日本で奉職した経験のある宣教師が日本への再入国を申請する場合は、これらの宣教師の所属団体が彼らに適当な生活環境を保証し、また占領軍の負担とならないよう各宣教師に必要な生活費を保障する限り、すべての申請を許可することを提案する。

この電文を検討した統合参謀本部は、マッカーサーの方針に同意した。こうして、三百人を超える宣教師たちが再び日本に帰ってきた。

宣教師の中に従軍牧師がいた。太平洋方面従軍牧師会長ベネット大佐は、終戦後の一九四五年の秋にはすでに活動を開始した。数万部の聖書をアメリカから輸入し、日本聖書協会から配布させた。従軍牧師たちは、占領軍の将校や兵士たちに聖書の世界を説いてきた。そして、日本人を対象とする宣教を開始した。

民間情報教育局（ＣＩＥ）の宗教課は、「占領軍の公務に従事する者が、このような宗教活動をすべきではない」とベネット大佐に自粛を求めた。ベネット大佐はマッカーサーに直訴した。マッカーサーは「アメリカ人従軍牧師と日本人キリスト者とが好ましい協力関係を持つべきである」といい、従軍牧師の日本人に対する宣教活動を認めた。かくて、従軍牧師が日本人の教会で説教したり、日本人のキリスト教活動に援助する姿が見られた。

総司令部は『太平洋戦争史』を書き上げ、一九四五年十二月八日から日本全国の新聞各紙に一斉に連載させた。この冒頭は「最近においても天皇御自身が仰せられている通り日本が警告なしに真珠湾を攻撃したことは陛下の御自身の意志ではなかった」であった。この戦史は、天皇に関係のないところで、軍国主義者たちが、天皇と国民を欺して戦争を起こしたとの視点から書かれている。

この年の十二月には戦争犯罪人の逮捕が始まっていた。マッカーサーが天皇を利用しようとする姿がこの連載の戦史でも見られる。前述の『占領期メディア史研究』を再び引用する。

メディアを最大限利用したＧＨＱの戦争有罪キャンペーンは、戦争の「真相」を手放しで暴露し糾弾しているように見えながら、そのパラダイム全体の文脈において、「軍国主義者」にすべての責任をおしつけ、天皇と国民、マスメディアの温存の道を開く極めて巧妙な政治宣伝であったのである。

十二月十五日、「神道指令」が出て、国家神道は国家から分離させられ、公的な支持支援は禁止された。これ以外にも、十月十一日に「五大改革」の指令が出た。婦人解放、労働者の団結権、教育の自由主義化、専制政治からの解放、経済の民主化……。これらはすべてワシントンからの指令に基づくものであったが、マッカーサーは自らの指令のごとくに振舞った。マッカーサーは「解放者」であり「碧《あお》い眼の大君《おおきみ》」であり、そして「異人神」でさえあった。

神道命令は十二月十一日付の米国務省文書にその姿を見せた。「天皇を神秘化して民衆から遠ざけ、畏敬の念を与えるような秘密のヴェールに包むという極端な措置を廃棄すべきである」。この文章は、ハーバード大学で日本史を専門として勉強した当時の情報参謀のエドウィン・ライシャワー（後のハーバード大学教授、ケネディ政権時の駐日大使）の執筆による。

この神道指令が載った日の新聞に、近衛文麿元首相の自殺の記事が出た。近衛はA級戦犯として、巣鴨拘置所に出頭を命じられた前日に、青酸カリによる服毒自殺をした。戦前、アメリカとの戦争を最後まで阻止しようとした元首相は、天皇を戦犯から救うために、最後の手段として自殺を選んだのであった。「大本営を宮中の中に置くとは……」と嘆いた近衛は、まさに天皇の身代わりとして戦犯に指定されたのであった。遺書の最終部はGHQに六年間も押さえられていた。

戦争に伴う昂奮と激情と、勝てる者の行き過ぎと増長と、敗れた者の過度の卑屈と、故意の中傷に基づく流言蜚語と、これらの一切の所謂、世論なるものも、いつかは冷静を取り戻し、正常に復する時が来よう。この時初めて神の法廷において正義の判決が下されよう。

近衛が言う「神の法廷」とは、いかなる法廷なのであろうか。今日でも、私には理解できない。何はともあれ、五摂家の筆頭近衛文麿の死により、「摂関政治」はついに終わりを告げることになった。天皇は近衛の死の報に、「近衛は弱いね」と一言いった。

この年の十二月十日、衆議院予算委員会で、浜地文平《はまじぶんぺい》委員が前田多門文相に「天皇は神であるか、人であるか、神格であるか承りたい」と問うた。文相は答えた。「観念次第によりまして、神であらせられ、人でもあらせられ、そういう風に申せられるだろうと思います」。こうした中で、天皇の神格について国会の内外で論争が続いた。

十一月の末、民間情報教育局のハロルド・ヘンダーソンと皇太子の家庭教師（英語）のR・H・プライスの話し合いの中から、天皇が自身で、自らの神性を否定してみてはどうかという発想が生まれた。こうした発想に天皇とマッカーサーが同意し、一九四六年一月一日、天皇は自分が神ではないという「人間宣言」を発表することになる。

神道指令により、「古い国体」は払拭《ふっしょく》された。国家神道という言葉は、神道指令の中ではじめて使われた言葉であった。GHQは国家神道を、天皇を教祖とし、「教育勅語」や「軍人勅論」を経典とし、全国の神社を教会とする国家宗教組織だと理解していた。「人間宣言」により、軍国主義と結びついた「国体」が否定され、新しい国家が誕生したように見えてきた。国家神道の中心、すなわち「天皇教」は消えていくかに見えた。

私は「天皇制」という一般的な言葉に代えて、「天皇教」という言葉を、これからの文章の中で使用する。天皇制は、天皇教の政治的な一面であるという視点に立って論を進めていく。日本は宗教国家であり、その宗教の名は「天皇教」であり、今もこの宗教は厳然として存在すると私は考えている。

「神道指令」なるものが出される過程については、たくさんの戦後史に詳しく書かれているから省略したい。ここでは、この年（一九四五年）の十二月二十九日に出たマッカーサーの声明の一部を書いておきたい。天皇の神性に触れた、マッカーサーの最初にして最後の声明である。長い声明の最後の部分を記す。

……かくて現在すでに取り除かれあるいは破毀された前記の如き諸種のものの全てによる支配がさらに封建的官僚を通じ行なわれて、そこに天皇制度が形成されていたのである。従ってこれら支配の除去として、天皇制度は破毀され消滅せしめられることになろう。かくて現在日本人の眼前に置かれた計画は、これまで日本人に知られていた垂直面でなく水平面に政府をうちたてることであり、それが主たる施策であって、その方向へ指導し綿密な監督を加えなければならない。

マッカーサーは「天皇制にメスを入れる」と宣言した。いくら天皇がキリスト教徒になるといっても、現人神のままの天皇ではどうにもならない。まずは天皇の神格を否定する行動に出たのだ。

神道指令とは、国家神道と天皇を切り離すことであった。天皇はあわてた。この声明が出ることを天皇は知る。この声明の三日後、天皇は「人間宣言」といわれている声明を出す。身の危険を感じたからにほかならない。天皇は骨の髄まで、マッカーサーの恐ろしさを知るのである。

一九四五年の秋から一九四六年の初めにかけて、「神社本庁」という一つの組織が出来た。この組織が神道の危機に対して立ち上がる。神道は国家神道を捨て、新しい道を模索し始めるのである。マッカーサーは、国家神道は禁止したけれども、個人が神道を信仰するのは認めざるをえなかった。

民俗学者の柳田国男は一九四六年七月、靖国神社の文化講座で講演した。このときの講演は『氏神と氏子』として翌年に出版された。しかし、多くの箇所は占領軍の検閲を受けて活字にならなかった。彼は神道指令を批判した。

人心は是〔神道指令をさす：引用者注〕によって萎縮し、又動揺し、再び平静に復するまでには、或は混乱の数十年を過すことになるかも知れぬ。対処の策としては、自分は努めて自然を期し、強ひてきえゆくものを引留めんとせず、ただ多数の常民の心の裡に萠すものを、押曲げ踏み砕かぬだけの用心をすればよいと思って居る。全国基督教化の説をなす者が、同胞の間にも有るということを耳にするが、果してこの状態の下に於て夢見られることかどうか。やれるものならやって見よと、寧ろ好奇心をさえ私は抱いて居る。

「やれるものならやって見よ」と七十歳を超えた柳田国男は吼えた。日本人の中に「全国基督教化」を説く人々が増えていた。彼らに向かっての柳田の挑戦状であった。

神道指令、人間宣言と続く一九四五年十二月から一月にかけて、天皇の神性は剥奪されていった。この二つの出来事に大きな影響を与えたのが、アメリカの神道学者のD・C・ホルトムの学説であったといえよう。彼は『日本と天皇と神道』の中で、「神道から国教の地位を奪うこと、および天皇が自己の神性を否認することによって生ずる効果は、国家の世俗化と呼ばれてよいだろう。これこそすべての問題が行き着く目的地であった」と書いている。

ホルトムの思想は、キリスト教を日本の国教にせんとするマッカーサーの総司令部に迎え入れられた。国家の世俗化こそは、精神革命の第一歩とさせられた。日本の哲学を破壊するという目標が立てられた。武装解除の後に精神的解除をするという方針が確立した。

天皇の神性、国民の父としての天皇を世俗化の天皇に格下げすることであった。天皇はどう対処したのかは書かずもがなであろう。

かくて、マッカーサー好みの天皇が誕生する。それが一九四六年一月一日の天皇の「人間宣言」となる。

マッカーサーは『回想記』の中で神道指令について触れている。

私は占領当初から全日本国民に信仰の自由を保障したが、日本の本当の宗教的な自由を打ち立てるためには、まず古くて、うしろ向きで、国の管理と補助を受けている神道を徹底的に改革する必要があることがわかっていた。

天皇自身が神道の中心で、未開時代から神話的な教義によって、神である先祖の歴代の天皇から独特の精神的な権力を受継いでいた。日本国民は、天皇は神であり、天皇に生命をささげることがすべての臣下の最高の生活目的だと教えられていた。日本を戦争に導いた軍部はこの信仰を利用し、占領当初もまだ国家が神道に補助を与えていた。

一九四五年十二月、私は神学上の攻撃を加えることは避けながら、神道に対する国家補助の停止を指令した。一九四六年元旦に、天皇は私から提案を受けたり私と相談することなく、みずから神格を公にする詔書を出された。

この詔書が、一九四六年元旦の新聞各紙の一面トップに掲載された。

朕ト爾等国民トノ間ノ紐帯ハ、終始相互ノ信頼ト敬愛トニ依リテ結バレ、単ナル神話ト伝説トニ依リテ生ゼルモノニ非ズ。天皇ヲ以テ現御神トシ、且日本国民ヲ以テ他ノ民族ニ優越セル民族ニシテ、延テ世界ヲ支配スベキ運命ヲ有ストノ架空ナル観念ニ基クモノニ非ズ。

マッカーサーも日本国民に新年のメッセージを発表した。

新年が訪れた。それとともに、日本には新しい夜明けがやってきた。もはや将来がわずかの人間によって決められることはなくなった。軍国主義、封建主義、心身に対する統制の足かせは取り払われた。思想統制と教育の乱用も、もはや見られない。すべての国民が宗教の自由と不当な制約を受けない言論の権利を得ている。

そして、マッカーサーは、天皇の新年の詔書「人間宣言」についても声明を発表した。

天皇の新年の声明は、余の非常に欣快とするところである。天皇はその詔書に声明せるところにより、日本国民の民主化に指導的役割を果さんとしている。天皇は断固として、今後の天皇の立場を自由主義的な線に置いている。かかる天皇の行動は畢境抗し得ない健全な理念の影響を反映せるものに外ならぬ。健全なる理念というものこそは到底止め得るべきものではない。

マッカーサーは「健全なる理念」という言葉を、「キリスト教の理念」と同意味に使っているのは間違いない。二月七日、クリスチャン・センチュリー紙は、社説で、この「人間宣言」によって、日本の「精神的真空」がキリスト教で満たされる可能性が現実に存在することを示すゆえ、喜ばしいと報じた。そして、アメリカの著名なクリスチャンたちが日本を訪問し、キリスト教を受け入れるよう日本国民を説得することを求めた。こうして、対日軍事占領が日本人の宗教的回心を奨励するうえで、またとない好機となったのである。
食糧難に苦しむ人々は、マッカーサーから与えられる食糧をことのほかありがたがった。一時的にしろ、天皇崇拝熱は冷めていくかに見えた。マッカーサーと彼の部下たちを、神ならびに神の兵士たちと崇めた。ここにおいても国民のほとんどは、権威に忠誠心を捧げるという行動様式を捨てることはなかった。そして、天皇教からキリスト教への移行がすんなり行きそうな気配が漂ってきた。マッカーサーは、キリスト教史に名を残す「聖者」になりたかったのである。「人間宣言」にマッカーサーは大いに満足した。
日本人はこの天皇の「人間宣言」をどのように受け取ったのであろうか。日本共産党の指導者徳田球一は雑誌『社会評論』の一九四六年二月号で批評をした。

一月一日の詔書において「朕ハ爾等国民ト共ニ在リ、常ニ利害ヲ同ジクシ、体戚ヲ分タント欲ス」といい、実際にこの死に瀕する苦難に人民を陥れた責任を忘却せしめんとしている。更にまた「朕ト爾等国民トノ間ノ紐帯ハ終始相互ノ信頼ト敬愛トニ依リテ結バレ」たといい、全く人民を白痴視している。(略)故にこの詔書は、今や徹底的に掃蕩されんとする、人民に対する天皇の最後の哀訴であるといっていい。

マッカーサーにとって、日本のキリスト教国化のための絶好の詔書が、徳田球一にとっては、人民に対する天皇の最後の哀訴となる。しかし徳田は、マッカーサーの心を見事に理解している。天皇の最後の哀訴を百も承知のうえで、マッカーサーはこの「人間宣言」に満足したのである。

当時、対日理事会の英連邦代表であったオーストラリアのマクマホン・ボールは『日本敵か味方か』の中で、「多くの日本人が天皇の人間宣言を日本で良き工作の一部とみている。自己卑下的言辞の最上の模範と考えたとしても、それはありうることである」と冷静に判断している。

総司令部の政治顧問のジョージ・アチソンは、一九四五年十一月五日に天皇に関する報告書をトルーマン大統領に送った。

もし天皇が退位という事態が発生すれば、政府の政治的不安定は増大し、改革された政治機関が定着するまでに長い時間を要することになろう。しかし、長期間の政治的混乱と天皇では、明らかに後者が有害である。天皇制が存続する限りでは、日本国民は基本的民主主義を学び身につけ得ないことは、ほぼ疑いのないものと思われる。

しかし、アチソンも、天皇の「人間宣言」後に、その天皇観を大きく変えるのである。一月四日付のトルーマン大統領への報告書は、前年十一月五日の報告書とは異なる。

現在、日本国民の圧倒的多数が、何らかの形で天皇制を存続させることを望んでいるのは疑問の余地がありません。この上なく単純ないい方をすれば、日本国民は天皇と国民との関係を家父と家族との関係であると考えています。それは心に深く根ざした感傷的で熱い感情であります。天皇を裁判に付すことは、激しい悲しみをもたらし、その結果、日本を知る大多数の人々は政府を維持していく適任者を見出すことが不可能になるものと考えます。

天皇、巡幸に出て平和天皇を演出する

一九四五年十月に来日し、「天皇を裁判にかけろ！」と東京からワシントンに電報を打ち続けたジョージ・アチソンも、三カ月たらずで、マッカーサーの政治顧問として過ごすうちに、大きく心の変化をきたしたのである。いろんな天皇教徒たちが、天皇の必要性をアチソンに説いたからであった。天皇の最後の哀訴は成功した。

明治から一世紀もたたぬうちに、天皇教はかくも強固なものとなり、ほとんどの国民は天皇教の宗教、政治体制の中に完全に組み込まれた。徳田球一のような思想の持ち主は、例外中の例外といえる。徳田もまた、戦前、公安から金を貰い、横浜正金銀行の世話をうけた天皇教のスパイの一面を持っていたのだが。

カナダの外交官E・H・ノーマンが記録した、極東委員会代表に対するマッカーサー元帥の発言（一九四六年一月二十九日）を見る。マッカーサーはワシントンから来日した極東委員会の代表を前に次のように演説した。

マッカーサー元帥は、彼ら日本人の立場を、解放された南部奴隷にたとえた。奴隷たちは、自由を得る前には、慈悲深い主人に恵まれているが、突然世の中に解き放されたとき、

戸惑い、無気力に陥った。多くの日本人は、それほど罪を犯していない人たちまでもが、政治の過去の政策に対する罪を甘受している。

南部奴隷と同じように日本人は考えられていたのである。マッカーサーは、天皇という「慈悲深い主人」に恵まれていた日本のことを書いている。

ウイリアム・チャップマンは『日、出づる国、再び』の中で、「彼が携わるのは常に、いわば崇高なる十字軍遠征となるのである。彼に提示された任務が、少なくとも彼自身にとっては、人類の運命を左右する計画であると認識されなければ、彼は興味を示そうとはしなかった」と書いた。マッカーサーは日本で「奴隷解放」の後始末をしようとし、それに大いなる興味を示したということになろう。

敗戦直後、天皇教の無為無策を知った人々は空虚感、マッカーサーの言う「精神的空白」の状態に陥った。人間というものは、たとえ幻想であろうとも、その空虚感を埋めてくれるものを待つのである。それが敗北前の「現人神」であれ、敗北後の「異人神」であれ、何でもよかったのである。勿論、例外の人々はいる。人間は、洋の東西を問わず、圧倒的な力の前にひれ伏すことで幸せを感ずるように飼いならされている。マッカーサーが日本人を南部奴隷にたとえたのは、そのよい例である。

マッカーサーは慈悲深い神のごとき存在者として、「精神的空白」に陥った哀れなる奴隷たる日本人を、キリスト教で埋め合わせてやろうとしたのである。東洋学者のオーエン・ラティモアは日本占領下の一九五〇年に出版した『アジアの情勢』の中で、マッカーサーについて書いている。「マッカーサー元帥の帽子の大きさは、日本をその下に蔽いかくすことができた。日本はマッカーサー元帥の帽子を通してでなければ語ることができない」

外交官のジョージ・エマーソンの『回顧録』に、占領五カ月後の日本が描かれている。

私の結論はこうである。占領五カ月を経て、日本人は米国人を尊敬し、賞賛し、愛している。日本人の態度のなかには注目すべきものがいくつかある。その第一を私は「力への傾斜」と呼んだ。それは日本のことわざ「長いものに巻かれろ」に表われている。日本人は仏教徒的な諦観を持って、マッカーサーの至高の権威を当然のものとして受け入れた。

日本でバプテスト教会の宣教師として三十年間もいたダニエル・ホルトムは、アメリカの太平洋問題評議会（ＩＰＲ）の機関誌の一九四六年三月十三日号に「新しい天皇」という論文を寄せた。

天皇が突然に一片の「詔勅」によって天皇と国民の紐帯は「神話と伝説」によるものではなく、「相互の信頼と敬愛」に基づくと宣言しても、過去においてその紐帯なるものが、神話と伝説の未曾有の操作の上に成り立ち、日本の最良の学者は、自らの生命と自由を危険にさらすことなしには、それに疑問を呈することは出来なかった。

ダニエル・ホルトムは『近代日本と神道ナショナリズム』の著者であり、日本に住み、天皇教の恐怖を身をもって体験してきた。そういう点で、彼は、日本共産党の徳田球一と同じような疑問を「人間宣言」の中に発見したのである。この「人間宣言」が発せられる直前の一九四五年十二月二十九日、侍従次長木下道雄の『側近日記』には次のような記載がある。

日本人が神の裔《すえ》なることを架空というは、未だ許すべきも、Emperor が神の裔とすることを架空とすることは断じて許し難い。

そこで予はむしろ進んで天皇を現御神とする事を架空なる事に改めようと思った。陛下もこの点は御賛成である。神の裔にあらずと云う事に御反対である。

要するに、天皇は神の裔であることに同意して、そのように文書を改めたということである。天皇は現人神ではない。しかし、天皇は一般国民と違い「神の裔」である、と『側近日記』で、天皇の侍従次長は強調した。

ジョージ・アチソンの一九四六年一月四日付のトルーマン大統領宛の書簡については書いた。それから三カ月後に、アチソンはマッカーサー宛に覚書をしたためた。アチソンは国務省からマッカーサーの総司令部に派遣された人物で、マッカーサーの仕事をワシントンに報告する義務を負っていた。

決断すべき二つの方法がある。第一の考えは、私は実行可能ならば、天皇を戦争犯罪人として裁くべきであると考える。たぶん、連合国の一部もそのように主張するだろう。しかし、いくつかの事情から考えて、第二の、より慎重な政策が現時点で取るべき最善の道であるように思える。こういう状況のなかで、われわれは、日本を統治し、諸改革を実行するため、引き続き日本政府を利用しなければならず、したがって天皇が最も有用であることは疑問の余地がない。官吏や一般国民は天皇に服従している。

アチソンは、日本人の心の中に流れている地下水のような無定形の思想に思いを馳せるようになっていった。彼は中国問題の専門家であり、来日当初は日本に関する知識は皆無であった。「朕の戦争」を演出した天皇に服従し続ける日本人を前にして、従来の対日政策、すなわち、アメリカで決定したような政策を変改し、「天皇が最も有用である」との認識のもとに日本の占領をすべきであるとすることに気づいた。こうして、アチソンはマッカーサーと同一歩調を取るようになる。ワシントンもこの政策に異議はなかった。しばらくの間、マッカーサーの輝かしい時代は続くのである。

こうして、天皇は、やがて空洞化していくことになるマッカーサーなる巨木に、巧妙に絡みつく蔦《つた》に似て絡みつき、後にその巨木を枯らせてしまう役割を演ずるのである。そのときのマッカーサーは知る由もなかった。

「人間宣言」の前後期に、天皇の弟宮の高松宮と幾度かの交際を持ったオーテス・ケーリ（当時、総司令部の民間情報教育局に所属）は『天皇の孤島』の中で、人間宣言後の天皇について書いている。

彼の国民は八年間というもの、本当に何のために死ぬのかわからず、過ごしてきたのである。ということは彼のために死んでいったということなのだが、その国民が最も困っているこの時期に、彼に残された最後の手は「民衆の天皇」となって、その方向に全力を尽くすことである。

このケーリの「民衆の天皇」という考えは、高松宮を通じて天皇に伝えられた。ケーリの考えを天皇は理解した。天皇霊の保持者である天皇は、それを象徴的に国民に示すために、民衆の中に入っていかなければならない。その行為こそが、王権の原理を確認する唯一の手段であると天皇は理解した。天皇の存在を脅かす可能性のあるものはそれを排除しなければならない。その危機意識が、天皇家を長い歴史の中を生かせ続けた最大の理由であった。

かくて天皇の危機の感覚は非日常的なものへと変わっていく。今このとき、神は自らを人間の間にさすらう存在であらねばと知るのである。

タイム紙の記者は、「人間宣言」後の日本を積極的に取材し、こう結論した。「日本人は、天皇が神でないことを前々から知っていたという。これこそがナゾの日本人である」。外交官エマーソンは敗戦直後の日本人と数多く会った。ある田舎の人は彼にこう言った。「こんなぶざまな失敗をした神を誰が信じますか」

天皇は、ケーリの「民衆の天皇」になるべく心を入れ替えていく。ケーリは後に同志社大学の教授（神学）となり、高松宮の生涯の友人となる。高松宮とともに、天皇をキリスト教徒にすべく画策する影の存在となる。

天皇は、マッカーサーに、全国を巡幸したいと申し出る。マッカーサーは、できるだけ多くの人々に会うがよかろうと積極的な支援を約束する。この行幸は、マッカーサーにとっても、天皇にとっても、「大きな賭け」であった。しかも、四十五歳の天皇はこの賭けに懸けた。じっと宮中にいれば、いつワシントンの気が変わり、「戦争犯罪者」として東京裁判にかけられるかもしれない。もし熱狂的に国民が自分を迎え入れてくれたら、ワシントンの支配者たちも自分をきっと見直すだろう……。しかも、この巡幸に、天皇は「勝てる」という勝算があった。

一九四五年十一月十二日、天皇はマッカーサーの許可を得て、伊勢神宮に敗戦の報告をするために行幸した。木戸幸一内大臣、藤田尚徳侍従長、石渡荘太郎宮内大臣らが従った。行幸の前に、木戸内大臣は「群衆の間から不穏な言動が発生し、投石などの行なわれた場合には収拾がつかなくなる」との懸念を抱いていた。しかし、事態は天皇に有利な方向に転回した。天皇はこの行幸で、筵《むしろ》の上で土下座する、戦死した息子の遺影らしきものを手にした老婆の姿を見た。天皇は、いまだ自分が現人神であることを知った。伊勢神宮から帰京した二日後、天皇は木下道雄侍従次長に語った。

「過般の関西行幸は上下の間柄を親しくする事において大いに効ありき。皇室は朕と民衆との間に在りて、此の点充分に尽力ありき」

天皇は一九四六年二月から、東京近郊の市や町を行幸し、その範囲を拡大していく。

五月二十一日、天皇はマッカーサーと二回目の会談をする。当時の総務課長筧素彦《かけいもとひこ》は、「元帥とのご会談で巡幸の承認がなされたことは間違いありません」と証言している。この年の六月すぎから、天皇はオーテス・ケーリの忠告どおり、「民衆の天皇」への大変身を図る。当時の宮内省総務局長の加藤進に天皇は巡幸について語っている。

この戦争によって領土を失い、国民の多くが生命を失い、たいへん災厄を受けた。この際、私としては、どうすればいいのか考え、また退位も考えた。しかし、よくよく考えた末、この際は、全国を隈なく歩いて国民を慰め、励まし、また復興のために立ち上がらせるための勇気を与えることが自分の責任だと思う。

天皇は「民衆の天皇」となり、現人神の姿を隠し、新しい天皇像の創出に努めた。神と民草の関係は崩壊したので、新しい主従の関係を構築し、生き残ろうとした。

一九四六年二月十九日と二十日、天皇は神奈川県下を行幸した。この初期の近郊行幸が後の辺境への巡幸となるのであるが、その大成功の秘密を、大金侍従長は書きとめている。

陛下はいつもうなずいて聴かれ、時間の許す限り、丁寧にご覧になる。これは日本天皇の伝統であり特質であって、終始無私、大いなる虚しさに民心を吸収せられる。「この天皇と国民の関係」は、憲法が変わろうが、変わるまいが同じである。

この一文は歴史の冒瀆以外のなにものでもない。明治天皇の父の孝明天皇は、生涯において二度しか京都御所から出なかった。一度は御所が火事にあったとき、もう一度は西洋諸国を攘夷せんとし石清水神社に誓いを立てたときの行幸である。明治天皇も大正天皇も、敗戦前の昭和天皇も、民草とは、言葉を交わすことすら、その玉顔を直接眼にすることすら禁じられていた。民草は土下座するだけの存在であった。天皇が一時的に道化の神となり、民草の中に入っていったのは、この敗戦後のほんの一時期なのである。

天皇教はほんの百年足らずの間に、日本人の心を左右する宗教になった。神が、しかも生き神さまが、日本人の心の中に住みついたからである。生き神さまの戦争で民草の多くは死んだ。しかし、生き神さまは民草の心の中でしっかりと生き続けていた。大金は期せずして天皇教の本質を描写している。「大いなる虚しさに民心は吸収せられる」

敗戦の日から六十年以上が過ぎ去った。しかし、今日においてすら、「大いなる虚しさ」の中で日本人は生き続けている。天皇は無限抱擁的な存在であり、倫理的、政治的な日本という小宇宙《コスモ》の中心であると大金は主張しているのである。この大いなる虚しき日本劇場の中で、民草たちは天皇に見事に欺されて、「天皇陛下、バンザーイ」と叫ぶのである。

「日本のキリスト教国化は近い」とマッカーサーは言った

一九四六年（昭和二十一年）一月の「歌会始」で天皇は歌を詠んだ。

ふりつもるみ雪にたへていろかへぬ
松ぞををしき人もかくあれ

二〇〇二年（平成十四年）二月四日、小泉純一郎首相は施政方針演説でこの歌を紹介して次のように語った。

厳しい冬の寒さに耐えて、青々と成長する松のように、人々も雄々しくありたいとの願いを込められたものと思います。明治維新の激動の中から近代国家を築き上げ、第二次大戦の国土の荒廃に屈することもなく祖国再建に立ち上がった先人たちの、献身的努力に思いを致しながら、我々も現下の難局に雄々しく立ち向かっていこうではありませんか。

アメリカのマスコミ世界では、小泉は「ブッシュのサーヴァント《召使い》」といわれている。

天皇崇拝者たちはこぞってこの歌を紹介する。私はこの歌に接するたびに、ゾッとする。どうして天皇は国民たちに、朕の戦争のために、多くの人々を死に至らしめて申し訳ないとの歌を発表しなかったのだろうか、と思うのである。

この歌は、敗戦の苦境に際して「松ぞををしき人もかくあれ」と国民を励まされたとされる歌である。この歌を発表した時期、天皇はキリスト教の人脈を通じて、マッカーサーとその部下たちに、自らの偽りの真実を伝えようとしていた。朕の戦争は東条に欺されたからであると。平和天皇の衣服を着ようとしていた。この歌は自己の歴史的改竄《かいざん》を隠すために作られたものではないのか、と私には思えて仕方がない。天皇は自己の命のみを考えて、国民に朕の戦争を詫びることを避け続けていたのである。「雪にたへていろかへぬ」は松であり、天皇その人ではなかった。どうして松のように、人々は天皇を敬慕しえようか。

残念ながら、天皇の戦争責任の真実は、マッカーサーによっても隠蔽され続けていた。マッカーサーは平和天皇を利用し、天皇をキリスト信者に仕立てて、精神の大革命を狙ったのである。元内大臣の牧野伸顕、吉田茂らの宮廷派は、対米従属性をその基本姿勢とし、マッカーサーに協力し続けた。

あの松の歌は日本人だけが知っていたのであろうか。いや、当時の総司令部や在日記者たちも知っていた。「あの程度はそっとしておけ」ということであった。AP通信のラッセル・ブラインズ記者は『マッカーサーズ・ジャパン』の中で次のように書いた。

彼〔天皇〕は国民に、占領という降り積る雪の下にあっても、日本人は変化してならぬことを告げるのであった。

当時の占領軍の連中や記者たちが、このように理解していたのに、日本人の大多数は今日においても、天皇の作意を理解していない。天皇が自ら製作した神話の数々が、平成の人々の心を束縛し続けている。

司馬遼太郎はたくさんの小説を書いた。しかし、明治から大正の時代までは小説に書いたが、ノモンハン事件を書くべく資料を集めながら、ついに書くことなく死んだ。

どうして書かなかったか、司馬はこのことを聞かれて、「ノモンハンを書いたら俺は死ぬ」と晩年に語っている。あの事件を書けば、天皇の統帥権に触れなければならないからだと、司馬の友人でもある青木彰（現・東京情報大学教授）は解説している。天皇は戦争の大元帥として統帥権を持っていた。司馬遼太郎の〝無念〟を思うべきである。それゆえにこそ、私は天皇の〝朕の戦争〟に拘《こだわ》るのである。そして、平和天皇の欺瞞性を追及するのである。あの歌について考察するのである。

司馬遼太郎は死の直前に、「太平洋戦争をおこした日本、それに負けて降伏した日本のあの事態よりも、今はもっと深刻な事態なのではないか。日本は滅びるかもしれない。ここまで闇を作ってしまったら次の時代はもうこないだろう」と語った。〝闇〟はますます深くなった。だから、私はその日本の〝闇〟を少しでも告発しなければならない。

一九四六年一月十六日、宮内省（一九四七年五月より宮内府）は、ライフ誌の天皇に対する文書取材を受け入れた。十二項目の質問の中の問八は、「陛下は基督教を御研究なりつつありとの事、右は事実なりや。もし事実なりせば、陛下は信者になる御考えありや」であった。この問いに対する天皇の答えは以下である。

深き研究は致しておらぬも、キリストの精神は常識的に知っているし、かって欧州旅行のさい、ローマ法王を表敬訪問したこともある。将来キリスト教を信ずるや否は微妙な問題であるから答えられない。

天皇とマッカーサーの第一回会談から約三カ月後のことである。タイム紙はすでに、天皇がキリスト教に改宗するらしいというニュースをキャッチしていたのである。

天皇がマッカーサーとの第一回会談で、自らすすんで「キリスト教に改宗してもいい」と言ったという根拠の一つがここにもある。天皇は戦犯となり、処刑される可能性があった。それゆえ、キリスト教に改宗すること、人間であると宣言すること、民衆天皇として、民衆の中に入っていくこと……によって、自らの危機を回避しようとしていたのである。そのうちの最も有効な手段が、キリスト教に改宗するということであった。

木下道雄（元侍従次長）の『側近日記』の巻末に「聖談拝聴原稿」（木下のメモ）が収められている。時期は明記されていないが、『天皇独白録』作成のころと思われる。すなわち一九四六年の春である。その中に「将来の日本」という一文がある。天皇が側近たちに語った言葉のメモである。木下は熱烈なカトリック教徒である。一九四五年十二月一日から侍従次長を勤めた。

将来の日本
一、日本人種に対する白人の尊敬心と信頼心を高めること
どうすればよいのか。
（イ）日本人の教養を高め、眼界を広くする。
（ロ）日本人の宗教心を刷新する。
現状をもってすれば国民の宗教心が溌剌となれば基督教徒は増加するであろう。

この天皇の言葉は重要である。天皇は日本人の宗教心を刷新し、もって基督教徒にしようと考えていたのである。ホイットニー文書には触れた。あの文書の中で、天皇は、神道は危険であるから取り締まれと書いた。この文書もホイットニー文書と共通する。

さて、日本のキリスト者たちの動きを見ることにする。マッカーサーの「日本のキリスト教国化」政策に注目し協力を申し出たのは賀川豊彦や小崎国雄だけではなかった。

戦後の東大総長のクリスチャン南原繁《なんばらしげる》は建国記念日の一九四六年二月一日、「新しい日本文化の創造」と題する演説を東大生を前にして行なった。

真の覚醒は神を発見し、その発見を通じて自己を神に従わせることによってのみ可能なのである。日本に緊急に必要なのは宗教改革である。国粋主義的な日本的神学からの解放には別の宗教が必要なのだ。

これは、東大総長が学生たちに、キリスト教に改宗しなさいと、壇上から説教していることにほかならない。マッカーサーはこの演説を知り、南原に注目しろと部下に命ずる。南原の「時代の波に乗って生きよ」と学生たちに語る御都合主義にマッカーサーは惚れ込んだ。南原と三回ほど会見すると、日本をキリスト教国化するよう努力せよと激励し、南原はこれに応じて動きだした。ジョージ・アチソンの政治局で働いていたマックス・W・ビショップは、バーンズ国務長官に報告書を送った。

南原繁博士は、最近キリスト教の講座を東大に設ける提案をしました。南原演説はいま訪日中のアメリカ教育使節団から、勇気があり、優れた、そして前向きの考えとして賞賛されています。(略)この講座ができれば、日本の国立大学では初めてのものです。東大にはすでに、神道、仏教講座がありましたが、このキリスト教講座は、公的施設の中に宗教の自由を確立するうえで重要なことであります。この講座は、日本のクリスチャンの熱烈な祈りであり、希望であり、多数のクリスチャン学生が大学教育を受け、国際平和に大きく寄与するでありましょう。

しかし、この講座は開設されなかった。他の教授たちが反対したためである。だが、このビショップの報告書は、国務長官までが、日本の大学のキリスト教講座の開設問題にさえ興味を示していることを表わしている。

南原は高松宮との深い交流から、天皇を退位させ、高松宮を摂政にしようとした策士でもあった。彼は新憲法発布の際も天皇批判をした。「昨年八月終戦以来、本年十一月の新憲法発布に至る間、一度も国民的悔改の行なわれなかったのは事実である。私は柔和なる今上陛下を衷心より敬愛し、且つ御同情申し上げて居る。併し、陛下の唇より悔改の御言の公に出たことを聞かない」。南原は、その後も同様の発言を繰り返したが、歴史が証明する通り、天皇は「悔改の御言」を公にしなかった。

この年の六月、南原と同じくクリスチャンの東大教授（のちに東大総長）の矢内原忠雄《やないはらただお》もいちはやく行動を開始した。矢内原は南原と同じく、内村鑑三の直弟子であった。矢内原は『日本精神と平和国家』を出版した。

日本精神を今日、立派なものに仕上げる力は、基督教である。（略）新薬としての基督教を中心に考えるべきである。（略）この国民の瀕死のときに当たって、この新しい特効薬を試みもしないといふ事は、真に国を愛する者の態度と言へようか。

矢内原の「日本精神」とは、国家至上主義と天皇神性である。彼は『日本精神の懐古的と前進的』（一九三三年一月）の中で、「宗教的心情をもって国家を統率し、一つにする天皇を尊崇しなければならない。日本精神はこの道義性と宗教性を再確認し、前進させるものである」と書いている。彼の「日本精神」の考え方は変化したのであろうか。

かつて植民地政策推進の理論的役割を果たした矢内原は、戦後に大きく方向を転向し、そのファシスト的思想を封印し、キリスト教に返れと説く。矢内原は敗戦後の一九四五年十二月中旬に岩波書店から出版された雑誌『世界』の創刊号で、「陛下が信義を重んじ、平和国家の確立に邁進するといふ事を仰せられましたが、日本精神の理想型としての天皇の御心として、この言葉を伺ったのであります」と書いた。

矢内原にとって「日本精神」とは天皇であり、その「日本精神」をキリスト教と結びつけよと説くのである。こういうタイプのみが、日本では、成功の階段を昇っていくことができる。マッカーサーはこの矢内原に注目し、部下たちにデータを集めさせていた。

矢内原のような著名なキリスト教者たちは、ほとんどが「天皇の戦争」の協力者たちであった。天皇と同じように、一夜にして平和主義者となった。そして例外なく、天皇の改宗を願うのであった。

こういうキリスト教徒たちの活動を心配した人もいた。元外交官の来栖三郎《くるすさぶろう》は『泡沫の三十五年』の中で、警世の弁を書いた。

敗戦以来多数の日本人がキリスト教信者になりつつあることを聞いている。この傾向が将来何処まで発展して行くかということは、われわれの精神生活の進化の上から観てもすこぶる注目すべき問題である。（略）西洋諸国においては、民主主義はキリスト教という既存の地盤の上に繁栄して行ったのであるが、宗教を異にし伝統を異にするわれわれは、将来この人道主義の基盤をどこに求めていくべきであろうか。

来栖は南原や矢内原のように、単純にキリスト教の〝日本化〟を信じられないのである。宗教を異にし、伝統を異にするわれわれの未来にとって、キリスト教一辺倒の風潮を憂えているのである。しかし、当時のエリートの中で、来栖のような人は例外であった。

マッカーサーは一九四七年の始めに、米陸軍省宛に書簡を送った。

日本人民の完全なる再生、奴隷状態からの人間的自由へ、神話的教育と因習的儀式主義に由来する未成熟の状態から知識と真実の啓蒙による成熟した人間社会へ、戦争に見られたような盲目的運命論から平和を希求する冷静な現実主義への再生、政変を期待する。

一九四七年二月二十七日付読売新聞に、AP通信の東京特派員ラッセル・ブラインズと前首相東久邇宮の会見記事が出た。天皇の戦争責任に関するものであった。東久邇宮は「天皇は退位すべきである。道徳的精神的な責任がある」という内容を語った。

この二月の末、憲法改正作業が急ピッチで進んでいた。『木下日記』や『徳川義寛《とくがわよしひろ》終戦日記』に、この「退位せよ」のニュースに関する天皇周辺の動きが描写されている。ここでは省略する。天皇は退位論が燃え上がるなかで新憲法の決定を迫られる。三月六日付の木下道雄の『側近日記』の後半を記す。この日、天皇は新憲法を認めた。

御退位につきては、それは退位した方が自分は楽になるだろう。今日の様な苦境を味わわぬですむであろうが、秩父宮は病気であり、高松宮は開戦論者であり、かつ、当時軍の中枢部に居た関係上摂政には不向き。三笠宮は若くて経験に乏しいとの仰せ。東久邇の今度の軽挙を特に残念と思召さる。東久邇さんはこんな事情を少しも考えぬのであろうとの御せ。

高松宮は開戦の中止工作をした平和主義者であった。三笠宮は三十歳。天皇は二十歳で摂政になった。天皇は、退位も譲位もしないとの固い決意をもっていた。

天皇はこの年の五月に東大教授の斎藤勇（英文学）からキリスト教の講義を受けた。「罪、苦しみ、赦し、十字架、そして希望」と題されたこの講義には、天皇一家と宮内省高官たちが出席した。天皇は講義のあとで、斎藤に「キリスト教の祈りを教えてほしい」と頼んだのである。徳川義寛の『侍従長の遺言』（聞き手・岩井克己）に、この間の事情が書かれている。

戦後、御進講を昭和二十年暮れから二十一年にかけてやったのですが、最初の三回はまず宗教に関するものでした。最初は東大教授（仏教学）の板沢武雄さん。次は鈴木大拙さんの「宗教について」。三人目が斎藤勇さんの「プロテスタントについて」でした。あとは宗教以外のテーマに移っていきましたが、二十年暮れに神道指令が出て、信教の自由ということが話題になり、神道だけでは具合がわるいと、仏教、キリスト教もやったような形だったかな。国家神道が問題になったわけですが、皇室神道は、国家神道とはかなり違うように思うのですが……。いずれにしても「こういう戦争になったのは、宗教心がたりなかった」とおっしゃりましてね。

『徳川義寛終戦日記』の一九四六年七月十九日を見ることにする。その中に「フェラーズ代将より陛下への進言、近く帰国につき、その訳を記す」とある。しかし、以下の文章は、フェラーズ代将の帰国に伴い、天皇がフェラーズ代将に話した文章の和訳に違いない。文章の後半部分は次の如くである。天皇は「余」である。

……われわれは戦に敗れ去った。仇敵はわれわれの国土をその軍隊で占拠した。しかし占領軍は破壊もせず、われわれを奴隷化することもなかった。寧ろ占領軍は建設し、解放した。占領軍は我が国民の間に、今まで知られなかった程の憐憫と正義と寛容の美徳を示した。われわれのかっての敵のこの啓蒙的態度は、われわれが見習うべき長所であると、余は断定するようになった。故に余はわが民族の道徳的素質を強化することを通してはじめて自らの救済が成し遂げられるのであろうとの希望を抱きつつ、わが国民にこれらの精神的価値を勤勉に学ぶべしと説いて聞かせる。

天皇はキリスト教公布の先頭に立つ、との宣言であろう。この手紙（英文）を読んで、マッカーサーは感激したに違いない。

フーバー元大統領がトルーマン大統領の食糧問題視察の特使として、一九四六年五月五日に来日した。フェラーズ代将が、フーバー滞日中の副官役を務めた。フーバーはマッカーサーと食糧問題を話し合ったが、その会談の中心は、次期大統領選挙へのマッカーサーの出馬問題であった。フェラーズは後に「フェラーズ文書」といわれる書類を残した。この中に徳川義寛の『日記』と同じような内容のものがある。この文書の冒頭に「裕仁とフーバー、非常に重要」とある。この文章がアメリカに渡り、ワシントンで検討されたのである。

フェラーズは日本を去る同年の七月二十三日、入院中の寺崎英政御用掛に手紙を書いた。その中で天皇に触れている箇所を『昭和天皇二つの独白録』(東野真著)の中から引用する。

また、最も重要なことだが、天皇のみが先導しうる精神的再生を体験することになるだろう。

フェラーズもマッカーサーと同じように、天皇家がキリスト教に改宗することを信じて疑わなかったのである。フェラーズは皇太子の教育掛のヴァイニング夫人に、その期待を伝えた、と『昭和天皇二つの独白録』に書いている。

一九四六年六月、「六人委員会」が来日した。この「六人委員会」はカナダ合同教会の力添えを得て、食糧や衣料(ララ物資)を世界教会奉仕団を通じて送ってきた。また、都田《みやこだ》恒太郎《つねたろう》(日本基督教連盟総幹事)の提案を受け、聖書と讃美歌の必要性を知り、ニューヨークの二大教会に訴えて、日本に送る聖書と讃美歌の寄付運動を起こした。

一九四六年九月二日、ミズーリ艦上における日本降伏調印式一周年記念の日、マッカーサーは声明を出した。

彼らが信仰し、それによって生き、考えるすべてのものが崩壊したのだ。そのあとの精神的空白の中へ、米国兵士が立ちあらわれ、日本人がかつて教えられたことが、嘘であったこと、過去の信仰が悲劇であったことが目の前で証明された。つづいて精神的革命が起った。それは二千年前の歴史、伝統、伝説のうえに築かれた生活の理論と実践とをほとんど一夜にして目茶目茶にするものであった。日本国民の中に生じた精神革命は、目の前の目的を達するための附け焼刃ではない。それは世界の社会史上の比類なき激変である。

一九四六年十月、マッカーサーは、一九四五年十一月に来日したキリスト教特別代表団の「四人」の一人、ダグラス・ホートンに手紙を書いた。

日本においてキリスト教国化への偉大な運動が始まろうとしているように思う。政治、経済、教育の分野は、一も二もなく処理できるが、この問題はそれらと切り離すようとくに慎重にしている。余の認識がまったく誤っていないとすれば、精神大革命が起ころうとしている。そうなれば、教会の歴史上もっとも目覚しい勝利の一つをえることになるだろう。

（レイ・ムーア編『天皇がバイブルを読んだ日』）

このホートン宛の手紙の中に、マッカーサーの野心がはっきりと現われている。彼の日本占領の最大の目標は、「教会の歴史上もっとも目ざましい勝利」を収めて、自らの名を永遠に

「教会史」の中に残すことであった。東洋の〝パウロ〟ダグラス・マッカーサーとして。

マッカーサーの側近のホイットニーは、「マッカーサーがアメリカの宣教師の目には異教徒に映る日本人との間で、あらゆる宣教活動を奨励した」と記したメモをマッカーサー記念館に残している。

マッカーサーの『回想記』の中に「精神革命」という章がある。


日本で起こったことは、憲法上の変革や経済的復興だけでなく、同時に精神的復興であった。これは一種の進化とも評すべきものであり、私は占領中このことについて次のような意見を述べた。

「(略)あとへ残ったのは完全な道義的、精神的、肉体的真空状態だった。その真空の中へ、こんどは民主的な生き方というものが流れ込んできた。彼らが以前に教えられていたことがいかに誤ったものであり、かつての指導者たちがどれほど失敗をおかし、過去の信念がいかに悲劇的なものであったかは、現実において余地なく実証されたのである。(略)日本人の間に起こったこの精神革命は、決して当座の用に立てるだけの薄っぺらな上塗りではない。これは世界の社会史に比類のない大革命なのだ」


マッカーサーは天皇の「人間宣言」にも触れているが、ここでは省略する。

一九四六年十二月十三日付で、ジョージア州のアトランタ市に本部を置く南部バプテスト会議議長のルイス・D・ニュートン博士に書簡を送り、「キリスト教は、極東においていまだ前例のない好機に際会している。是を十分に活用するならば、日本のみならず文明そのものの展開に深く浸透する精神的革命をもたらす効果が期待できると確信する」と書いた。これに答えてニュートン牧師は一九四七年二月二十四日、アメリカ議会に向けてラジオを通じてマッカーサーの書簡に答えた。マッカーサーは『回想記』のこの章の最終部分を次のように結んでいる。

私はニュートン牧師から次のようなあたたかい手紙をもらった。

「南部バプテスト集会の議長として私は個人的に、また当集会に属する教会の六百万人の信徒を代表し、あなたが日本に立派な計画を立てることによってわれわれみんなに模範を示されたことに、お礼申し上げます。日本進駐以来、あなたがあらゆる重要な問題について示された幅広い見解と勇気に満ちた立場に、われわれみんなが希望を新たにしています」

「日本に立派な計画を立てること」とは、マッカーサーの書簡の中の「前例のない好機」をさす。それは、日本をキリスト教国化するということである。ニュートン牧師はマッカーサーの書簡が全米に向けて公表されたために、アメリカ中が、日本のキリスト教国化が近い将来、マッカーサーの占領期中に実現されるだろうと期待したのである。しかし、マッカーサーは、この手紙をもって、この「精神革命」の章を終えている。これは文章のスタイルを完全に無視している。では、どうなったのか、という結末は、書きようがなかったからである。

一九四七年一月十二日、マッカーサーは宗教教育国際会議事務局長のR・G・レス博士に書簡を送った。

キリスト教は、われわれ国家が拠って立つ土台を作ったのです。そこには倫理の偉大な力がありました。われわれの不敗の軍が、オーストラリアから日本帝国の心臓部に向けて怒涛の攻撃をかけるとき、われわれの銃座を確固として支え、照準を的確にとらえさせてくれたのはこの力でした。

日本軍は、「神聖にして侵すべからず」の大元帥にして現人神であらせられる天皇の命に従って、残忍になれた。この言葉が不敬ならば、そう思うことによって残忍になれた。アメリカ軍は神イエス・キリストの慈愛のために同じように残忍になれた。神を称えて、戦争は起こる。そしてその戦争は、いつも神の名において美化される。神を称えない戦争がどこにあろうか。「銃座を確固として支え、照準を的確」にとらえて、野蛮人や異教徒どもをみな殺しにしろ！いつも神はキリスト教徒にそのように命じてきた。戦場で、殺すなかれと叫ぶ神を、私は知らない。マッカーサーはその神を、日本人の上に置こうとした、日本人を南部の奴隷のように思いつつ。

こうして神の栄光は、ダグラス・マッカーサーの上に降り注ぐのであった。この年の二月二十四日、マッカーサーはアメリカ議会宛にメッセージを送り、アメリカ中を大喜びさせたのである。

……そしてこの概念の進歩過程を知る目安として自然に盛り上がる力、刺激と啓示を伴うこの力は、宗教上の寛容と自由の下に、キリスト教の精神を受け入れるようになった日本人が増加することすでに二百万以上と概算される。こういった人たちはいよいよ増加する事実の中に現われている。この人達は過去の信仰の崩壊によって、日本人の生活の中に生じた精神的空白を満たす手段として、キリスト教に帰依するに至ったのである。

実際に増加したキリスト教徒の数は二十万人であった。マッカーサーから通達を受けた部下が、ゼロを一つ、付け加えたのであった。「笛吹けど踊らぬ」日本人にとって、マッカーサーの部下たちは真実の数字を報告できなかった。

この年の三月、アメリカ外国宣教事業団のアリス・ケリー女史は実態の数字を承知のうえで、マッカーサーに尋ねた。彼の回答は以下である。

数字については慎重にチェックし、カトリック教会とプロテスタント教会の最高の権威者に確認済みだ。二百万人が誇張ではなく、四百万人というほうがより正確だと思っている。

マッカーサーは議会宛のメッセージに次のように付け加えたのである。

極東におけるキリスト教の拡大は、まだまだ弱いけれども、これを援助強化することによって、まだ遅れた状態にある何千万人の人々が、全く新しい、人間の尊厳と人間の目的と人間の関係の上に、これまでなかった精神的な強さを持つようになることが期待される。

第七章

象徴天皇とキリスト教

象徴天皇の意味を問う

一九四七年（昭和二十二年）一月二十八日、日本共産党の野坂参三は衆議院本会議場において新憲法の問題点を指摘した。この憲法案について、当時の主務担当の金森徳次郎《かなもりとくじろう》国務大臣が「天皇は国民のあこがれである」との名文句を吐いたことに対する日本共産党野坂参三の指摘は傾聴に値した。

いろいろな政府の御回答の中に、この天皇の地位は国民の感情から生まれている。こういうふうに言われている。感情を基礎にする、これは憲法ではなくて小説だ。（笑い声あり）これはまた新しい神秘説だと言える。

もう今日では、あの古い神権説を言う者はおそらくないと思う。今度は形のかわった神権説が生まれようとしている。ここに非常な危険があると思う。（略）第一、国民の感情が変化する。

野坂は、融通のきかないマルクス教の妄信的な信者ではない。彼は政治家であり、政治学の権威であり、権謀術数家にして哲学者である。後に彼は百歳近くにして日本共産党から追放された。彼はソビエトのスパイであったという理由によった。あの占領期、保守政治家の多くはアメリカのスパイであった。

野坂が指摘したとおりに現代の政治はなっている。「神聖にして侵すべからず」の天皇教国家から、「小説のごとき世界」の天皇教国家に変貌をとげたのであるから。

それは天皇を意識しない天皇教国家への変貌であった。意識されることを隠しおおせるという領域に天皇を無限に秘すための「形の変わった神権説」である。野坂は指摘した。「ここに非常な危険があると思う」

日本国憲法第一条によって、天皇は日本国の象徴とされた。ここには、全く具体的で、形あるものを表現しようとする努力が少しも見つけられない。舟越耿一《ふなこえこういち》は『天皇制と民主主義』の中で次のように指摘している。

> それが情動的、あるいは文学的言葉であるが故に、そこには限りなくあいまいさが残り、神秘性を読み込もうとしても不可能なことではない。（略）二条の世襲も、旧憲法の「万世一系」とそれほど異なるものではないといえる。

野坂が予言したように、日本に新しい神権説が生まれ、小説のごとき世界が誕生した。したがって、天皇の戦争責任も退位の問題も、小説のごとき様相を呈し、一件落着となっていくのである。それは、天皇を意識しない（無意識下では意識する）天皇教民主主義国家へと、日本が変貌したことを示している。

ここで私は、「象徴」という言葉が、どうして憲法第一条の中に採用されたかを検討してみたいと思う。そこにマッカーサーの野心が隠れているからである。児島襄は『史録日本国憲法』の中で「象徴」を次のように解説した。

英国憲法にかんしては、象徴の語は新奇なものではない。一八八七年に刊行されたパジョ著『英国憲法論』には、国王は「国民統合の目に見える象徴」だと説かれ、一九三一年制定のウエストミンスター条例にも、国王制度は英連邦所属国の「自由と連合の象徴」という表現がある。

私はこの文章を読んで、さもありなんと思った。そして一つのことを理解した。外国人の書いた本の中に「シンボル」という言葉がよく使用されていることである。そして、私は日本国憲法に使用された象徴という言葉に改めて注目した。「象徴」という言葉は、中江兆民《なかえちょうみん》が「シンボル」の訳語として一八八三年に初めて用いたものだ。

この象徴なる言葉、すなわちシンボルは、福音の総括として、また信仰の標識として、キプリアヌスが信仰告白を「シンボオルム」と呼んで以来、キリスト者にとっては信仰そのものを意味するところから生まれたものなのである。かくして「シンボオルム」から「シンボル」が生まれ、宗教用語、すなわちキリスト教用語として定着していったのである。

英国憲法には「国王は国民統合の目に見える象徴」だとして登場する。この象徴の意味は、英国王が英国国教会の長であるという意味なのである。私は以下のように推理したい。

マッカーサーが法律用語でもなく、一般の日本人がほとんど使用していなかった、「シンボル」の訳語の「象徴」を、日本国憲法の中で天皇の形容詞句として採用したのは、天皇を日本キリスト教国のシンボルとしたかったからだ——と。

野坂参三が指摘する「今度は形のかわった神権説が生まれようとしている」とは、天皇が従来の国家神道の祭司王から、キリスト教国日本のシンボルになりつつある、との意味なのであろう。しかし、当時の国会議員たちは、残念と言うべきか、野坂の言わんとするところを理解しえなかった。敗戦後のことゆえ、野坂も婉曲的な表現しかとれなかったのである。もし、はっきり語れば、マッカーサーの逆鱗に触れる恐れがあったからである。

かくて日本は小説のような国家、キリスト教の信仰そのものを形容する「象徴」を国家の長たる天皇の冠にいただく国家に成り下がったのである。それを野坂以外の日本人は別に気にも留めることなく今日にまで至っている。そして、野坂が予言する「ここに非常な危険があると思う」ということになる。

たぶん、野坂は国会で各議員、そして全国民に向けて、こう叫びたかったのではないか。

——天皇の地位が国民の感情から生まれてくると政府の担当者たちはことあるごとに回答する。そして新しい憲法の誕生だ。天皇が「象徴」であると言う。しかし、日本人たちよ、今、日本は小説的な国家になりさがろうとしていることに気づかないのか。今新しい神権説、すなわち「キリスト教を日本の象徴とする」新しい天皇が誕生しようとしているのだ。お前たちは、私の主張を聞いて笑っている。かくも日本が危機の淵にいるのに笑っている。

日本は敗北したとはいえ、一つの国家ではないのか。国家の再建を前にして、マッカーサー一味が作成したシナリオを前にして笑っている。マッカーサーが変容のフィルターにかけて日本を破壊しようとしているのに、小説がごとき心理国家と成り下がろうとしているのにだ。日本回帰とは言うまい、しかし、全くこのお前たちの自信のなさはどうだ。今、幻のようなフィクションが作られようとしている。敗北とは一つの更生へのチャンスなのに、天皇という時代錯誤的な遺物が、マッカーサーの力で温存され、強化されている――。

この新憲法により、天皇が象徴となり、国民に主権が移ったために、天皇の政治に対する影響力はなくなったと思っている日本人が多いであろう。この考えは甘い。昭和天皇は日本国の最高の権力者の地位を維持し続けた。吉田茂首相の娘で、首相の秘書役を演じた麻生和子《あそうかずこ》の『父吉田茂』を見ることにする。「臣茂」という章の中からの引用である。

昭和二十七年（一九五二年）、明仁親王殿下〔今上天皇〕が成年に達せられ、御成年の立太子の式典をされたとき、父は総理大臣としてお祝いの言葉を奉読した。そのとき父が自分を「臣茂」と称したのが、あとで論議の種となったことがありました。

そのことの是非はともかくとして、父が昭和天皇陛下を心からご尊敬申し上げていたのは事実です。

父は陛下にお目にかかるときは最敬礼でした。総理大臣のときには、十日に一度くらいの割合で陛下に拝謁させていただいていたと思いますが、そうした折りになにかご下問いただくと、ちゃらんぽらんでごまかし上手な父もさすがに真面目にお答えしたようです。

昭和天皇はマッカーサーには卑屈な態度で臨んでいたが、日本国の首相には子供に対するように会っていたのである。

ここで一つの疑問が湧き上がってくる。吉田がマッカーサーと組んで、どうして天皇を裏切るかたちで、天皇をカトリック教徒に仕上げようとしたのかという疑問である。私はその疑問に一つの問いで答えたい。

「日本のカトリック教徒の一人として、日本がカトリック教国になるのを願わない人がいるのであろうか」

麻生和子はこの本の中で次のように書いている。

「亡くなった母も私もカトリックでしたから、父も最後には洗礼を受けると約束していました。そうしてまんまと天国泥棒しようというのです」

吉田は日本を泥棒して、日本国をカトリックに売り飛ばそうとしたと私は思うのである。

吉田首相は一九五四年（昭和二十九年）九月二十六日、七カ国歴訪の旅に立つ。十月二十日、ローマ郊外のカステル・ガンドルフォ宮にローマ法王ピオ十二世をたずねた。『回想十年』を見る。

これはいささか私事にあたるが、宗教をもつものは幸いであると思う。私の妻はカソリックの信者であったし、また娘もそうであるが、妻が亡くなったとき、実に安らかに、安心と満足とをもちつつ永眠することができた。娘もまた驚くほど静かな気持ちでそれを見守っていたのを想い起こすことがある。宗教の偉大な力によるのであろう。

ローマ法王の発言が、今日の世界になおいろいろと強い影響を与えているのも、むべなるかなと、この老齢の法王を前にしてしみじみと考えた次第である。


吉田茂は、日本のカトリックの布教に大いに功ありとして、教皇庁の最高のサン・グレナリオ騎士団勲章を授与されている。

当時の吉田首相の娘で、秘書役であった麻生和子は、九州の石炭王麻生一族の麻生多賀吉《たかきち》と結婚していた。夫の多賀吉も熱烈なカトリック信者であった。和子の母（吉田首相の妻）の雪子《ゆきこ》は元内大臣の牧野伸顕の娘であった。雪子もまたカトリック信者であった。吉田茂はカトリックの信仰が厚かったが、洗礼は受けなかった。それは義父の牧野伸顕が「隠れカトリック」でいるようにと説得し続けたためであろう。吉田本人も、信仰表現しないほうが得策であると思ったからにちがいない。

しかし、一九六七年（昭和四十二年）十月二十日に死んだとき、吉田の隠された真実が明らかになった。彼の内葬が二十三日、東京カテドラル聖マリア大聖堂で行なわれた。三十一日、午後一時から日本武道館で戦後初めての国葬がとりおこなわれた。皇太子、同妃両殿下をはじめ外国外交団および三万五千人の都民らが献花に集まった。従一位、大勲位菊花章頸飾《けいしょく》が贈られた。朝日新聞の十月二十三日付に次のような記事が出た。

吉田氏は生前カトリック信者になりたいと家族にもカトリック東京大司教の浜尾文郎神父にもらしていたため、死後の直後に、浜尾神父の司式で洗礼「トマス・ヨゼフ」の名を受けた。ヨゼフは生前から自らをそういう具合に近しい者たちに呼んでいた。トマス・モアはイギリスの政治家で『ユートピア論』作者の名である。午後三時、松平侍従が訪れ、天皇、皇后両陛下の供物を贈られた。白いひつぎのフタには菊で飾られた十字架が置かれた。

私たちは、吉田が自らを「ヨゼフ」と名乗るほどのカトリック信者であったことを知る必要がある。

熱烈なカトリック信者の吉田の娘の麻生和子は海外で何年も暮らし、完璧な英語を話した。そして、吉田の首相時代には吉田の傍にいつもいて秘書役としての役割を勤めた。

麻生和子の娘の麻生信子《のぶこ》（吉田茂の孫娘）もまたカトリック信者である。彼女はキリストに深い理解を示す三笠宮の後継の第一皇子寛仁《ともひと》（通称、ヒゲの宮様）と結婚した。三笠宮の第三皇子の憲仁《のりひと》は高円宮《たかまど》となり、カトリックの聖心女子大出の鳥取久子《とっとりひさこ》と結婚した。

少しだけ、吉田茂のカトリック活動を書いておく。清泉女子学園というカトリックの大学がある。この創立は戦前である。吉田は妻の雪子とともに、この創立に力を尽くす。『回想十年』には、吉田がいかにこの大学と関係があるかを得意げに書いている。

また、吉田はカトリックのイエズス会とも結ばれている。一九五〇年、イエズス会は広島平和記念聖堂の建築に着手した。吉田首相は自らこの建築後援会の総裁となり、時の大蔵大臣の池田勇人を会長に押し上げ、数多くの企業から多額の協賛金を引き出した。今なら政治スキャンダルとなろう。この時にも高松宮は名誉総裁となっている。吉田茂という男をカトリック信者という視点、もう一つ、皇室と深い関係にあるという視点からみるべきなのである。

吉田が、元内大臣の牧野伸顕（元・元勲の大久保利通の次男）の娘婿であることは重要である。牧野伸顕の『牧野日記』には昭和天皇との深い関係が描かれている。天皇が良子《ながこ》皇后と結婚するにいたる過程も描かれている。牧野が隠退した後も天皇は、宮中の大事なときは、必ず牧野のもとに侍従を遣わして、意見を求めたのである。牧野は天皇にとって、父親のような存在であった。その牧野の長女雪子が吉田茂の夫人である。この線から、天皇と吉田の関係をもう一度見直さねばならない。戦前、牧野伸顕、吉田茂、樺山愛輔《かばやまあいすけ》の三人は宮廷派といわれた。

第二次世界大戦がはじまり、終戦にいたる一九四一年から一九四五年の間のアメリカ国務省の外交文書を読んでいると、「ヨハンセン」という言葉が時々出てくる。やがて、それが日本人の最高機密のスパイ名であることがわかってくる。一九四一年九月六日、「帝国国策遂行要領」に関する御前会議が開かれた。ここで日米戦争に関する決定がなされた。この最重要の国家機密をジョセフ・グルー在日米大使がただちに知り、アメリカに電報を打った。

日本のすべては、陸軍の動きも海軍の動きまで、御前会議録の文面までアメリカは知っていた。戦後、グルーの『滞日十年』やアメリカ外交文書の公開で、「ヨハンセン」が吉田反戦グループの暗号名であることが判明した。御前会議の内容を知り得る立場から、グルーと近い宮廷派の牧野伸顕と吉田茂、樺山愛輔伯爵の名が浮かんできた。この中で、御前会議の内容を知り得る立場にあったのは牧野伸顕と吉田茂の二人であろう。この吉田茂がヨハンセンと推定できる理由は他にもある。吉田茂の妻の雪子が、グルーの妻と友人関係にあったことも考えられよう。吉田一家とグルー一家は交際し続けていた。

最も重要な理由の一つは、牧野伸顕も吉田茂も、戦後に一度も追放処分にならなかったことにある。吉田は満州への侵略を強固に主張した外交官であった。牧野は天皇の側近中の側近であった。「ヨハンセンの親子」はアメリカに日本の最高機密を売りつけ、戦後への保証をアメリカに求めたと考える以外に、この謎を解く鍵が他にあるであろうか。

マッカーサーは吉田茂が外相として登場してくるときに、すでに吉田茂のすべての機密を知っていたはずである。吉田茂がマッカーサーにとって、最も利用しやすい男であったことを考えれば、「日本カトリック教国化」構想にカトリック教徒の吉田茂を引き入れ、天皇を裏切らせることは難しいことではなかったはずである。日本国家の存亡をかけた御前会議の機密をアメリカに売った男が、日本の首相であり続けたこの悲しみを知るべきであろう。

あの戦後期、東京裁判の国際検事局には最高機密とされた二つのルートがあった。一つは天皇の御用掛の寺崎英成の「天皇ルート」であり、もう一つは吉田茂の「Y項ルート」といわれたものであった。天皇と吉田茂は、軍人たちや政治家たちを戦犯にしたてるために密告し続けたのである。

麻生和子は、マッカーサーの軍事担当秘書のロレンス・エリオット・バンカー大佐と直接に交渉するほどの実力者であった。彼女が総司令部を訪れることは吉田茂の代理の役をすることであった。熱狂的なカトリック信者であった彼女を、参謀部第二部「GⅡ」の、これも熱狂的なカトリック教徒のC・A・ウィロビー少将はいつも迎え入れた。日本をカトリック教国にせんとした彼女の行動を忘れてはならない。

「皇室典範」について書くことにする。ほとんどの「現代史」にこの重要な法が触れられていないのが不思議でならない。天皇の戦争責任を論じるのにも、この典範は重要なのに、学者たちは表面的にしか見ていない。

この新しい皇室典範が貴族院に上程されたのは一九四六年の暮れ、そして十二月中に成立となる。ここで「天皇の退位の条項」をめぐる論議がなされた。当時質疑演説に立ったのは南原繁東大総長であった。彼は道義的観点と人間天皇の自由という観点とから、天皇の退位を説き、「それにそなえるために退位条項を設けるべきだ」と主張した。

吉田首相によって文相に任命された田中耕太郎は反論した。

陛下がご自分の趣味から、あるいは道徳的な内省の気持ちから、たとえ地位にとどまることを欲せられない場合にも、やはり国民統合の要求からして、残っていただかなければならないと考えると、これが自然であり、この草案の精神である。

一九四六年十二月、新憲法の成立にともなって「皇室典範」の改正が企てられた。かくて、退位ないし譲位の規定が欠けたものになった。この典範は、議会の自由な討議に附せられた。要するに、マッカーサーの総司令部が「日本人だけで作ればよい」との裁量権を認めたのであった。私はこの「退位と譲位」の規定がないのは、吉田首相の助言によるのは勿論であるが、それよりも天皇の意志によると思うのである。もし、天皇が、この典範に反対していれば、退位と譲位の入った典範となっていたのであるから。

もし、「退位と譲位」を天皇に認めれば、天皇の退位ないし譲位の問題が燃え上がったときに、天皇は法的手段を失うからである。ここに、「天皇の道徳的自由意志」は封印された。このことは、道徳が権威に優越するという思想を天皇が自ら封印したことになる。もう少し明確に書くならば、道徳的に退廃した天皇でも、退位と譲位のことは考えなくてもよいということになった。古い皇室典範がそのままに残った。天皇は退位や譲位を問われるたびに、この皇室典範を理由とするようになった。

マッカーサーはこの「皇室典範」を歓迎したにちがいない。天皇の道徳性も、退位も譲位も、一切気にすることがなくなったからである。天皇がキリスト教に改宗しても、皇室典範の束縛を受けることがないからである。

マッカーサー、夢を語り続ける

一九四七年（昭和二十二年）三月十七日、有楽町に近い外国人記者クラブにマッカーサーが現われた。同クラブの昼食会に出席し、共同会見に臨んだ。この記者会見は異例であった。午後一時三十分、昼食会が始まる。対日講和条約の問題が主題であった。ここでは全てを省略する。

ある記者が「日本は真に民主化されたのですか」と問うた。マッカーサーは答えた。

日本は世界最大の精神革命を起こした。ただし、デモクラシーが完成されたわけではない。その完成にはあと数年かかるだろう。今後は、監視、統制、指導で助長すればよいが、そのためには、無防備になった日本を保護する必要がある。

（児島襄『講和条約』）

キリスト教国化への道は確実に進んでいる。そのために、今は監視し、統制し、指導しているのだ。やがて日本は民主主義の完成（キリスト教国化）をみるだろう。記者諸君！　そのときには、日本は無防備になるかもしれない。どうしてか。反キリスト教徒がいるからだ。それで私は講和条約が成立し、日本が独立しても、日本のキリスト教国化が完成するまで日本にいるつもりだ——マッカーサーはこのような意味のことを記者たちに語ったのである。

記者たちは色めきたった。質問が殺到した。そのとき、側近のホイットニーがマッカーサーに「帰りましょう」と言った。マッカーサーは去っていった。

この年の六月、ジョージ・アチソンは「日本占領二十二カ月」という一文の中でマッカーサーを賛美し、日本のキリスト教国化について書いた。

　日本国民は、その選ぶところにしたがい、信仰の自由を得、さらにまた、日を経るにしたがい、「己の欲するところを人に施せ」という黄金律をもって人間の基本的行為とするキリスト教に改宗する人は増加しつつある。

かくて、日本全国の津々浦々に宣教師が溢れた。マッカーサーの占領軍は、宣教師たち、のみならず彼らの家族の旅行、医療、身辺警護に特別の優遇措置を与えた。彼らは軍用列車に乗り、各地の施設を利用し、軍用郵便さえ使用できた。彼らは占領軍の将校たちのために祈り、娯楽施設や映画館などで余暇を楽しんだ。しかし、彼ら宣教師たちは日本国民の中に深く入っていって、神の道を説くことはほとんどなかったのである。日本人の宣教師たちは貧乏でその日の生活に追われていて説教どころではなかった。

宣教師だけではなかった。占領軍の人々が日本国民の税金を吸い上げ、優雅な生活をしていることにマッカーサーは目を向けることはなかった。例えば、一九四六年七月一日からの九カ月間で、占領軍の経費は四十五億円。大戦前の一九四〇年の日本の全軍事費が約二十三億円。そのアメリカ駐留経費の大半は日本国民の税金であったが、これは極秘とされていた。日本経済は大きな打撃を受けて破産寸前であった。

マッカーサーはワシントンから、「日本経済の再建については考えなくてもよい」という指令を受けていた。GHQで占領経済に直接関わったトーマス・A・ビッソンは『日本占領回想記』の中で、次のように書いている。

すでに一九四六年秋には、悪性インフレは重大な段階に達していた。内閣の財政政策はいぜんとして、インフレの悪化を速めるだけであり、マッカーサーはほとんど関心を示さず積極的な手を打たなかった。

しかし、マッカーサーは、日本人の貧しさはキリスト教で救えると信じていた。アメリカの占領軍の兵士やその家族たち、宣教師たちは、日本人の生活水準をはるかにこえて優雅な生活を楽しんでいた。

この年の六月、キリスト教徒の社会党党首片山哲が内閣総理大臣になった。マッカーサーは声明を出した。

キリスト教は、圧制を求めるイデオロギーの浸透することに対する無敵の精神的砦である。歴史上初めて日本がキリスト教徒によって指導されることになったことは特段に重要だと信ずる。このことは日本人の精神に完全な信教の自由が支配したことを示すものであって、東洋の三大国、中国、日本、およびフィリピンが、いずれもキリスト教徒によって指導されることになったのは極めて重要である。

（田村祐造『戦後社会党の担い手たち』）

片山首相は六月七日、外国人記者との会見で、「私は民主主義政府はキリスト教の愛と人道主義の精神によって貫かれていると信じている」と語り、外国人記者のみならず、マッカーサーをも喜ばせた。クリスチャン首相の誕生をマッカーサーが喜んでいたころ、天皇は六月四日から十五日にかけて関西巡幸に出た。

天皇が関西巡幸に出発する当日の朝日新聞に、天皇、皇后お揃いの宮内府記者との会見記が掲載された。記者の質問に天皇は次のように答えた。

私はずいぶん古くから新聞を読んでいます。とくに外国の電報を一番よく読んでいます。私として希望していることは、新聞は世論に影響しているから、迅速に、正確な報道を送って世の中を指導してもらいたい。

天皇はそのころ元気を取り戻し、希望が見えてきたと思っていた。天皇退位論も静まり、共産党は「愛される共産党路線」をスローガンにし、天皇制打倒の声を鎮めていた。

マッカーサーと片山首相との初会見は一時間に及び、キリスト教国日本の誕生の近いことを二人して語り尽くした。マッカーサーと片山は同じ長老教会派の信者であった。そのことがマッカーサーを一層喜ばせた。片山はその日の会見の模様を、一九六七年に出版した『回顧と展望』の中で書いている。

「日本はこれから東洋のスイスたれ」と〔マッカーサーは〕言った。私も、「東洋のスイスとしてやりたい。もう戦争はこりごりなので、戦争の放棄は私もどこまでも守り通そう」と答え、前述の組閣第一声の施政方針演説をやった時にも、第一にわが内閣は、この憲法の民主主義、平和主義の精神はどこまでも守る、戦争放棄はわが信条であることを強調したのだ。

「東洋のスイス」という言葉が当時の流行語となった。スイスこそは国際金融資本家たちの国であり、ここに集う勢力が、第二次世界大戦を仕掛けたとは、当時のマッカーサーや片山首相も知らなかった。

この一九四六年十月の国会で、「刑法の一部改正案」が上程、論議された。吉田元首相の自由党は、特定侮辱罪（不敬罪）を法律の中に挿入しようとした。片山首相はマッカーサーの司令部と協議を重ね、この提案を拒否した。ここに、不敬罪は日本の法律から完全に消えた。

この不敬罪こそは、天皇教の最後の砦であった。天皇教を批判する自由はここに確固たる法的根拠を持った。片山内閣の大きな業績の一つにちがいない。また、マッカーサーのなした業績の中でも特筆すべきものといえる。法律上は、天皇も一般国民も、法の前では平等となったのだから。

十月十三日、片山首相は皇室会議を開き、ここで三宮家（秩父宮、高松宮、三笠宮）を除く傍系十宮家の五十一人の皇籍離脱が決定した。天皇一族は大きな歴史の波にさらされていくことになった。

片山内閣は社会党内の左派の反乱であっけなく互解してしまった。マッカーサーは片山首相に、「いかにも惜しい。投げ出したものはしょうがないが、首班指名選挙にもう一遍挑戦して組閣してはどうだ」と言った。このとき以降、社会党は内紛を繰り返し、凋落の一途を辿っていった。

片山は『回顧と展望』の中で、内閣を総辞職したのは、マッカーサーが「日本の再軍備に手をつけざるを得ないように仕向けたからだ」と弁解しているが、それは偽りであろう。それならマッカーサーと堂々と闘うべきであった。この片山には、賀川豊彦ほどの器量がなかったのが原因である。このときもマッカーサーは、賀川だったらと思ったに違いない。賀川は全国を回り、キリスト教の普及に全力をあげていた。

高橋紘《たかはしひろし》の『象徴天皇』の中に、天皇の「片山首相に連絡すべき要旨」という題の元側近メモ（一九四七年九月）が採られている。片山首相が天皇制存続のために、戦前からの側近である長官、侍従長を更迭させたいと天皇に伝えたことに対する天皇から片山首相への返事である。


片山は誠に良き人物と思うが、面識浅きため予の眞意を未だよく呑み込みなおらざるように思うから（以下のことをよく諒解させせよ）。物事を改革するには、自ずから緩急の順序がある。振り子が滑らかに動くのは、静にこれを動かす結果である。急激に動かせば必ず狂う。この振り子の原理は、予が深く留意するところである。改革にしても、反動が起きるようでは困る。

天皇が絶対的権力を握っていた時代には、振り子の原理はある程度、通用した。しかし、GHQの中から、天皇の行幸は、国が貧しいときに多額の金を無駄遣いしているという声が高まった。片山はそのGHQの意見を受けて、旧態依然のままの側近たちを更迭したいと天皇に申し出たのである。

天皇は片山の意を解することがなかった。このため、天皇巡幸はGHQの幹部たちの怒りを買い、一九四八年は中止となる。

この「振り子論」は吉田茂もよく採用した。この理論に見えるのは、改革をできるだけ最小限に抑え、身の安全を願う、天皇の心理である。このときは片山はこれ以上追及しなかった。天皇は老人の側近たちに囲まれて遊んでいた。一九四八年三月、芦田均が首相になると、強引に側近が更迭される。芦田の『日記』には、なんとか更迭しないでほしいと願う「弱気の天皇」が描かれている。

マッカーサーは、より遠くに巡幸に行くようにと天皇に指示を出す。天皇に異存があろうはずもない。天皇は、自らの危機を救うためには、自らを「民衆の天皇」にする以外にないと思っていたのである。マッカーサーは知将ソープ准将に命じ、天皇行幸を監視させる。

一九四七年六月四日から天皇は関西方面を巡幸した。天皇は六月十二日、神戸女学院に立ち寄った。神戸女学院は一八七五年（明治八年）にキリスト教伝道のために創立された米国系のミッション・スクールである。七百人の合唱隊が本館の玄関前に整列し、天皇を迎えて讃美歌四百十二番「祖国」を歌った。

一、わが大和の国をまもり
あらゆる風をしずめ
代々をやすけくおさめ給え、わが神
二、わが愛する国のめぐみ
けがしき波をたたせて
とこしえに清め給え、わが神
三、わが日の本ひかりをそえ
みこころおこなわれて
主のみくにとならせ給え、わが神

キリスト教と天皇教とが合体したような歌である。天皇はこの歌を聞きつつ、涙を流した。天皇の涙は奉迎者たちのむせび泣きを誘ったのである。入江相政侍従は『日記』に記している。

生徒は皆なきながら歌っていた。美しき情景であった。（略）その中で男の生徒一人、御料車の側まで来て涙をふりしぼって、「陛下しっかりお願いします」と申し上げた。眞に意味深長である。

八月十三日、天皇は秋田市の聖心会秋田支部を行幸した。在日二十余年におよぶドイツ婦人、聖園テレジア会長の外国なまりの愛嬌のある日本語の説明を、天皇は熱心に聞いた。やがて、天皇はキリストの像の輝く聖堂に入り、数分間礼拝された。すると、六人の尼僧が讃美歌を歌い出した。

……天の御父、おおきみ守れ
　ことことわに……

黒衣の修道尼の一人が、随行の記者団につぶやいた。

「あのお姿は、どんな信者よりも敬虔なものです。神に一番近い御方が、神の御心に一番かなうのです」

このとき、天皇はまさに「神に一番近い御方」であった。それゆえにこそ、マッカーサーは天皇を神の代理人として、教会やその施設、キリスト教関係の学園に行かせたのである。

聖園テレジア（一八九〇年ドイツ生まれ）は皇居をたびたび訪れ、皇后と会見している。天皇と皇后のキリスト人脈の一人。この東北巡幸のあと、天皇と皇后は栃木県那須御用邸に出かける。この那須にあるヨゼフ・フロジャック神父（フランス人）の経営する慈生会那須農場を訪れている。フロジャックら三人の神父、そして修道女、信者ら数十人が出迎えた。この農場の四阿《あずまや》で修道女たちが「日出ずる国」を歌った。天皇と皇后は聖歌の終わるまで、その場でじっと立ちつくした。

翌一九四八年の一月、フロジャック神父は四十年ぶりにフランスに帰国した。フロジャック神父は天皇、皇后から写真とサインを貰っていた。フロジャックは三月下旬、ローマ法王ピオ十二世に謁見し、天皇のメッセージと写真を渡した。法王はサイン入りの写真と自分の肖像の金メダルを天皇に贈った（このフロジャック神父に関しては高橋紘・鈴木邦男の『天皇家の密使たち』に詳しく書かれている）。

聖園テレジアとフロジャック神父を訪れた一九四七年の十月、天皇は長野県、新潟県、山梨県を巡幸した。十月十三日、長野市長の松橋久左衛門が「あれが善光寺でございます」と天皇に説明した。このとき、大金侍従長は唖然とした。彼は、「天皇は『絶対無二』を目標としているので、各地の著名な神社、仏閣を行幸の範囲外におかれている」と、市長の浅慮を嘆いたのであった。

私たちは知るべきである。占領期の初期、天皇は、靖国神社と伊勢神宮を参拝した。以降、各地の神社、仏閣に足をふみ入れていない。ただ、一部の例外として神社、仏閣が経営する孤児院などは訪れたことがある。キリスト教関係の施設や学園にはしばしば行幸し、その礼拝堂にたたずむこと（入口にたって頭を下げるだけであったが）が多かったのである。

かくて、多くの庶民の信仰の場である「善光寺本堂」を長野市長が説明しようとするのを遮って、一瞥のもとに立ち去ったのである。この一瞥に対しても、大金侍従長は憤怒の情を市長に投げつけたのである。

神戸女学院で天皇が涙した光景は、入江相政の書いたとおり、誠に「意味深長である」と思う。ワシントン中枢はマッカーサーに「天皇の民衆化」を要求していた。マッカーサーは天皇を利用して、日本をキリスト教国化しようとしていた。一方、ワシントンを実質的に支配する国際金融資本家たちは、天皇を政治的に利用しようとしていたのである。日本を操る最高の手段、それは天皇を大衆化して味方につけて、日本を永遠の保守的属国に仕上げることであった。では、ウィリアム・ウッダードの『天皇と神道』を見ることにしよう。

占領軍の内側および外側で、カトリックとプロテスタントの双方が、個人的に、これらの高い地位にあった日本人に対して、その影響力を行使してキリスト教を広げようと努力したことは疑いがない。正直いってキリスト教宣教の努力は猛烈だった。バンズ〔CIEの宗教課長：引用者注〕が一九四七年五月に、記者に対して間違いなく「プロテスタントもカトリックも天皇を自分たちの宗教に改宗させようとしている」と語ったのは、大多数の人々の意見を正しく反映したものだった。（略）将軍がかなり親しくしていたある人物にたいして、彼は「もし天皇がキリスト教徒になったら、天皇は無法な冷笑にさらされることになろう」といったという。

「無法な冷笑にさらされる」ことを覚悟のうえで、天皇は改宗の意をマッカーサーに示していた。

まさに一九四七年は、キリスト教の熱風が日本中に吹き荒れ始めた年であった。

五月七日、都新聞（東京新聞の前身）は「天皇は改宗の途中にあらせられ、皇室の方々も関心をおもちだ」と報じた。

五月二十日、AP通信本社は、在日の記者に対し、「アメリカのカトリック教徒が内々に期待している、天皇のカトリックへの改宗についての記事をとりまとめよ」との指令を出した。

六月五日付のスターズ・アンド・ストライプス（米軍機関紙）は、「キリスト教に対する日本の誠意は疑問」という見出しの記事を掲載した。マッカーサーはこの記事を読んで腹を立て、参謀長に調査を命じた。CIE宗教課長のバンズはマッカーサーに覚書を提出し、この記事に悪意がないことを説明した。

七月十三日、「少年の町」（カトリック運営の児童自立支援施設）創始者であるエドワード・フラナガン神父がマッカーサーの特別な依頼を受けて来日し、占領軍顧問の資格をマッカーサーから貰って長期間日本に滞在した。帰国後、フラナガン神父は、ワシントンで「マッカーサー将軍は、日本がキリスト教国化されるまで、日本における民主化は成功しない、と信じている」と述べた。

九月二日、対日戦勝二周年を迎えてマッカーサーは自らの政策を自画自賛した。

日本人の生活から戦争の意志と能力を奪うことを目的とした厳密な一面を除けば、連合国の政策は報復と狭量と不正を避けて、かの「山上の垂訓」に不滅の解明を与えられている根本観念にしっかりと基礎を置いた政策であった。

一九四七年にアメリカで出版され、翌年に日本でも出版された『マッカーサーズ・ジャパン』の中で、マッカーサーは作者のR・プラインズに「山上の垂訓」について語っている。

「日本人は山上の垂訓の精神を身につけている」と彼〔マッカーサー〕は言った。「どんなことがあっても、それを失うことはないだろう」。このことは本質的には、因業《いんごう》で且つ利己的な島国人に個人の尊厳と公平の新しい感覚を附与することになろう。彼は民主主義とキリスト教の両思想を繰り返し主張することの心底には、このような諸点が考慮されている。「一度、人の心に強い根を下ろした民主主義は、われわれの知る限りの如何なる抗争的イデオロギーに対しても自ら屈服した例はない」と。

「一度、心の中に強い根を下ろした民主主義」に注目したい。民主主義とキリスト教を同義語としてマッカーサーは使っている。

ライフ誌の社長ヘンリー・ルースはマッカーサーとの会見後、ライフ誌に「ギリシャ、ローマ、中世ルネッサンス、大英帝国の時代……これらの歴史のドラマの栄光と悲惨が彼の心と精神をいつも刺激していた」と書いた。マッカーサーは、日本をキリスト教国化するという歴史のドラマの栄光と悲惨の中で一日一日を生きていたのである。

一九四七年七月十二日、マッカーサーはキリスト教について語った。

それは健全で中庸の道、低水準ながら生存できる可能性を示している。そして、キリスト教のみが、低水準の生活に希望の灯を与えることができる。

ここにマッカーサーの思想が明確となった。飯を喰えない腹の空白を、キリスト教の教えで埋めろというのである。

だからマッカーサーは、日本経済がどうなろうとも関心を示さなかったのである。四十万人のアメリカ兵士と一部の将校たちの家族が、日本という楽園で一日でも長く安楽の生活ができることを願っていたのである。南部の奴隷がごとき日本人には、空腹こそがふさわしいと思っていたのである。

天皇の退任と天皇のカトリックへの改宗が燃え上がったこの年の九月二十日、天皇はシーボルト外交局長を経由して、マッカーサーとマーシャル国務長官宛にメッセージを送った。このメモは、進藤栄一筑波大学教授が一九七八年八月にワシントンの米国立公文書館で発見した。九月中旬、宮内庁御用掛の寺崎英成がシーボルトを訪ねて次の天皇メッセージを伝えたものである。

寺崎が言うには、天皇は、米国が琉球と他の諸島を軍事占領し続けることを希望している。天皇の意見ではそれは米国の利益になるし、日本を守ることにも成る。日本国民はロシアの脅威と内政干渉を恐れているので、広範な承認を得られる。（略）

天皇が思うに、沖縄の軍事占領は日本の主権を残存させた形で長期（二十五年〜五十年またはそれ以上の）貸与をするという犠牲のうえになされるべきである。

（歴史学研究会編『日本史史料5　現代』）

天皇は自分の苦境を乗り越えようとして、沖縄を取引の材料としたとみられても仕方のないことであろう。このメッセージの件も影響しているであろうが、生涯にわたって天皇は沖縄の地を踏むことができなかった。

後の章で書くことになるが、国務省のジョージ・ケナン政策企画部長はこの天皇のメッセージを歓迎し、対日政策の特別勧告書を書くときに利用する。この天皇のメッセージは入江相政の『日記』の中にも登場する。

天皇が「側近メモ」を出してからまもなく、マッカーサーの政治顧問のジョージ・アチソンがアメリカへ一時帰国すべく乗った飛行機が墜ちて死亡する。その後にW・J・シーボルトが後任となる（彼は政治顧問ではなく外交局長という名称を使うので、以降、外交局長シーボルトとする）。シーボルトの父は日本で布教活動していた。それゆえ日本語がよくできた。シーボルトは天皇の御用掛の寺崎英成と密接な関係を結んでいく。

十月四日、マッカーサーは岐阜県在住の宣教師のホイーゥエ女史に手紙を送った。

私が日本がキリスト教国化されるであろうとの希望と信念を持っていることを理解してほしい。そのために私はあらゆる努力をはらっているのであって、日本にいる宣教師一人一人にたいして宣教師千人ずつ連れてくることを希望したい。

マーク・ゲインの『ニッポン日記』の十一月二十四日に、ゲインが二十三日にマッカーサーの「側近派」と晩餐をした模様が描かれている。側近派の名は秘されているが、その人物はゲインに次のように語っている。

最後に、精神的な方面では、元帥は日本がキリスト教国になることを望んでいる。かかる改宗こそ、日本を西欧諸国にむすびつけ、日本を平和愛好国家とするだろうと元帥は信じている。

一九四七年のクリスマスの夜、東京裁判の首席検事のキーナンは、高松宮ともう一人の天皇の御用掛ともいうべき松平康昌を自邸に招き、宴をはった。キーナンはお開きのとき、高松宮に、「天のいと高きところには神の栄光、地には善意の人々に平安あれ」との聖句を書いた紙を天皇に渡してくれと言った。そして付け加えた。「マッカーサー元帥も私と同じ気持ちです」。天皇はキーナンの手紙を受け取り、この年も無事終わりそうだ、と思った。そして側近に、「もう少しキーナンを大事にせよ」と命じた。

この年の暮れの十二月三十一日、木戸幸一の弁護士の質問に、東条英機は答えた。「我々〔日本人〕は陛下のご意志に逆らうことはありえない」。ここに、天皇教の信奉者たちは、天皇無罪の方程式が壊れていくのを見た。

天皇の最高の密使、決して高位の職につかなかったが、最高の実力者であり続けた松平康昌が、東条の口封じに動くことになった。松平は木戸幸一元内大臣に面会し、東条説得を依頼する一方、田中隆吉元陸軍少将にキーナン対策を命じた。

キーナンの生活は一変した。キーナンは田中に「強くなった」という隠語を発すると、田中は極上の女（キーナン自身がそのように語っている）を提供した。田中は宮廷筋から上流階級のすぐれた女たちを与えられ、キーナンに提供し続けたのである。天皇は最大の危機に直面した。キーナンはますます「強くなった」を連発した。

その一方、東条は木戸や他の天皇教徒たちに説得され続け、ついに歴史の真実を封印する決心をするに至った。かくして、東条は「天皇を欺して」戦争の指揮を執ったのだということになった。

あの戦争は、「朕の戦争」ではなく、「東条の戦争」ということになった。多くの日本人が赤紙一枚で戦場に行ったのは、天皇のためではなかったという、世にも不思議な物語の誕生であった。後にウェッブ裁判官は当時を回想し、マッカーサーと天皇の第一回会談について、こう語っている。

「支配者は侵略戦争を開始した責任を転嫁することはできない。生命の危機からそうせざるを得なかったと釈明することは許されない」

私は思うのである。何人《なんぴと》があの戦争に反対しえたであろう。何人が天皇が平和を唱えたら暗殺しえたであろう。何人が平和を訴える天皇を精神病院に送りえたであろう。東条が東京裁判で言った言葉は重かったのである。「我々は陛下のご意志に逆らうことはありえない」

この東条の言葉が一つのキーワードとなる。マッカーサーがどうして日本をキリスト教国にできると確信しえたかの答えが、東条の言葉の中に隠れている。それは、天皇が人間宣言の後にも、現人神であると日本人が信じているのをマッカーサーが発見したからである。

マッカーサーはフォレスタル海軍長官に、天皇は「育ちが良くて、お金持ちの若い社交クラブ会員のような人で、軍部に操られた人形」のような人であると語っている。マッカーサーは冷静な目で天皇を観察していた。

しかし、マッカーサーはある面で正しく、ある面で正しくなかった。天皇は軍部に操られるような、やわな人ではなかったのである。その認識の甘さゆえに、マッカーサーは占領後期に天皇から裏切られていくのである。軍部に「操られた」ように、「東条に欺された」ように、天皇はマッカーサーの前で見事な演出をしてみせただけなのだ。

天皇に対する認識は甘かったが、マッカーサーは、日本人が天皇を昔と同じように、現人神として認識していると確信するようになった。それゆえ、マッカーサーは天皇を「劇的な方法」で改宗させ、一気に日本をキリスト教国にするという方針を立てて実行に移すことになる。「イエスは人であり、かつ神である」というパウロの説を、マッカーサーは日本でも応用できると考えた。

日本人は天皇のかわりに、イエスを神と認めるであろう。人間であると同時に神であるイエスは、人間であり、同時に現人神である天皇と、同質の思想ではないか。パウロの説は当時の人々にはなかなか受け入れられなかった。しかし、この「精神的空白」状態にある日本人にはたやすく受け入れられるだろう。

パウロの説が正式に受け入れられたのは紀元三八〇年にキリスト教がローマ帝国の国教とな

ってからだ。マッカーサーは三百八十年の時間を一気につめて、ここ数年以内にキリスト教を日本の正式の国教としなければならない。一度は天皇の改宗の申し出に対し、承認のサインを保留した。しかし、日本占領が一年、そして一年と過ぎていっても、キリスト教徒の数はそれほど増えてはいない。マッカーサーは従来の考えを否定し、天皇を利用しようと決心した。

マッカーサーは歴史を知る男である。ザヴィエルの日本布教が失敗した原因、ペリーがキリスト教国化しようとして果たせなかった原因、それらを追及し、マッカーサーは第一の計画の失敗を認めた。宗教は、強制的でなければ決して広まらないのだと。

世界史の中の天皇改宗問題

「今日、私たちは福音書の教え（キリストの誕生、キリストの行なった奇跡、キリストの復活）のすべてを信じることはできません」と書いている日本の教科書（「民主主義」という書名の教科書）を非難したアメリカのクリスチャンからの手紙を、マッカーサーは多数受け取った。一九四八年二月、民間情報局（ＣＩＥ）はマッカーサーからの指令を受けて、教科書の著者と出版社を譴責処分にし、教科書の配布を中止させた。

マッカーサーは非難の手紙に返事を出した。

「日本の全国民はキリスト教の根底にある原理と理想を理解し、実践し、敬愛しはじめているところです」

マッカーサーは、「国体」と「神道」を抹殺する指令を出した。神話が日本の教科書から消え、キリスト教の福音書が入ってきた。キリストの誕生も、奇跡も、復活も、それを信じない大多数の日本人にとっては、単なる「西洋の神話」にみえるのであるが、彼らキリスト教徒はこれを真実だという。マッカーサーは全国民がこの神話を真実として学び、理解しはじめていると書いている。

マッカーサーの誇大妄想狂的発想から、物語は、この一九四八年二月以降大きく転換していく。一九四六年、日本のキリスト教指導者たちは、戦後新しく登場した宗教（新興宗教）が増えてきたことに危機感を募らせ、この不健全な有害な宗教を禁止しろと、非公式ではあったが、マッカーサーに働きかけた。カトリックもこの運動に積極的に加わった。

マッカーサーも、「日本の迷信」を追放する動きに出たのである。キリスト教の神の神話のみが真実であり、古来からの日本の民間信仰が迷信とされたのである。野の仏たちに手を合わせることに、日本のキリスト者たちは迷信を見た。

私はキリスト者たちに問いたい。君たちの父と母が、またその父と母が、野の仏たちに手を合わせてきたのを知らないのか。そんなに野の仏とともにある山野が憎いのか。そんなに白い神が尊いのか。

日本のキリスト教国化が具体的なスケジュールのもとに推し進められていくのは、このマッカーサーの手紙の発送の四カ月後の六月に、アメリカのスペルマン枢機卿が来て、マッカーサーと会見してから後のことである。

昭和天皇の死後、文藝春秋編『大いなる昭和』が出版された。その中で、評論家福田恆存《ふくだつねあり》は「象徴天皇の宿命」を書いた。

「象徴」という曖昧な言葉は、動機はどうあろうとも、結果としては、天皇の神格を保存するのに役立つだけだった。戦後も天皇は「人間」になどなってはいない。政治的大権とは全く別のところで国民的感情のうちでは天皇は依然として神である。

福田恆存は、「動機はどうであろうとも……」と指摘する。福田ははたして、天皇の神格をマッカーサーが保存しつつ、キリスト教と結びつけようとして、この曖昧な「象徴」という言葉を使ったことを認識していたのであろうか。私は彼がそれを知っていたと思う。だから「結果としては、天皇の神格を保存するために役立つだけだった」となるのである。

もし、日本がキリスト教国となっていたら、天皇は英国王のような立場になるはずであった。しかし、結果としては、天皇の神格を保存するのに役立つことになった——と福田は言いたいようである。かくて天皇は、何はともあれ、「依然として神」であることにちがいないのである。

マッカーサーは側近の軍医のエグバーグに、「天皇の日本国民に対する神性の力を借りなければ、日本の将来に絶対必要な政治体制の改革はできない」と語っている。

マッカーサーは、日本をキリスト教国化するのに一番役に立つものは、天皇の神性の力であることを知っていたのである。このマッカーサーの認識のうえに「象徴天皇」が誕生してくる。

かくて野坂参三が指摘した通りに、日本は「小説のような国家」となった。

一九四七年の暮れから天皇の退位問題が再燃してきた。しかし、退位問題は小説国家日本にとって、三文小説のストーリーにすぎない。いかに退位問題に火がつこうとも、マッカーサーが最後の一撃を加えれば、すべてが一挙に片づくのである。それでも、三文小説のごとき物語をあえて書くことにしよう。舞台装置を知ることなしに、舞台で演じられる芝居の面白さは半減するからである。

一九四七年十月、ニューヨーク・タイムズは社説で「天皇は退位すべし」と書いた。この社説を日本経済新聞が、「天皇の責任消滅せず、退位問題再燃」として報じた。

この年の十一月五日、天皇は、シカゴ・トリビューン紙社主のロバート・マコーミック大佐と会見した。当時、マコーミックはマッカーサーを大統領にすべく活動中であった。天皇はマコーミックに「日本占領の司令官がマッカーサー元帥であることを幸福と思っている」と語った。

一九四八年元旦、マッカーサーは年頭の辞を発表した。

日本改造再建の設計は完成に近づいた。ヒナ形はできあがり、道は与えられている。今後の発展は主として日本人自身の手にゆだねられ、未来は諸君の手の中にある。

「日本改造再建の設計」とは、日本をキリスト教国化するということである。「ヒナ形はできあがり」とは、天皇と皇族たちすべてがキリスト教に帰依する覚悟を示しているということである。「道は与えられている」とは、天皇と皇族たちと同じようにキリスト教に帰依するという道が指し示されているということである。そうすれば、日本は「今後の発展」が望めると、マッカーサーは年頭の辞で「日本国民へ」訴えたのである。

このことの意味を日本人は、うすぼんやりと理解していたのではなかったか。マッカーサーに逆らう力をすでに日本人は失っていたからである。「あなたまかせの日本」であった。

一九四八年に入ると、カトリックとプロテスタント双方による日本をキリスト教国にする動きが活発になっていく。

一月八日、ニューヨーク発のＵＰ電は、米国の著名な事業家で、目下、日本にキリスト教大学を設立するための準備委員会理事長の地位にあるジェームス・フィーザー氏が、ＵＰの記者に次のように言明したと伝えた。

日本のキリスト教大学を建設するための一千五百万ドルを米国内で募集することになっているが、本年末までに相当具体的な成果が期待できるであろう。日本の青年たちにキリスト教的知識を授けることは、幾多の友好決議や祈念碑などよりも、日本の来る世代にたいし、はるかに多くの永遠的な利益をもたらすだろう。

三月四日、ペンシルベニア州パックヒルズ・フォールで開かれた米国プロテスタント宣教師の外国布教の会議において、日本委員会の委員長ニーマン・シャフター博士は総額二千七百万ドルにのぼる「対日布教五カ年計画」を発表した。日本の戦災教会の復旧（五千万ドル）、在日布教師を二百七十名から六百名に増員（一千四百万ドル）、他である。

三月五日の朝日新聞は、八月二十三日にアムステルダムで開かれる世界宗教者会議にそなえてアジア諸国を歴訪中の英国国教会カンタベリー大僧正補佐官のステファン・ニール司教との会見を伝えた。

天皇とは三日に会見した。招待は、極く簡素ななかに気品を失わず、しかも親切あふれるものであった。この天皇が日本国民の代表として、国際親善を押し進めていけば、諸国との間に必ずなごやかな友好関係が結ばれるとの印象を深めた。陛下は西欧諸国の精神的援助が日本再建に大きな力を与える点に多くの希望をもたれていた。日本ではいま、キリスト教が田舎に至るまで非常に盛んであるそうだ。しかし、これは日本人の例のものまね上手に終わっては危険だ。

天皇は、マッカーサーから宣教師たちと会見するように依頼を受けるとほとんど拒否できずに応じた。外国の宣教師たちは、マッカーサーと会見した後に天皇との謁見の仲介をマッカーサーに求めた。天皇は彼らに、日本全国にキリスト教が広まっていると語り、日本の未来に期待をしていると語るのを常とした。こうしてキリスト教は広まっていったが、その一方で東京裁判の判決が近づくにつれて、天皇退位問題が再燃してきた。

一九四八年五月一日、外交官のジョージ・ケナンが来日し、マッカーサーと会見する。この模様をケナンは、『回顧録』の中で詳述している。ケナンは、マッカーサーと政治と経済を論じようとする。しかし、マッカーサーは、キリスト教について長口舌をふるったのである。

マッカーサーはケナンに、「日本人が決して認識したことはないが、彼らの思考を大転回させるだろう二つの偉大な価値、すなわち、民主主義とキリスト教を彼らにもたらした」と語り、自分の業績を誇った。「彼らの思考を大転回させるだろう」に注目してほしい。キリスト教国化が近いことをケナンに説明したのである。

マッカーサーは「世界史の中で、これまでに真に成功し建設的で永続的な軍事占領は一例しかない。すなわちシーザーの蛮地征服にともなうものである」と語っている。日本と異なり、西洋の歴史観では、「世界史」という言葉は、例外はあるけれども、教会史と連結している。マッカーサーはシーザーを例に挙げつつ、自らをローマのシーザーならぬ、東洋のシーザーであるとケナンに語っているのである。また、マッカーサーはケナンに「日本人はその歴史上、未曾有の自由を味わっている。いったん自由と民主主義を知った者は奴隷に戻ろうとはしない。強制的に奴隷にさせられることはあっても、自発的にはならない」と語っている。

マッカーサーにとって日本人は南部の奴隷と同じである。「強制的に奴隷になった者」(戦前の日本人)を自分が解放してやった、とケナンに語っているのである。強制的に奴隷にしたのはもちろん天皇である。天皇により「精神的真空状態」に陥っていた日本人を、「民主主義とキリスト教精神」で解放したのは自分自身であると、ケナンに説いたのである。

一九四八年五月六日、天皇はマッカーサーを半年ぶりに訪問した。第六回目の定例的なものであった。この会談の内容を知ることはできない。

五月二十九日、朝日新聞に、二十七日ロンドン発のロイター電が載った。

東京来電によれば、降伏記念日たる八月十五日を期して、天皇退位が行われるであろうとのうわさが東京で強まっている。この退位は、東条英機元首相の処刑と時を同じくして行われるものと見られている。ただ、このうわさは確認されておらず、現在のところ、真偽を明らかにすることが出来ない。しかし、最近、参議院副議長松本治一郎が天皇を批判し、天皇制の廃止、共和制の樹立を主張して以来、この天皇退位のうわさが相当信じられるようになった。

カナダの外交官ハーバート・ノーマンは六月三日、カナダ外務省に報告書を送った。

天皇の退位に関して報道されている最近の噂について報告します。天皇が退位を真剣に考えているという噂を耳にしたのは、私の知る限り、これで三回目です。最初の噂は、終戦直後の、まだ天皇の運命がはっきりしていないときで、彼の側近の何人かは、退位説に賛成だといわれたときでした。二回目の噂は、憲法発布のときで、天皇は専制的明治憲法下で成人したので、すみやかに退位して皇太子のために天皇位を空けておく。そして、皇太子が成人したとき、今の憲法にふさわしい天皇になれるよう、今から教育を受けていくというものでした。

ノーマンはGHQの中でも、特にすぐれた才能を持っていたソープ准将（一九四八年の天皇巡幸を中止させた将校）と懇意であった。ソープは皇室の工作、いわゆる「接待工作」を受けてから、徹底した皇室嫌いになっていた。

ソープは皇室を根底から改革すべしとして、ノーマンにその計画書の作成を依頼した。ノーマンはイギリス王室の資料を中心にして研究に入った。ノーマンとソープの線で、一九四八年の天皇の巡幸中止、宮内庁長官松平慶民、侍従長大金釜次郎の更迭問題が出てくるのである。東京裁判の判決も近づき、天皇は不安の日々を送るようになっていった。

六月十日、上海発UP中央社の東京発電は天皇退位説を報じた。十二日の朝日新聞を見る。

天皇は退位を希望しているが、「後継の問題で思いとどまっている」とつぎのように報道した。消息筋からの情報によれば、天皇は退位の決意を固めている。皇太子が幼いこと、第二に、適当な摂政がいない、退位によって社会不安が起こるかもしれない、との理由によって思いとどまっているといわれる。教養の高い日本人たちは退位によって、天皇制にまつわる戦争責任の跡をぬぐい去ることができるとして一致して賛成している。

翌六月十三日、南京九日発の中央紙が、天皇退位に関して、南原繁東大総長が、九日に中央紙記者と会見した模様を伝えた。

私は天皇は退位すべきであると思う。これは私人ではなく、全国の小学校教員から大学教授に至るまでの共通感覚となっている。天皇が退位するとしても、国民の反響を考慮に入れなければならないから、退位の時期は慎重に選ぶ必要がある。しかし、天皇の退位は国民や政治家が圧力を加えて行うべきではなく、あくまでも、天皇自身の自発的な行為にまつべきである。なぜなら、退位は道義上の問題であり、政治上の問題でないからである。しかし、実際には、技術的にまた政治的に退位の前途に困難が横たわっている。

ハーバート・ノーマンはこの南原の「退位すべし」の発言について、カナダ政府に覚書を送っている。

この事実が持つ意味合いは、たぶん、南原総長が高松宮と非常に親しいということにあります。高松宮は、天皇が退位した場合にほとんど間違いなく摂政になります。兄の秩父宮は、肺と肝臓が悪くて御殿場で静養しているからです。

この天皇の退位問題が世界中に駆け巡る切っ掛けとなったのは、『週刊朝日』（五月十六日号）中で、当時の三淵忠彦《みぶちただひこ》最高裁長官が座談会の中で発言したものによる。

ぼくらはネ、終戦当時、陛下が何故に自らを責める詔勅をお出しにならなかったか、ということを遺憾に思う。

その他の個所でも三淵は、天皇の戦争責任を問うていた。三淵は、自分の発言が世界中を駆けめぐり、ついに天皇の退位を要求しているとされたことに驚き、弁明しようとした。しかし、無駄であった。このニュースには尾鰭《おひれ》がついた。

五月二十六日の「ニューヨーク放送」も、「日本の報道によれば、最高裁判所長官が天皇を非難して、その責任を論じた」と伝えた。マッカーサーが大統領選挙の共和党予備選挙で敗北した直後のことでもあり、世界のマスコミの眼が東京に集中していた。

なお、三淵忠彦もカトリック教徒である。吉田茂は自分の周囲をカトリック教徒で固めようとしていた。

皇太子の家庭教師のヴァイニング夫人は『天皇とわたし』の中で、その当時の様子を書いている。


安倍〔能成〕博士が、ご退位が可能性としてでなく、殆ど確実なことであるとして話されたのは、一九四八年五月二十五日のことであった。安倍博士は、ストダート博士の教育使節団が訪日したときの文部大臣であり、一九四八年には学習院の院長で、皇太子殿下ご教育の諮問委員会の重要な参与であった。(略) その他にもいくつかの退位問題の気配があった。小金井に出かけていったある日、わたしが担当する殿下のクラスの開始時間が遅らされたが、それは「ライフ」のカメラマンが、その表紙に使う皇太子の肖像写真をカラーで撮影していたからである。彼らは天皇のご退任が発表され、皇太子が天皇になられるときに備えて直ちに印刷にうつされるよう準備を進めているのだと推測された。わたしの心は沈んだ。宮内府のある課で天皇のご退位がないことを願っていた人が、たね〔ヴァイニング夫人の秘書〕に向かって「今こそ危機ですよ」と言った。


ここで少し脇道にそれる。天皇の二人の密使について簡略に記す。

天皇の密使の一人、寺崎英成は、日米開戦時にワシントンの駐米大使館で一等書記官であった。彼は一九四六年二月二十日、宮内庁御用掛となった。そして国際検察局（IPS）の極秘の情報提供者となる。寺崎はIPSの捜査課長のロイ・モーガンに秘密文書を渡した。「戦争に関する天皇の意見」をロイ・モーガンは寺崎を通じて知る。天皇はかつての忠実な臣下を売って身の保全を図ったのである。寺崎は天皇の許可を得て、自らすすんでクエーカー教徒となり、マッカーサーの副官のフェラーズと接したり、キリスト教（特にクエーカー教徒）を通じて情報を得て、天皇に伝える役を演じたのである。天皇とマッカーサーの会談の通訳もする。マッカーサーを通さず大量の秘密のメッセージをアメリカの高官に伝える役もこなした。寺崎は天皇の戦争犯罪追及あるいは退位問題について、マッカーサー側近から情報を集めて天皇と天皇側近に伝えた。

寺崎の父は福岡藩士で貿易商であった。寺崎は東大法学部を卒業して外務省に入った。ワシントン時代、彼の下にいた藤山楢一は、「寺崎さんは頭山満を中心とした右翼団体、玄洋社の影響を受けており、大変な尊皇家でした」と評している。天皇と頭山満は深い関係にあった。

もう一人の天皇の密使は松平康昌である。ウイロビーの『知られざる日本占領』に、匿名の宮廷の人として登場する。ウイロビーは松平から、第二次世界大戦における天皇の役割について〝ガセネタ〟をつかまされる。真実は、天皇が皇居の中に大本営を設置し、すべての情報を得て、参謀たちと戦争の指揮を執ったのであったが。

松平は内大臣秘書官長から内記部長を経て、宗秩寮《そうちつりょう》総裁という官職についた。内大臣木戸幸一が戦犯とされて巣鴨に入った後の、天皇の側近中の側近であった。松平は東京裁判のキーナン首席検事に近づき、自宅に招いたり、東京会館や静養軒で接待した。後日、キーナンは「極上の女たちを与えられた」とうそぶいている。

宮中に伝わる鴨猟の接待係のドンは松平であった。天皇は密使の二人を使って情報操作をし、平和天皇をパフォーマンスし、戦争責任を臣下の者たちにすべて転嫁し、身の安全を図り続けたのである。

天皇は、二人の密使の活躍を、連日のごとく嘉みし給うた。何はともあれ、神は戦犯リストから外された。神は近きによりて神に恋闕《れんけつ》の情をもちて、他を裏切ることを厭わない者のみを嘉《よ》みし給う。それゆえにこそ、いかなる大罪を犯そうとも、神は聖なるものであり続けられる。人身御供を求めない神は、神ではない。

一九四八年になると、天皇は退位の危機に遭う。しかし、この天皇の危機を救ったのはマッカーサーの「退位するにおよばず」の一言であった。この一言ですべてが覆った。天皇の退位問題はマッカーサーの演出であったと思われる。

しかし、本当の危機が天皇を襲う。アメリカのスペルマン枢機卿が日本にやって来たからである。野坂参三が言った、「ここに非常な危険がある」日本になっていくのである。

かくて、皇太子はキリスト教徒になった

渡部悌治《わたなべていじ》は『ユダヤは日本に何をしたか』（私家版『攘夷の流れ』）の中で、貞明皇太后について書いている。

日本覆滅の方策として、キリスト教・フリーメイソンらの立てた方策に、皇室にキリスト教を入れて日本国家を転覆させるという企てがあった。それには皇室内の関係者になるべく多くのカトリック信者をつくり、四囲をかためて貞明皇后様を入信させるという陰謀であった。宮中をキリスト教で乗っとる策謀である。

貞明皇后（昭和天皇の母、後に皇太后）は、戦前からキリスト教に深い理解を示していた。敗戦後しばらくして、宮内省の職員が「宮中内部もこれから変わるだろう」と、遠回しに貞明皇太后に伝えたことがあった。皇太后は言った。

「それでは、要するにご維新前と同じことになると考えればいいのですね」

貞明皇太后は明治の時代をよく知っていた。

貞明皇太后の若かりし頃、周囲はキリスト人脈で溢れていた。

明治の元老の伊藤博文はドイツでキリスト教に改宗し、キリスト教を模して神聖国家日本の基礎を作った。「昔に返るだけのこと」とは意味深長である。幕末までは、天皇家は仏教中心の生活を送っていた。天皇家の菩提寺は京都の泉涌寺《せんゆうじ》である。泉涌寺は天皇家の死者を、仏式により葬った。また、供養をした。天皇家は仏教儀礼の中で生き続けてきた。
宮廷記者を長らく務めた高橋紘は、『天皇家の仕事』の中で次のように書いている。

太平洋戦争に至る過程、終戦をめぐって、あるいは戦後の宮中改革、皇族の臣籍降下、宮中祭祀の変更など、皇太后のところにすべて相談があり、報告が上がっていた。昭和天皇はいつも、皇太后をたてていたようすが、側近の日記などからありありと分かる。

賀川豊彦は後の章で詳しく書く。現代史上、最高のキリスト者である。戦後、賀川はアメリカの記者に次のように語っている。当時、賀川は東久邇内閣の参与であった。

天皇は立派な人物である。なぜなら、キリスト教に興味をもっている皇太后の影響を受けているからである。

この会見の報道にアメリカ中が湧く。後章で詳述する。天皇がマッカーサーとの第一回の会見で、私は天皇が「キリスト教徒になりましょう」と言ったと思う、と書いた。この点から見ても間違いのないところである。

保阪正康の『秩父宮と天皇』を見る。

秩父宮には明らかにキリスト教の影響があって「天国の安らかな眠り」につく死者にはそれなりの態度で遇することが必要だという考えをはっきり打ち出していた。

こうした文章を読んだ読者は、秩父宮はつい二年ほど前に終わった米英との戦争に決して賛成ではなかったと判る。秩父宮が、太平洋戦争に少しも関与しなかったために、その主張はいっそう重さを増した。

保阪は次のようにも書いている。三笠宮は大正天皇の四男である。長兄は裕仁（昭和天皇）、二男秩父宮、三男高松宮である。

天皇家のキリスト教に対する許容量が広くなったのは、三笠宮が日本旧約学会の会員になり、ヘブライ語の研究を続けたことからも明らかである。秩父宮が、英国を「範」にする論調の文を書いたのは、英国社会に根付いているキリスト教のモラルに対する関心が底辺にあったからである。

三男の高松宮は、後述するが、キリスト教に深く帰依していた。天皇家は全員がキリスト教に深く帰依していた様子を読者は知ったはずである。

天皇とキリスト教を結びつける人脈で、忘れてはならない二人の女性がいる。一人は植村環《うえむらたまき》であり、もう一人は皇太子の家庭教師となったE・G・ヴァイニング夫人である。

天皇の母の貞明皇太后は天皇を強く説得し、キリスト教に帰依するようにすすめた。そして、良子皇后にも、三人の内親王とともにキリスト教を学ぶように命じた。関屋貞三郎（クリスチャン。元宮内次官。当時枢密院顧問官）の依頼を受けた植村環は宮中に入り、三人の娘（内親王）と良子皇后に聖書の講義をした。植村は著名なキリスト者にして天皇教徒の植村正久牧師の娘である。

一九四五年十月、「米国教会親善使節団」が来日した。団長は世界キリスト教連盟米国委員会の委員長ダグラス・ホートン。このことはすでに書いた。ホートンは植村環に、米国ミシガン州のグランド・ラピックスで開催される長老教会全国総会への出席を招請した。この出席について、占領軍の外交局とアメリカ国務省のあいだで論議が交わされた後、植村女史は国際関係正常化の第一歩を記す人物として最適であるという理由で、民間の日本人として初の渡米許可を与えられた。

この一九四六年には、賀川豊彦もアメリカ・キリスト教会の全国協議会の一委員会によって、ロンドンで開催された「正義と永久平和委員会」の会合に招待されていたが、出国許可は与えられなかった。

日本基督教団総合議長の小崎道雄も、一九四七年五月にカナダで開かれる国際宣教協議会出席に先立ち、天皇と会見した。天皇は小崎に、「キリスト教による世界平和に日本も貢献したい。教団議長として使命を全うするように」と激励した。しかし、小崎もカナダへの出国を許可されなかった。

小崎は一九四八年八月にアムステルダムで開かれた世界教会協議会第一回大会に出席し、十二月に天皇に帰朝報告をしている。小崎は霊南坂教会の牧師であったが、その教会がマッカーサーの住むアメリカ大使館の裏手にあった関係もあり、マッカーサーが夫妻で教会を訪れることもあり、たびたび会見している。その小崎にしても、当時、アメリカやカナダに行くことは至難であった。植村に話を戻そう。

植村は、出発を翌日にした一九四六年四月二十七日、天皇と皇后に招待された。天皇は「世界から日本への誤解を取り除くべく働いてほしい」と植村に言った。皇后は「米国民にどうぞよろしく日本国民の気持ちを伝えてくださいい」と頼んだ。植村はワシントンにも行き、トルーマン大統領とも会った。

帰国後、植村は一週に一回、三人の内親王に聖書を教える役を引き受けた。植村は一九三七年、植民地台湾の台南市の長老派教会経営の女学校校長であったとき、礼拝の祈祷の中で「日本の罪を許したまえ」という一言のために警察や検事局に呼ばれ、取り調べられた経験を持つ。その彼女でも、この宮中で聖書の講義を始めると、全国に遊説してまわり、天皇は戦中も平和主義者であったと、天皇のPR係を担当するようになっていった。こうして宮中には、三人の天皇の娘たちと皇后たちが歌う讃美歌が流れていったのである。天皇も時折、この皇后と娘たちの輪の中に入っていったのであった。

入江相政の『日記』(一九四六年四月二十一日)を見ることにしよう。

……今日午後植村環女史が皇后宮に拝謁、全米クリスチャンより献上の特製バイブルを献上する際の写真をいただき度、その為にサンのカメラマンが来るなどの事があり、ゴタゴタする。午後二時半植村女史、皇后宮に拝謁、バイブルを奉呈、相当長時間復命する。四時より両陛下出御、同女史にお茶を賜り色々お話をおきき遊ばす。予も陪席。

植村環の講義に天皇は、三回に一回は出席した。一週間に一回は植村は皇居に入ったから、一カ月に一回は天皇も出席した。秩父宮、高松宮、三笠宮も植村環から聖書講義を受けた。一九四八年六月二十九日の入江の『日記』を見る。

夕方飯を炊いて呉竹寮へ行き夕食。六時半より七時半迄、植村環女史の進講陪聴。どれ程に宗教性を帯びているかを吟味するためである。大したこともないし偉い人ではあるのだろうが、やはりクリスチャンの臭味が相当に強い。我々としてはもっと倫理的な範囲に止めておくべきだと思ふが、それは無理な注文なのかもしれない。併し少なくとも清宮様にお聞かせすることは疑問だと思ふ。

侍従の中には、天皇や皇后らのキリスト教かぶれを懸念する人々がいたのである。しかし、連合国の日本占領が正式に終わった一九五二年のある日、突然、五年間毎週続いた植村環の聖書講義はピリオドが打たれることになった。天皇が命じたのは間違いないことであろう。侍従の一存で決定できる程度のものではないからである。

私はこの天皇の決定に、「別府事件」のトラウマ（精神的な傷）を見るのである。

では、もう一人のキリスト者のヴァイニング夫人について書くことにする。

一九四六年三月五日。米国教育使節団は天皇と会見した。天皇は突然に（使節団にそう思えただけで、天皇は側近たちとの熟慮のうえの決断であった）、皇太子の家庭教師の件を持ち出した。そして四つの条件を付けたのである。

米国婦人であること、クリスチャンが望ましいが狂信的ではないこと、「日本ずれ」していないこと、年齢は五十歳前後であること、この四つの条件であった。

この使節団の来日は、マッカーサーが一九四六年一月四日にワシントンの陸軍省宛に電報で教育使節団を送るよう要請したことに始まる。陸軍省はこの使節団の中に、カトリックとプロテスタントの代表をわざわざ選考し、加えていた。団長のジョージ・ロ・ストッダートは当時ニューヨーク州教育委員長であり、名門イリノイ大学の総長に選出されたばかりであった。しかも、クエーカー教徒であった。

天皇が自ら、クリスチャンの家庭教師を皇太子につけようとしたことの意味は深い。天皇自身のみならず、皇太子もキリスト教を学んでいるという姿勢をアメリカに見せて、天皇教の存続を図ろうとしたのである。しかも、将来の天皇がクリスチャンに仕上げられることも承知のうえであったろう（今上天皇が現在もクリスチャンであることは後の章で検証する）。

かくて、未来の天皇である皇太子は、天皇教の危機を救うための「人身御供」の役割を背負わされることになったのである。

天皇はこの時期、東京裁判を控え、ワシントンでは決定済みであった「天皇免責」についての正確な情報を入手していなかった。それゆえ、「天皇独白録」を作成したり、マッカーサーの副官フェラーズ工作をしたり、ＧＨＱの高官を接待して女を提供しようとしたり、側近たちと孤軍奮闘の最中であった。この家庭教師の件も、そういう状況の中から出てきた作戦の一つであり、マッカーサーさえ全く知らなかったのである。

　この家庭教師の件を天皇に注進したのは、山梨《やまなし》勝《かつ》之《の》進《しん》だといわれている。彼は洗礼こそ受けていないがキリスト教信者であり、学習院の院長であった。その当時の皇太子の英語教師Ｒ・Ｈ・プライスの忠告を受け入れたという説もある。また、当時の吉田外相もこの件で動いた。クリスチャン人脈が天皇の危機の中で、皇太子をクリスチャンに仕上げ、将来の日本のキリスト教国化を確実にしようという遠大な計画の一つであったといっても言い過ぎではないだろう。「人間宣言」づくりに一役買ったプライスは、山梨に「天皇は従来の神道だけでなく、キリスト教を積極的に受け入れるべきである」と主張していた。そして、そういう気持ちで皇太子に英語を教えていたから、すでに皇太子はクリスチャンになる可能性は十分にあった。

　天皇をキリスト者にしようと動いた主流は内村鑑三、新渡戸《にとべ》稲造《いなぞう》に連なるコネクションであり、関屋貞三郎元宮内次官、南原繁、矢内原忠雄、後の最高裁長官の田中耕太郎らであった。彼らの工作により、皇太子は美しい異国のクエーカーの家庭教師（当時人気のあった女優イングリッド・バーグマンによく似ていた）から、英語とともにキリスト教を教え込まれるのである。このような美しい女性から少年がキリスト教を教え込まれて、もし信者にならなかったら、その少年はきっと精神の不具者にちがいなかろう。もしも、キリスト教信者にならないようなことがあるのなら、それはきっと奇跡だ。

ヴァイニング夫人は一九四六年十月初めに来日し、一九五〇年の晩秋に帰国した。十二歳の皇太子はそのとき、十七歳の青年になっていた。帰国後、彼女は一九五三年に『皇太子の窓』をアメリカで出版し、当時のベストセラーになった。

日本の学者はヴァイニング夫人のことにほとんど触れない。もし、触れたとしても、その選考過程を書くだけである。彼女も全く無視された存在である。ここにもキリスト教軽視が見られるのである。私はこの『皇太子の窓』は戦後史の貴重な資料の一つであると確信している。では、『皇太子の窓』を開けて戦後史を眺望することにしよう。

一九四七年二月のある日のことをヴァイニング夫人は次のように書いている。

いつもそうだったが特にその最初の冬は、私が直接交わる範囲以外の多くの人々は、私が何を皇太子殿下にお教えしているのかということに興味をもち、私の成就すべき仕事におおげさな期待を寄せたりした。二月のある午後、日本基督教団の婦人委員会が私のためにお茶の会を開いてくれ、鴛鴦《おしどり》の模様のある美しい手織りの綴錦《タペストリー》を一枚贈り物としてくれた。これは、私に皇太子殿下をキリスト教に改宗させてほしいという、多くのキリスト教徒たちの願いを表現したものに他ならなかった。ずっと露骨な言葉で私にその希望を述べる者もいた。

ヴァイニング夫人は、彼女たちの願いを受けて、自らの願いを込めて、皇太子がやがてキリスト教徒になられるように祈ったのであった。

父なる神よ、いつの日にか大いなる責務を負うべきこの少年〔皇太子〕を祝福したまえ。心と体と霊の能力がその極みにまですくすくと成長することを得さしめたまえ。彼が心の中なる汝の光を知り、かつこれに信頼し、彼の同胞の中にも存在する汝の光を尊敬することをかれに学ばしたまえ。彼の教師と侍従一同に知恵と勇気を与え、一切の私利私欲をなげうって、ただ、彼の最善なる成長のために心をささげたまえ。子らをその周囲に集めたまいしキリストの御名によりて、アーメン

かのときのヴァイニング夫人の祈りは、皇太子がキリスト教徒になってほしいと願うものであった。そしてその祈りは現実のものとなった。年少のときに神を受け入れた者は、ほとんど一部の例外を除いてクリスチャンの道を一生歩むのである。この時から、弟宮の義宮もクリスチャンとなっていった。

一九四六年十一月三日（明治節）、宮城前広場に天皇と皇后とが揃って姿を見せた。新憲法公布のための祝典であった。天皇はソフト帽にモーニング姿。皇后は朝鮮服のチョゴリに似たスタイルの宮中服を着て式典台に立つと、十万の参加者たちは式典に殺到し、「万歳」を繰り返した。天皇と皇后が揃って姿を見せたのは戦後初めてであった。天皇は新憲法の公布式において、「朕は国民と共に全力をあげ、相携えて、この憲法を正しく運用し、節度と責任を重んじ自由と平和とを愛する文化国家を建設するように努めたいと思う」と述べた。「朕の文化国家」

左から皇太子、ヴァイニング夫人、義宮（『皇太子の窓』より）

とはどんな文化国家なのか、国民は何も知らされなかった。
天皇がこの年の春に「ホイットニー文書」の中で日本人を痛罵していた事実を国民は知らなかった。ましてや、神道からキリスト教へと改宗する過程にあることも知らなかった。
一九四七年三月三日、ヴァイニング夫人は内親王たちの雛祭《ひなまつり》に宮中に招待された。ヴァイニング夫人はその日の出来事についてこう書いている。

帰りの自動車の中で、私は自分が見たりしたことをたねさん〔ヴァイニング夫人の秘書・

引用者注）に話し、彼女の方でもその日の経験を私に語った。たねさんは拝謁がすんでから、控えの間で一人の女官とお茶を飲んだ。その女官が彼女に語ったところによると、それより二、三日前の午餐のとき、天皇がこう言われたとのことであった。（略）「自分が今までしたことで成功したことがあるとすれば、それはヴァイニング夫人を招聘したことだ」

一九四九年一月、皇后はシーボルト（マッカーサーの政治顧問、のちの外交局長）に内々で、十五歳になった皇太子を「アメリカの高等学校に入れ、続いてイギリスの大学に行かせたい」との願いを伝えた。マッカーサーはこれを聞き、「まず英語が話せるようにしなければならない。留学はそれからだ」と答えている。

一九四九年の春、皇太子は学習院を卒業して高等科に入る。そのころの皇太子についてヴァイニング夫人は次のように書いている。

皇太子殿下の宗教教育の問題は、側近の人々の間でさえ考慮にのぼっていた。そして従来は、仏教と神道とキリスト教の講義を、かわるがわる殿下にお聴かせするという方針が採られてきた。こんな往き方は、わるいことはないにしても、あまりにも形式的で、本当に役にはたたないという気持ちがしてならなかったが、別に名案も思い浮かばなかった。（略）殿下は儒教の教義については毎年決まって教授を受けておられた。日本語と英語の聖書をおもちになって、多分目を通しておられた。一年ばかりの後で、殿下の御学友の一人が新聞記者とのインタビューのとき語ったところによれば、殿下は聖書を「尊敬」

し、時々聖書の句を引用なさるとのことであった。

ヴァイニング夫人が皇太子のキリスト教との関係について書く筆致は慎重である。ヴァイニング夫人が帰国して、この本を書いたとき、日本は独立国家であり、キリスト教はすでに日本では一部の人々の宗教になっていた。

宮中で皇后や三人の内親王たちに聖書を講義した植村環も、一方的に宮中から追い出されていた。

しかし、ヴァイニング夫人は、確実に皇太子が期待に添ってキリスト教徒になっていることを、皇太子の学友の言葉を引用するスタイルで表現しているのである。皇太子は十五歳の年令で、日本語の聖書のみならず、英語の聖書を読み、会話において聖書の句を引用できるほどに、キリスト教への造詣を深め、しかも、聖書を尊敬するまでにいたった、と自信を持って書いている。この文章には続きがある。

一度は殿下と殿下の御学友のグループにクエーカーの信仰とキリスト教について話をするように頼まれ、これをやってみた。

私たち日本人は、皇太子（今上天皇）がクエーカー教徒のヴァイニング夫人から、見事にクエーカー教徒の信仰と思想を受け継いだことを知る必要がある。ヴァイニング夫人はマッカーサーと並び日本現代史上の最重要人物の一人である。

私が『皇太子の窓』を読んで特別な驚きを感じた文章があるのでここに引用することにする。一九四七年の暮れに天皇の書斎を見学した模様を描いている。「日本人でも、宮中の直接関係者以外はこのお住居（御文庫）を見たことがない」と彼女は書いている。書斎は御文庫の中にある。

天皇陛下の御書斎は、学問を愛する普通の紳士の書斎と同じで、本棚が四壁に並び、床には立派な絨毯が敷かれ、大きな、表面の平らなデスクの上には、どこにも見る写真類やこまごました品物が並べられ、それに安楽椅子数脚、装飾品、大理石の胸像三個……十九世紀や今世紀初頭の英国とアメリカの書斎に見出されたに相違ないあのリンカーンとダーウィンとナポレオンの三つの胸像である。

一、二年後に聞いたことだけれども、そこにナポレオンの胸像があるのは、陛下が御自身でお買いになったほとんど唯一の品物であるため、特に珍重していらっしゃるからだという。二十一歳の皇太子としてパリを訪れたとき、陛下はお土産を買いに出てこれを手にお入れになり爾来ナポレオンの胸像は、その旅の想い出のよすがとなっているのだそうである。ダーウィンの胸像は、生物学に対する陛下の御興味の自然の表れであり、リンカーンの胸像は、爾来陛下のリンカーンに対する終生変わらぬ深い御傾きを示すものであるという。

若いときからナポレオンの胸像を書斎に飾っていたのは有名な話である。二・二六事件当時の侍従武官長本庄繁の『日記』には、天皇がナポレオンの研究に専念した様子が具体的に描かれている。ナポレオンを通して天皇は奇襲攻撃のやり方を勉強した。若いときから机上作戦を繰り返していた天皇を知る必要がある。

ナポレオンの軍隊は、安上がりの徴兵軍であった。ナポレオンはこの軍隊を、愛国心に燃える兵隊の群れに仕上げた。日本の軍隊は葉書一枚で徴兵された「民草」といわれる雑草がごとき安上がりの人間による軍隊で、ナポレオンの軍隊以上に愛国心に燃えていた。ナポレオンは補給のほとんどを現地補給とした。天皇の軍隊はこれを真似た。ナポレオンは参謀部をつくり、機動力にまかせて、波状攻撃を仕掛けた。天皇は大本営を宮中におき、参謀部の連中と連日会議を開き、ナポレオンの波状攻撃を真似た。ナポレオンにより、ヨーロッパに「残酷な欲望」が拡大した。東条は参謀部から出た命令を忠実に実行しただけであった。これを疑う人は『杉山メモ』を読めば納得がいくであろう。

日本もまたしかりだ。あの真珠湾攻撃は、そして、フィリピン、ビルマ、タイ……での戦争は、ナポレオンの戦争とそっくりである。

一九四五年八月十四日から十五日にかけて、見事に演出された疑似クーデターが発生した。若き陸軍将校たちが、近衛連隊の森師団長を殺した。玉音放送原盤事件が起こった。「日本の一番長い日」と呼ばれる日である。しかし、これは真実ではない。別の機会に証明したい。

ナポレオン像に話を戻そう。当時の侍従長藤田尚徳は『侍従長の回想』の中で、八月十五日の朝の場面を描いている。

やがて夜が明けて、八月十五日、真夏の夜明けの訪れは早い。私は侍従室で陛下の御召しを待っていた。侍従たちが陛下の御様子を知らせてくれる。陛下は軍装のままで、時に庭に出たり、自室に座られたりして、やがて御召しによって、御文庫書見室を出た。陛下の後ろには、リンカーンとダーウィンの像があった。朝の陽が二人の偉人像を白く照らしている。

ヴァイニング夫人が書いているように、皇太子のときから天皇はナポレオンの像を書斎に飾っていた。それは間違いなく、八月十四日の真夜中まであった。あの疑似クーデターの最中に、それはリンカーンの像と見事に入れ替わったのであった。いかに天皇教が変わり身の早い〝配電盤装置〟を持っているといっても、これはもう普通の常識をはるかに超えていて、ただただ驚くばかりである。そして八月十五日以来、ナポレオン像は天皇の書斎からしばらくの間、消えていた。

さて、一度紹介した、オーテス・ケーリの『天皇の孤島』を見よう。一九四六年一月二十四日付の友人宛の手紙の一部を記すことにする。

彼〔幣原首相の福島秘書官：引用者注〕は天皇一家を写した二百枚に及ぶ写真のことについて語った。その中の一枚を除いて全部「ライフ」に提供したそうだ。「ライフ」は天皇とのインタビューの記事と一緒に載せたいと、まだ誌上には発表せずにいるのだそうだ。

除かれた一枚というのは天皇の書斎をとったもので、リンカーンの胸像がうつっていた。これは誤解を避けるためにとりつけたのだろう（どうして手に入れたのか、「ライフ」と「タイム」は後に、とうとうこの胸像の写真を載せた）。

ケーリがもし、八月十五日の朝に、天皇がナポレオン像をどこかに隠し、リンカーン像がその代わりに置かれた事実を知ったら、彼の文章はどのように変わったであろうか。そして、またナポレオン像が書斎に戻ってきたことを知ったら……。では、ナポレオン像の行方を追跡してみよう。

田中徳《たなかとく》は一九四九年に出版した『天皇と生物学研究』の中で、ナポレオン像の経緯を描いている。

御室の装飾といえば、書棚の側の飾り棚にリンカーンとダーウィンの高さ三十センチ位のブロンズ像の胸像が据えてある。これは極く普通のもので、以前、側近は［この他に］ナポレオン像も飾っていたが、それはいつの間にか戸棚の中でちりをかぶって忘れられているとのことである。

ナポレオン像は八月十五日、リンカーン像と入れ替わり、戸棚の中にしまわれたのである。そして、折りよしとの機会が再び訪れ、ヴァイニング夫人の訪れるころに、そのちりを払われて、もう一度書斎の飾り棚に飾られたのである。国民が敗戦のショックを受ける前、あの「日本の一番長い日」が起ころうとしていたとき、天皇はナポレオン像を戸棚にしまい込み、かねてから用意していたリンカーン像を書斎に飾り、万一アメリカ軍が宮中に押し入り、天皇の書斎に来た時を考えて用意を完了したのである。それから天皇は見事に「平和天皇」に変貌していくのだ。ヴァイニング夫人はそのような天皇を優しくて、慈愛に満ちた、平和を愛してやまない天皇であると、一時帰国したときもアメリカ各地を転々として、PRに努めたのである。

かくして、天皇はアメリカにおいても、反天皇の風潮を抑えることが出来るようになった。外国の文献を見ても、この『皇太子の窓』を取り上げたものは少ない。エドワード・ベアの『裕仁天皇』にはこの本の批評がでてくる。

ヴァイニング夫人は皇室に対しての敬意を忘れず、常に明仁皇太子のそばにいて仕える理想的な侍従となった。彼女の著書〔『皇太子の窓』〕にはほとんど情報価値が認められない。裕仁天皇や他の皇族方との打ち解けた夕食やトランプ遊びの詳細な著述は読者の好奇心をそそるが、これらの模様は彼女の皇室の使用人の目を通してしか描かれていない。

ベアはヴァイニング夫人に注目すればこそ、この『皇太子の窓』について書いた。しかし、彼はほとんど情報としての価値がないと断定する。皇太子がヴァイニング夫人からキリスト教の講義を受け、キリスト教徒になっていくということは、ベアにとって当たり前のことで、情報ですらないのである。ベアと同じように日本の学者たちは、今上天皇の心の形成時代を全く無視しきっている。ベアほどの関心すらない。

一九五〇年十一月、ヴァイニング夫人は帰国を前にしての学習院での最後の授業で、生徒たちに次のように語った。

私はあなた方に、いつも自分自身でものを考えるように努めてほしいと思うのです。誰が言ったにしろ、聞いたことを全部信じないように。新聞で読んだことをみな信じないように。調べないで人の意見に賛成しないように。自分自身で真実を見いだすように努めてください。ある問題の反面を伝える非常に強い意見を聞いたら、もう一方の意見を聞いて、自分自身はどう思うかを決めるようにして下さい。

皇太子はヴァイニング夫人の教育を受けて、自ら考える人になっていく。そして昭和天皇と全く異なる思想を持つようになる。

はっきり書こう。今上天皇はクエーカーの平和思想の持ち主である。そしてまた、キリスト教を受け入れた天皇である。後に、カトリック信仰の持ち主の正田美智子と結ばれる赤い糸を操ったのは、間違いなくヴァイニング夫人である。後の章でヴァイニング夫人がもう一度登場することになる。彼女なくして、日本の現代史は語れない。

マッカーサーは天皇の「人身御供」工作を知り尽くしていた。ヴァイニング夫人の『天皇とわたし』という本の中に、ヴァイニング夫人が家庭教師になって、就任挨拶に訪れた模様が描かれている。マッカーサーはヴァイニング夫人に、「あなたの家庭教師就任は民主主義を熱心に学ぼうとしている印象を総司令部に与えるための、日本側の姑息な政治工作だとは思わないかね」と言っている。

（第八章以下は下巻へつづく）

◉著者について
鬼塚英昭（おにづか　ひであき）
1938年大分県別府市生まれ。別府鶴見ケ丘高校卒業後、上京。中央大学法学部で学びながら数多くの職に就く。学費未納で中退後、故郷・別府にて家業の竹細工職人となる。生業の傍ら、国内外のありとあらゆる関連書を渉猟・読破、関係者にも精力的に取材を重ね、郷土史家として私家版の歴史書、『海の門』『石井一郎の生涯』『豊の国の竹の文化史』を書き上げる。その研究の途次の1995年、昭和天皇九州巡幸時の「別府事件」を偶然に発見、以来10年にわたる歳月をついやして本書の上梓を見る。
現住所：別府市実相寺町１－４　B－２

天皇《てんのう》のロザリオ〔上《じょう》〕
日本《にっぽん》キリスト教国化《きょうこくか》の策謀《さくぼう》

◉著者
鬼塚英昭《おにづかひであき》

◉発行日
初版第1刷　2006年 7月20日
初版第2刷　2009年12月20日

◉発行者
田中亮介

◉発行所
株式会社 成甲書房

郵便番号101-0051
東京都千代田区神田神保町1-42
振替00160-9-85784
電話 03(3295)1687
E-MAIL mail@seikoshobo.co.jp
URL http://www.seikoshobo.co.jp

◉印刷・製本
中央精版印刷 株式会社

Printed in Japan, 2006
ISBN4-88086-200-2

定価は定価カードに、
本体価はカバーに表示してあります。
乱丁・落丁がございましたら、
お手数ですが小社までお送りください。
送料小社負担にてお取り替えいたします。